診察エッセンシャルズ

症状をみる 危険なサインをよむ

新訂第3版

監修 松村理司　編集 酒見英太

Symptom-
Oriented
Diagnosis

日経メディカル

執筆者一覧

新訂第3版

監 修 | 医療法人社団洛和会総長 兼 洛和会京都厚生学校学校長
　　　　松村理司　Tadashi Matsumura

編 集 | 洛和会音羽病院副院長 兼 洛和会京都医学教育センター所長　酒見英太　Hideta Sakemi

執 筆
(五十音順)
(執筆項目)

洛和会丸太町病院救急・総合診療科部長
上田剛士　Takeshi Ueda _____ 13, 24, 25, 27, 30, 35章

藤田医科大学病院救急総合内科病院教授
植西憲達　Norimichi Uenishi _____ 4, 7, 31, 32, 34章

淀さんせん会金井病院理事長
金井伸行　Nobuyuki Kanai _____ 23章

洛和会音羽病院副院長 兼 感染症科・トラベルクリニック部長
神谷 亨　Toru Kamiya _____ 28章

横須賀市立うわまち病院救急科救急総合診療部科長
河野慶一　Keiichi Kohno _____ 3, 17, 37章

洛和会音羽病院副院長 兼 洛和会京都医学教育センター所長
酒見英太　Hideta Sakemi
_____ 診断学総論, 2, 6, 8, 9, 10, 11, 15, 16, 18, 19, 39章, Appx I-④⑤

京都岡本記念病院総合診療科医長
島田利彦　Toshihiko Shimada _____ 5, 36, 38章

洛和会音羽病院総合内科・リウマチ部門部長
谷口洋貴　Hirotaka Taniguchi _____ BLS & ALS(成人), 1, 14, 29章, Appx I-①⑥

神戸市立医療センター中央市民病院総合内科医長
土井朝子　Asako Doi _____ 26章

関西医科大学総合医療センター呼吸器膠原病内科講師
西澤 徹　Toru Nishizawa _____ 12章

洛和会音羽病院院長
二宮 清　Kiyoshi Ninomiya _____ 20, 21, 22章

医療法人社団洛和会総長 兼 洛和会京都厚生学校学校長
松村理司　Tadashi Matsumura _____ 診察心得

福島県立医科大学白河総合診療アカデミー講師
宮下 淳　Jun Miyashita _____ 33章

洛和会音羽病院救命救急センター・京都ER副部長
宮前伸啓　Nobuhiro Miyamae _____ Appx I-②③

カリフォルニア大学サンフランシスコ校医学部教授
Lawrence M. Tierney, Jr. _____ Dr. Tierney's Clinical Pearls, Top 10 Pearls

推薦のことば

It is a great pleasure to introduce this fine book to the readership. I have edited many books in America, and could not be more delighted than Tadashi Matsumura assuming authorship of this one. In many visits to Japan over the last sixteen years, it is obvious he is one of the country's very best medical educators, and his accomplishments at Maizuru and in Kyoto are well-respected by every medical student and resident in Japan. It is rare to see one with so many contributions to teaching. The subject of symptom-based learning has long been underestimated in teaching ; it is at the same time practical, but requiring of systematic medical knowledge. This is a most needed volume. The addition of clinical pearls adds an anecdotal quality which is always of interest to young physicians, and makes learning pleasurable, and combines nicely with the rigorous approach elsewhere in the book. Japan is fortunate to include this book in its contribution to the medical literature. Thus, this is a thoughtful, creative volume, and a major contribution to the number of medical textbooks already in print ; moreover, it is unique in its structure, and thus a very special work.

本書を読者の皆様に紹介できることをうれしく思います。私もアメリカで多くの本を編集してきましたが、松村先生がこの本を著わされたのはこの上もない喜びです。この16年間に何度も来日して見てまいりましたが、先生は日本の最良の教育者の一人であり、舞鶴や京都での実践は数多くの医学生や研修医に敬意を払われております。医学教育への貢献は多大なものがあります。症候学は長い間医学教育の現場で過小評価されてきましたが、とても実用的なものです。しかし、系統的な医学知識が要りますので、この本は待望の書といえるでしょう。今回、Clinical Pearlsを加えさせていただきま

したが、若手医師には興味深いものですし、学習も楽しくなり、この本の至るところでみられる厳密なアプローチとうまく調和することでしょう。日本の代表的な医学書の1冊に加えられればすばらしいことです。本書は、深みがあり、創造的であり、医学書の歴史に大きな貢献をするものです。構成もユニークですし、格別な仕上がりといえるでしょう。

Lawrence M. Tierney, Jr., M.D.
Professor of Medicine, University of California at San Francisco

新訂第3版の序

　日進月歩の医学に対処すべく、2年前にかなり大幅に中身を刷新した際に新訂第2版と銘打った。今回早くも新訂第3版を出さねばならなくなったのは、今年度からの医師臨床研修制度の見直しに対応するためである。具体的には、従来の本書の内容に、「もの忘れ・心肺停止・外傷・熱傷・成長（発育）障害・発達障害・終末期の症候」を、それぞれ工夫した形で加えることになった。

　現行の医師臨床研修制度（以下、新制度と略）を少し振り返ってみよう。今更ながらという気もするが、若手医師や医学生に歴史を知っておいてほしいからである。卒後初期2年間の研修を義務化する新制度は、2004年に始まった。所轄官庁である厚生省・厚生労働省の10年間に及ぶ慎重な準備の下に、年間1,000億円をはるかに超える国庫支出を国会で承認し、法律改正（新制度履修の実績がなければ、医師免許だけでは継続反復する医療行為は行えない）も伴っているのである。だから、プロフェッショナル・オートノミーをやたらに強調し、国家財政の裏付けがない新専門医制度とは全く異なる。

　新制度下での達成度は、幅広い臨床能力の獲得の点でも、地域病院と大学病院の研修内容の近似化の点でも比較的満足のいくものであったのに、思わぬ横槍が入ることになった。医師派遣機能の弱体化に困り切った大学医局の声が通り、新制度の"弾力化"が打ち出されたのである。すなわち、2年間の研修義務年限が実質的に1年間に短縮され、2年目は将来の専門性の方向に舵を切る風が吹き荒れ出した。10年前のことであり、臨床研修指定病院の2/3がこの方向に舵を切った。

　しかしながら、到達目標は一貫して変わらなかった。そして、今回の「"弾力化"の廃止」へと続く。中央での政治的な駆け引きには全く疎いが、何のことはない、「2004年への回帰」である。元に戻ったのである。"弾力化"病院は、内容の再構築に大慌てだったに違いない。

　では"弾力化"はなぜ駄目なのかについて、卑近な理由を2つ述

べたい。1つは、ほんのちょっと前までは、日本の若手医師の平均的な基本的臨床能力は、基本的手技も含めて、欧米先進諸国や米英の教育的影響が強い一部の東南アジア諸国の水準と比べると、格段に見劣りがしていたのである。もう1つは、内科臨床の日米比較。大病院では内科系専門諸科の指導層がひしめくが、当該専門能力発揮の様は日米で同じなのに、その指導医層の内科全般にわたる基本的な臨床・教育能力に彼我の差がかなりあるのである。臨床も教育も、日本のほうが明らかに劣る。この差は、本来なら、卒後内科研修の充実によって、つまり内科の裾野を広範に、深く研修することにより、徐々にではあれかなり埋められる性質のものである。ところがこの真相を日本の大学人が実感できないのだ。超高齢社会の内科への大きな臨床的要請は、多病・多死への総合的対応のはずなのに、誠に残念である。

　私淑してきた故・加藤周一氏に「日本文化の型」という理論があり、その1つに「部分主義」がある。日本文化の特質は、空間的にも時間的にも「部分が集まって全体になる」のであり、「全体を考えて部分を作る」のではない、という。これは医学にも演繹できる、と私は考える。つまり、日本の医学・医療の多くの分野において、総合よりも個別が目立つのは、全体よりも部分にこだわる「部分主義」の故なのだ。分野別専門性の進歩は目ざましく、影響力も強く、光る。しかし、恩恵と共に無駄と危険（身体的・精神的・経済的）も付き物であるのは、「部分主義の延長としての多剤処方」や「部分主義の延長としての検査漬け」を考えればわかる。

　「常に全体を眺め、そもそも多剤処方に陥らない態勢」や「検査漬けにならないように絶えず全体を俯瞰する姿勢」を築くには、臨床的「部分主義」の克服が不可欠である。部分だけでなく全体も視野に入れる思考の習慣は早きに過ぎることはない。本書の部分読みだけで事足りてほしくない所以である。

2020年2月

松村理司

新訂第2版の序

　2018年以降に洛和会での初期研修を希望する青年医学生に対して、マッチングのための試験が行われた。私も久しぶりに審査員として参加したので、面接で数十人の受験生に2つの質問を試みた。1つは、「NHK放映の『総合診療医ドクターG』を知っているか？中身をどう思うか？」。2つ目は、「『白い巨塔』という作品を知っているか？医療界の封建性について思うところはあるか？」。

　『総合診療医ドクターG』の知名度は、満点であった。ごく一部に否定的な評価もあったが、「医療者が一丸となって診断推論に苦渋する姿に接して、俄然医学が面白くなった」という返答もあり、驚かされた。勧められれば出演したい、という返事が圧倒的であった。『白い巨塔』は、「2003～2004年のテレビ番組をみた記憶がある」が散見される程度にとどまった。原作読破は皆無であった。医療界の封建制については、ほとんど意見はなかった。というより、質問の意味自体が理解されにくいようであった。

　2013年に89歳で往生した山崎豊子が、渾身の力作『白い巨塔』を刊行したのは1965年。金銭や名誉による買収工作にまみれた教授選考と、まだ極端に少なかった医療裁判（民事）が克明に描かれた。学生運動への影響を含め、社会的反響はすこぶる大きく、69年に続編が刊行された。一審は原告敗訴だったが、被告側のカルテ改竄が主治医や看護師の証言から漏れる羽目になった控訴審では、原告が勝訴……。「白い巨塔」は、医療・医学界の封建性の代名詞になった。

　学生運動の高揚下で、「労働力収奪」の汚名を着せられ、1968年に廃止に至ったインターン制度が、中身を充実させ36年ぶりに「復活」を果たしたのが、実は「新医師臨床研修制度」である。「医師免許がない、安価な労働力、教育が不十分」の欠陥は、医師免許取得後の「プライマリ・ケアの重視、コミュニケーション・スキルの修練（人格の涵養）、アルバイトの禁止（給与の保障）」に改善された。そのあおりを食った形で大学医局の医師派遣能力が劣化し、

「病院崩壊」の一因となったが、逆戻りはできまい。この制度の出発と同時に刊行された、診断推論に特化した本書であるが、制度の維持とともに生き延びてきたのは嬉しい。

　診断推論の展開は、医学の封建性の打破と関係するか？　後者は、前者の十分条件ではないが、必要条件である。カルテ改竄が横行する環境で、診断推論の華が開くわけはない。では診断推論の充実は、医療の旧弊を一掃できるか？　ごく部分的にではあるが、可能である。過去半世紀における他の刷新要因としては、医学知識・医療技術の格段の進歩、ITの普及、教授選考や学位制度の透明化、医局運営の民主化、インフォームドコンセントの浸透、癌告知の広がり、医療安全への配慮、カルテ改竄の撲滅、多職種協働の増加、医療者の労働条件の改善、パワハラ・セクハラの抑制、医者の患者への尊大な姿勢や患者のへりくだった態度の激減などが挙げられる。

　卓越した診断推論も、いずれは人工知能（AI）に取って代わられるのではないかという議論がある。限られた領域での抜群の能力には舌を巻くが、医療面接と身体診察の全体を近未来に置換できるとはとても思えない。とりあえずは、愉快な共存といきたい。

　診断は、治療とともにある。優れた治療ガイドラインは各種増産されている現況だから、早急な正診へ至る過程こそが模索されるべきである。医療弱者への共感の下、汗の結晶たる臨床活動の中で、映像化に値する病歴やきらりと光る身体所見を見出したときの感激は、何物にも代えがたい。

　本書は、2009年に新訂版を出して以来、毎年刷りを重ねてきた。毎回小さな修正はしてきたが、今回は新訂第2版として、かなり大幅な刷新を行った。今回の改訂によって、本書の中身の最新さと正確さが保たれることを願う。

2018年2月

松村理司

新訂版の序

　新医師臨床研修制度が開始されて丸５年が経過したが、さまざまな批判に晒されている。大学による地域病院からの医師の引き揚げ、都会の大病院への研修医の集中、基礎研究を避ける傾向の増大などが弊害とされている。これらの現象は、新医師臨床研修制度の施行と確かに関連するだろう。ただし、最近あちこちで合唱される医療崩壊・病院崩壊の最大原因とみるのは短絡し過ぎであり、もう少し冷静な分析が望まれる。また、たどって来た道は、もう元には戻れない。厚生労働省による最近の見直し案にも、深い内省はみられず、拙速としか言えまい。

　新医師臨床研修制度の目的は、あくまで幅広い臨床能力の獲得にある。研修医に対する最近のアンケート調査から、これは達成されたことがわかる。本書の初版は、新医師臨床研修制度の開始に合わせて出版されたが、一定の好評を博したようである。読者のほとんどは研修医で、一部が指導医かと想定されるが、症状（自覚症状）と徴候（他覚的所見）から鑑別診断を挙げていく「症候学」を取り扱っているからであろう。

　さて、今回は新訂版となった。執筆者も、市立舞鶴市民病院の「少数執筆陣」から洛和会音羽病院総合診療科のスタッフが中心になった。同科の診療姿勢も「できるだけ間口を狭めず、かといって深み・緻密さ・微妙さを極力失うことのない一般内科と地域医療の展開」を踏襲しており、内科系ジェネラリズムの色濃いものである。同時に、すでにスタッフ約10名、後期研修医約10名の大部隊に成長している関係で、さまざまな"雑用"をもこなさざるを得ない。"出前"とも称しているが、慢性医師不足の内科系A科の外来・検査・入院応援、外科系B科の術後遷延性意識障害患者の主治医交替、認知症病棟患者の身体合併症への対応、ER型救急医療現場への主体的関与、集中治療室（ICU）への横断的関わりといった"院内出前"だけでなく、内科系医師の絶対的欠乏に悩む洛和会姉妹病院（170床）への継続的複数医師派遣などの"院外出前"にも及ぶ。総合診療医

は、本来"非特異的"に患者を診察・治療する（つまり、"What can I do for you?"とどんな患者にも対応する）ものだが、以上の多岐にわたる活動を"雑用"と感じないためには、やはり多数の総合診療医が要るという次第である。なお、"院外出前"には、出張先の他院（中小病院が多い）での教育回診・指導なども含まれ、こちらは多少晴々しい。

　そういった"雑用"や"出前"に多大の時間が取られても、それなりの達成感や使命感に満たされるものだが、内科系ジェネラリズムの真骨頂は、何といっても診断推論の展開の妙味にある。音羽病院総合診療科の面々が、早朝に昼に夜に、カンファレンス室や病室や廊下や医局で、侃々諤々、ときにはひっそりと議論し合うのも、早急に正診にたどり着こうとする努力にほかなるまい。

　新訂版の指揮は、洛和会京都医学教育センター所長の酒見英太医師が執った。編集方針の改訂、諸原稿の点検も同君が負った。この本に深化や向上が認められるとすれば、同君の功績である。

　初版の序でも述べたように、従来の日本の医療は、老若男女の医療人が議論し合う習慣に富んではいなかった。論理的な面でも、倫理的な面でもそうであった。検査機器がますます高級化し、超高齢化社会にずっぷりと浸ることになった21世紀の日本の医療界には、徹底的に議論する習慣が不可欠である。EBMをいくら信奉しても、無条件に正解がもらえるわけではない。新医師臨床研修制度へ移行後の5年間は、残念ながら、議論する習慣の定着には短すぎた。縁あって音羽病院総合診療科に集った執筆者たちが、日頃の議論する習慣の結実を発信するとすれば、やはり「症候学」が最もふさわしいと思われる。

2009年6月

松村理司

初版の序

　この本は、いわゆる「症候学」を取り扱っている。症状（自覚症状）と徴候（他覚的所見）から鑑別診断を挙げていくのは、診療の基本である。医療面接と身体診察の技法が求められるわけである。

　この時期の出版は、初期臨床研修の必修化と関連している。新制度の開始に当たり、研修医にも指導医にも読んでいただきたいという魂胆である。厚生労働省から示された「臨床研修の到達目標」のうち、経験すべき「頻度の高い症状」を扱っている。

　私たちに執筆の機会が回ってきたのは、今春3月までお世話になった市立舞鶴市民病院内科の従来の姿勢と関係している。「できるだけ間口を狭めず、かといって深み・緻密さ・微妙さを極力失うことのない一般内科と地域医療の展開」という欲張った志がアピールしたように思われる。

　屋上屋を架す気が大いにするのに執筆を引き受けさせていただいたのは、「少数執筆陣」の魅力であった。力量と時間の制約が極端に多くなってしまうわけだが、「広い範囲を自由に書ける」誘惑に勝てなかった次第である。

　卒後3年次になったばかりの大野医師が、骨子を書いた。現場でたたき上げた物知りの金地内科診療部長が、良い意味での換骨奪胎を図るはずだったが、新進気鋭の斬新な博識にたじたじだったのは否めない。Lawrence Tierney先生は、いつものように天才ぶりを発揮し、そのClinical Pearlsは、舞鶴滞在中に文字通り一夜で出来上がったが、お膳立てには何カ月をも要した。私は、当初「てにをは」の修正に徹するはずだったが、バランスの調整にことのほかの時間をかけることになった。Tierney先生の英語は、少し意訳させていただいた。

　全体を通して眺めると、各症状が重症度や緊急性の順に鑑別されているさまがよくわかる。だから、「救急室で大きな病気を見逃さない」姿勢が一貫しているともいえる。1,000床を超える大病院である飯塚病院は、救急医療の賑わいでも有名だが、その総合診療部や救

急室で卒後2年間を過ごした大野医師の経歴が透けてみえる。診療のあり方は「場」によって異なるから、この鑑別診断のありようは、診療所や地域病院での一般外来診療に適したものではない。しかし、研修指定病院は中規模以上の病院がほとんどであり、研修医が鑑別診断に最も困る瞬間は、深夜の救急室での指導医から「見放された」現場であるという実態は、この本の価値を少し高めてくれるだろう。

　診療の「場」の設定が以上のような次第なので、検査漬け医療の廃止という側面は、残念ながら積極的には取り上げられてはいない。また、専門医へのコンサルトという文言がやたら多いのも、このような「場」によるものだと考えていただきたい。

　これまでの日本の医療は、議論する習慣に富んではいなかった。21世紀の医療には、この側面が欠かせない。日本のあちこちの医療現場に研修医が混じる時代を迎えた今、そこでの活発な議論の展開にいささかなりともこの本がお役に立てば、筆者一同望外の喜びである。

2004年4月

筆者を代表して
松村理司

Contents 目次

診察心得		*15*
BLS & ALS		*24*
診断学総論		*28*

1章	ショック		*34*
2章	全身倦怠感		*45*
3章	不眠		*59*
4章	食欲不振		*66*
5章	体重減少(るい痩)・体重増加		*72*
6章	浮腫		*81*
7章	リンパ節腫脹		*89*
8章	発疹		*99*
9章	黄疸		*111*
10章	発熱		*119*
11章	頭痛		*139*
12章	意識障害		*150*
13章	失神		*159*
14章	けいれん発作		*170*
15章	めまい		*186*
16章	視力障害		*195*
17章	結膜充血		*203*
18章	聴覚障害		*209*
19章	鼻出血		*218*
20章	嗄声		*225*
21章	咳・痰		*233*
22章	呼吸困難		*241*
23章	胸痛		*254*
24章	動悸		*267*
25章	悪心(嘔気)・嘔吐		*274*

26章	胸やけ	*284*
27章	嚥下障害	*289*
28章	腹痛	*298*
29章	吐血・下血	*331*
30章	便通異常(下痢・便秘)	*345*
31章	腰・背部痛	*359*
32章	関節痛	*370*
33章	歩行障害・脱力	*381*
34章	四肢のしびれ	*400*
35章	血尿	*407*
36章	排尿障害(尿失禁・排尿困難)	*418*
37章	尿量異常	*426*
38章	不安・抑うつ	*432*
39章	もの忘れ	*441*

Appendix Ⅰ

①心肺停止	*452*
②外傷	*454*
③熱傷	*459*
④成長（発育）障害	*463*
⑤発達障害	*467*
⑥終末期の症候	*471*

Appendix Ⅱ

経験すべき疾病・病態Index	*475*

Dr.Tierney's Top10 Pearls	*480*
欧文略語	*482*
和文索引	*496*
欧文索引	*509*

診察心得 *Guidelines When Evaluating Patients*

　日本の一般的な臨床研修の現状は、医療技術や画像診断に教育対象が偏り過ぎている。基本的なものの考え方こそが、もっと徹底的に教え込まれるべきである。数多くの入院患者・外来患者・救急患者・高齢患者・超高齢患者・要介護者・心身障害者・精神障害者など、さまざまな種類の病者を診察する。診察においては、病歴と身体所見（H&P：history and physical finding）に基づいて診断推論を行い、問題点を整理し、それらをきちんとチャートに書き、かつ限られた時間で要領よく情報伝達することに留意する。こういった基本的な作業と訓練が不足していては、その後の臨床医としての成長は限られてしまう。

　研修医と指導医の双方に必要な診察心得の総論を、以下に述べる。

1. 症例呈示能力の向上

　ある場合の症例呈示は、病歴が簡素過ぎて、患者情報が伝わらない。逆に、呈示が全体に冗長過ぎて、要領を得ないことも珍しくない。どちらの場合も、稚拙なオーラルプレゼンテーションという結果になってしまう。またある場合は、検査結果や画像解釈に時間が割かれ過ぎである。病歴や身体所見が付け足しでしかないようでは、一見高級な装いではあっても、正統な症例呈示とはとてもいえない。

　研修医は、研修の初期ほど緊張して症例呈示するものだが、未熟さはつきものである。一般には、病歴や身体所見が不足していることが多い。しかし、先輩医や指導医は、そのことには意外に寛容なのが通例であり、患者の症候（症状や徴候）について時間をかけて点検されることは少ない。また、指導医による身体診察が新たに行われることにより、身体所見の確認・追加・否定が現場でなされることはめったになく、したがって、身体診察の妙味に研修医が目覚めるという機会も乏しい。それよりも、かなり珍しい病気が例に挙げられ、それが否定できているのか質問されたり、また研修医があまり聞いたことのないような新しい検査について指導医から指摘さ

れがちである。だから、"優秀な"研修医ほど、新しく、珍しい検査をどんどん依頼することになる。そして、それが研修水準の高さと判断されてしまう。

大いなる錯覚である。症例呈示においては、あくまで病歴や身体所見を中心に臨床像を浮かび上がらせ、それに問題点を織り込む。頻繁に行われる回診、さまざまなカンファレンス、電話でのやり取りなどあらゆる機会をとらえて練習に励む。できるだけ諳んじてしゃべる訓練に明け暮れると、オーラルプレゼンテーションの能力もめきめき上達する。

2. 診断推論の方法

診断推論には、正統な仮説演繹法以外に、教育用の徹底的検討法、アルゴリズム法、パターン認識などがある。いずれにしても、鑑別診断は、決して病歴と身体所見と検査所見を込みにして行わない。鑑別診断の第一歩は、まず病歴だけで行う。病態生理の出番であるが、幅も深さも不可欠である。そして、疾患頻度の重み付けをする。つまり、第一に何、第二に何…、逆に考えにくいものは何、考えられないものは何、というふうに展開する。同じ症候を呈していても、疾患頻度は「診療の場」によって多少、ときには大きく変わる。重症度や緊急度の重み付けも大切である。つまり、少々考えにくくても、重篤な疾患や緊急性のある病態なら存在感が大きくなる。

鑑別診断の第二歩は、身体所見の追加による整理である。身体診察では、眼底検査や直腸診も省略せず、「頭のてっぺんから足の爪先までの全身診察」を合言葉にする。系統だった身体診察法の修得は、日頃の訓練なしにはあり得ない。同時に、それに支えられた臨機応変な対応、いわば「きらりと光る身体診察」も、忙しい臨床現場では欠かせない。なお、身体所見に関しては、「検者の想定内のものしか見えず、聞こえない」といわれる。つまり、視診や聴診による異常所見も、病歴上での診断仮説に即してはじめて把握できるというわけである。「身体診察前確率」の推定が重要だともいえる。

病歴と身体所見で検査前確率を推定した後にはじめて、「したがっ

て、どういう検査をする意義があり、どういう検査は意味がないか」が検討される。検査特性の優劣も論じられるべきである。まず、必要最小限の初期検査所見に照らして検査後確率を解釈する。次いで、高次検査の必要性が吟味される。検査後確率は、検査特性よりもむしろ検査前確率の影響を受けやすいことに留意する。

3. チーム医療下での屋根瓦方式の教育指導体制

1年次研修医は、2年次研修医から学ぶ。2年次研修医は、3年次研修医から学ぶ。4～5年次の若手医師は病棟医長格になり、さらにその上により年長の指導医がいる構造である。新医師臨床研修制度に即して言えば、初期研修医はまず後期研修医から学ぶ。この形が屋根瓦方式といわれ、最低1日に一度は行うべき回診の基本の形態である。そして、医学生は、クリニカルクラークやサブインターンとして1年次研修医に付くのが、本来のクリニカルクラークシップなのである。"See one, do one, teach one." であり、知識や技能の修得においては、先輩のやり方から学び、自分でやったことはすぐに後輩に伝えたい。チームの構成員が多過ぎる団子状態は、教育効率を悪くする。チームは5～6人で構成され、半年～1年ごとに編成が変わるのがよい。

年長医や長老医にロールモデルやメンターシップを求めるのももちろんよいが、それは屋根瓦方式での基本的教育指導体制に上乗せすべきものである。兄・姉格の先輩医（プレセプター）から気軽に多くを学ぶのが、屋根瓦方式のミソなのである。それに、理想的なロールモデルと呼べる年長医は、そんなにごろごろとは存在していない。

研修医と指導医は、質問を遠慮し合わない。双方向的で、丁々発止の議論を行う。もちろん、長幼の序への適度な配慮は欠かせない。ともあれ、研修医が臨床現場で刻々抱く疑問点の解決は、彼・彼女ら自身の「本や論文を読む」勉学に支えられるよりも、「耳学問」による吸収であるべきである。

以上のような屋根瓦方式の教育指導体制が円滑に展開されている

医療機関は、日本ではなお少ない。主治医制が墨守され、この形のチーム医療へ踏み切りにくいように見受けられる。しかし、その教育・診療上の効率のよさは欧米ではつとに立証されている。このような教育空間では、滑らかな症例呈示、特にオーラルプレゼンテーションは、ごく日常的な光景になるのである。

4. EBMの展開

　日本ではEBMがもっと必要である。それは、診断・治療に関する医師によるばらつきが、相当ひどいところまで許されているからである。自由裁量権は大切だが、この言葉の履き違えとしか思えない、程度の低い事例がまかり通っている。「1,000床以上の超優良病院での研修医の大きな不満の1つが、EBMの欠如である」という実証もある。こういう事情だから、現今の「EBM熱」を医療空間の密室性打破に是非とも利用したい。医療空間は、この点では、あけっぴろげ・あけすけでありたい。

　医学知識の整理と技術の利用の仕方にまつわる指導医間の温度差は、努めて少なくしたい。基本的な事項に関して指導医たちの見解がずれたり、そのずれの調整が研修医や看護師に転嫁されてはならない。秀でた指導医が、難解な呈示症例を複数の文献をも諳んじて引用しながら見事に解きほぐした後、研修医・医学生に向かって、「君たちの仕事は、さらにエビデンスを求めて、私たち年長医の権威に挑戦することです」と述べる——そんな晴れ晴れとした身と頭脳が引き締まるEBMなら、どんな研修医・医学生でも引きつけられる。

5. カンファレンスなどの利用

　各科内で、あるいは複数科が協力して、多様なカンファレンスが頻繁に開かれることが望まれる。研修医にとっては、担当以外の患者について学ぶ絶好の機会である。そこでの討論では、身内にだけしか通じない言葉や専門用語はできるだけ避ける。症例呈示も、簡潔でいいが、性、年齢、既往歴などを省かない。ある程度「改まった感じ」の話し方が好ましい。

研修医の「他流試合」も奨励されるべきである。近隣病院同士や地域医師会での症例検討、インターネット上での臨床討論、各種地方会での症例発表などを積極的に利用すべきである。未熟さは付きまとうものの、若者らしいはつらつさと先輩医に学ぼうとする進取の気性で勝負してもらえばよい。

6. コンサルテーションの奨励

院内紹介（対診）が奨励されるべきである。特に研修医には、定まった書式の使用ときっちりした症例呈示・紹介理由の記載が望まれ、それは評価の対象にされるべきである。各科間の連絡書類や検査の依頼書類にも、臨床診断以外に検査目的や臨床経過の欄を設け、研修医には簡潔明瞭な記載を義務付ける。一見煩雑だが、習い性となるし将来必ず役立つ。実際、見事な症例呈示に接すると、受け手も嬉しくなり、気持ちも引き締まる。

紹介先に際して、誰がふさわしいか、誰にするかをめぐってもめる場合がある。当該科のヒエラルキーが臨床能力とずれているのが最大の理由なのだが、感情的なしこりは生じても、地位よりも臨床能力が重要視されるべきではないだろうか？ 患者の安寧が最大目的なのだから。しかし、できるだけの「和」は心がけたい。こういった事態をできるだけ構造的に避けるためにも、EBMの展開による医療空間の開明化が焦眉の急である。

7. 議論・討論の習慣の涵養

高齢社会の医療は、倫理的課題にも満ち満ちている。寝たきりの「植物人間」に近い患者の胃瘻造設に対する適応や思惑も、術後に扱う脳外科とそうでない内科とでは異なることもあるだろう。

こんな臨床現場で、何が医療者にとって最も必要か？ 第一には、習い性となった献身である。第二として、その献身を支える知性や感性をどう高く保つかだが、それは世代を超えた議論・討論にかかっている。日本の平均的な医療現場では、これがなお不十分である。倫理的課題は、論理的課題よりもずっと不確実で、解答は1つには

決まりにくい。だから、バランスのとれた考え方の指導医が、度重なる回診を通して研修医と時間と空間を共有し合うチームワークをこそ、医療の豊かさと考えたい。若くて、老や死を生理的に実感しにくい研修医のフットワークと年長医の熟成した死生観との連携は不可欠である。

症例呈示に含まれる医療情報は、活発で、豊かな各種の議論に立脚すべきである。

8. 説明の医療

患者・家族への病気の説明は、最も大切である。そうであるのに、従来は十分にはなされなかった。説明が零に近い状況さえ散見された。患者・家族も心では望んでいるのに、日本的遠慮が働くことがあった。医師側も、忙しさも手伝い、それについつい甘えてきた。権威主義も悪さした。コミュニケーション技術の稚拙さも包み隠しようがなかった。処方薬の説明も不十分であった。だから、医師の病状説明が十分でないことは、これまで広く市民・国民の不満となっていた。

かなりの改善がみられるようになった最近の傾向は、積極的に継続すべきである。超高齢社会だけに、潜在的な聴覚障害も想定し、「大きな声での、ゆっくりと丁寧な説明」を心掛けたい。今なお存在する「おまかせ派」患者への「説明」も、練って考えられるべきだ。

「説明の医療」の難問の1つは、「患者にとっての不利な情報の説明」である。時代は、確かに「真実の説明」の方向を向いている。しかし、非常に不利な場合のインフォームドコンセント、端的には末期癌の告知については、米国と違って、国民の合意はまだ成立していないと思われる。ケースバイケースの慎重な対応が求められる。私達の集団志向性社会は、個人が屹立し合って関係ができる米国社会とは違う。だから、医療現場には、配偶者の出番、さらに広く〈人と人との関係〉に敏感な臨床医の目が光るべきである。後述の「12. 個人情報保護の精神」は大切だが、「個人情報は個人だけのもの」とする原理主義的な法解釈だけでは、医療を豊かには築けない。

9. コメディカルとの協働

　コメディカルにも各種あるが、ここでは看護師に代表してもらう。倫理的課題にも満ち満ちている医療現場では、医師と看護師とのふだんから語り合う習慣や姿勢が、医療に豊かさを築くための大切な条件である。ところで、1病床当たりの職員数が先進国の最低水準でしかない日本だが、わけても看護師の忙しさは群を抜いている。だから、薬漬け・検査漬けに象徴される「技術至上主義」の洪水が、診療介助の名目で看護師にかかったりすると、医療の豊かさは築けない。バランスを欠いたそんな医療空間では、看護師だけでなく、研修医もすくすくとは育たない。

10. 文献の渉猟

　「3．チーム医療下での屋根瓦方式の教育指導体制」では、研修医の「本や論文を読む」ことによる医学知識の獲得について否定的に記載した。それは、諸先輩からの「耳学問」の大切さを強調したいからであって、良書の読破や良い文献の渉猟を完全に否定するものでは決してない。特に初期研修後半や卒後3年次以降の後期（専門）研修期には、文献によって裏付けをとる訓練が欠かせない。EBMの基本的姿勢でもある。

　「UpToDate」は、米国からの有力な情報発信源に成長した。商業医学雑誌に若手登用の傾向がみられるが、ときには臨床実践的に優れた著書や論文に出会う。

11. 医療安全の遵守

　時代の変化による権利意識の高まりに伴い、国民の医療に対する期待値も格段に上昇した。ときには明らかに実現不可能な要求も散見される。超高齢者や癌患者の延命も、過度に期待されると、医療安全を通り越して「医療安全神話」の世界の話に突入してしまう。医療過誤に対する警察や検察の介入が前世紀末から約10年間にわたって数多くあったが、他の先進諸外国にはみられないことであった。2年前に「医療事故調査制度」が始まり、死亡事故が起きた場合に

報告する「第三者機関」として「日本医療安全調査機構」が指定されているが、十全には展開していない。

米国では、医療安全は、各医療機関のホスピタリスト（病院総合医）の重要な活動領域になっているが、参考にしたい。

「8．説明の医療」も、こういう時代背景を踏まえたうえで展開されなければならない。ということは、難問がもう1つ加わることになる。つまり、「いくら説明しても、し足りない」場合があるのである。例えば、手術の合併症や後遺症の中には、思いもかけないものがあり、術前にすべての可能性を説明できるとは限らない。医療は誠に不確実なものなのである。しかし一方で、defensiveな「萎縮医療」に堕してしまわない知恵が発揮されなければならない。

12. 個人情報保護の精神

近年のIT技術の飛躍的進歩に伴って、個人に関する情報が大量に収集・保管されるようになった。しかし、便利さの半面、それらの情報が流出したり、不正に利用されたりする機会もごく日常的にみられるようになってきた。このような背景の下で、2005年4月1日から「個人情報の保護に関する法律」（いわゆる「個人情報保護法」）が全面施行されることになった。

法令上の個人情報とは、生存する個人に関する情報であって、特定の個人を識別することができるものをいう。しかし、厚生労働省のガイドラインでは、死亡患者の情報であっても、個人情報と同等の安全管理が求められている。具体的な個人情報としては、氏名、性別、生年月日、住所、職業、肩書き、家族構成、趣味嗜好、財産などさまざまなものが含まれる。医療界では、古くから、患者の個人情報についての守秘義務が課せられてきたが、その情報の幅の広さに今さらながら居住まいを正させられる。

学会、研究会、学術誌などへの発表・掲載においては、従来から氏名、生年月日、住所を伏せたりして、匿名化が図られてきた。その匿名化が徹底していれば、法令上の個人情報に当たらないので、患者の同意は不要ということになる。しかし、完全な匿名化は困難

なことが多く、可能な限り、患者の同意を得ることが望ましい。

　卒後初期臨床研修には、「中心に存在する指導医の秀でた臨床力、ジェネラリズム志向性、医療空間の開明性、医師集団の規模の適正さ、構成員全員の教育熱心さ・はつらつさ」の5つが要る。これらは必要条件だから、どれを欠いてもだめである。どんぐりの背比べの臨床力の集団でしかなければ、研修医が伸びるわけがない。ジェネラリズムは、卒後初期の臨床研修には必須である。専門性は、卒後初期を経過した後にこそ出番がある。密室の医療空間に咲く花は、品質も種類も限られている。しかし、逆にいうと、中心に秀でた臨床力さえあれば、その源はどんな指導医でもいい。開明的で、適当な大きさでさえあれば、その医療空間は、田舎であっても、離島であっても、大学附属病院の一部であっても、地域病院の一部であってもいい。そういう医療空間では、教育熱心さは、関係者一同に割合容易に伝播する。そして、老いも若きもはつらつとする。コミュニケーション技術も育つ。もちろん若干の資金は要るが、大型画像診断機器購入費用と比べるべくもない。近代的建築も不要である。「民主的な議論に基づく科学的なチーム医療」の空間は、生き生きとした、移送可能なソフトウェアでありたい。

　医療崩壊・病院崩壊が社会問題化している。過剰労働に起因する勤務医の「立ち去り型サボタージュ」が、最大の要因とされている。今回列記した診察心得がその歯止めになるものではないが、「立ち去り型サボタージュ」とは縁遠い「教育空間の活性化」が焦眉の急であることは間違いがない。

BLS & ALS

本章は AHA（米国心臓協会）ガイドライン（G2015）をもとに作成したものです。G2010 からの主要な変更点などを記載しています。

BLS（一次救命処置）

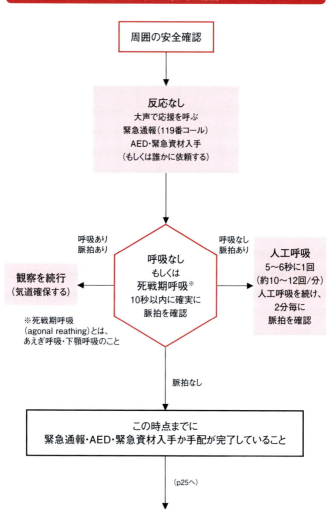

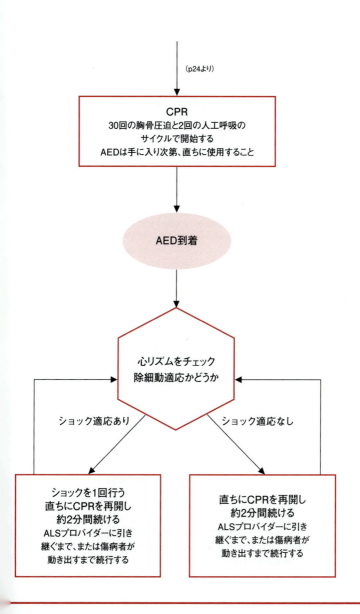

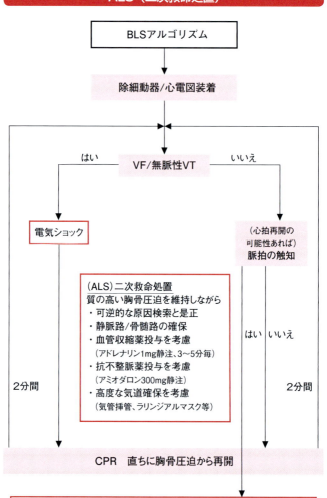

G2010 からの BLS の主要な変更点

1. 手順：1）反応がなければ、まず大声で人を呼ぶ
   2）呼吸と脈拍を同時に確認する（10秒以内）
2. 胸骨圧迫のテンポ：100〜120 回/分（成人・小児・乳児）
3. 胸骨圧迫の深さに上限の目標値が設定された（成人のみ）
   - 少なくとも 5cm（成人）
   - ただし6cmを超えないこと（成人）
4. 高度な気道確保時の CPR 換気頻度：6秒に1回

成人BLSの質の高いCPRですべきこと、してはならないこと

救助者がすべきこと	してはならないこと
100〜120回/分で胸骨圧迫をする	100回/分より遅く、または120回/分より速い速度で圧迫する
少なくとも5cm（2インチ）の深さで圧迫する	5cm（2インチ）未満の深さ、または6cm（2.4インチ）を超える深さで胸骨を圧迫をする
胸骨圧迫ごとに胸壁を完全に元に戻す	胸骨圧迫と圧迫の間で胸部によりかかる
胸骨圧迫の中断を最小限にする	胸骨圧迫を10秒以上中断する
適切に換気する（胸骨圧迫30回行ってから、1回に1秒をかけて、胸のあがる人工呼吸を2回行う）	過剰な換気を行う（回数が多過ぎる、または力を入れ過ぎる人工呼吸）

救命の連鎖

IHCA（院内心停止）

監視・予防 → 認識・救急対応システムへの出動要請 → 速やかで質の高いCPR → 迅速な除細動 → ALS・心拍再開後の治療

BLSプロバイダー｜コードチーム｜心カテ室｜ICU

OHCA（院外心停止）

認識・救急対応システムへの出動要請 → 速やかで質の高いCPR → 迅速な除細動 → 救急医療サービス（BLS・ALS）→ ALS・心拍再開後の治療

市民救助者｜救急隊｜救急部｜心カテ室｜ICU

■診断学総論■

なぜ診断学が大切か

 臨床医学の第一のゴールは、生命予後にしろ機能予後にしろ患者の予後改善にある。患者の予後をよくするには、正しい診断と、原因疾患に対するエビデンスに基づいた治療が必要である。診断に至る前にとりあえず苦痛除去のために対症療法は必要となることは多いが、それのみでは予後の改善には結びつかないため、最小限にとどめつつ、診断を進めるべきである。なお、正しい診断に至る過程・スピードも非常に重要で、名医なら必要最小限の資源を用いて最短の時間で正診に到達できるはずである。

診断プロセスとは

1. 病歴を聴取する

 どんな背景(年齢・性・職業・持病・嗜好品・使用薬剤など)を持った患者が、どんな主訴(症状——部位・種類・性質・程度・発生様式・変遷、発症契機、増悪・軽減因子)を持ってやってきたかという情報のみから、まずいくつかの診断仮説を立て、次に、それぞれの仮説を支持(rule in)する、あるいは否定する(rule out)病歴を追加することで、診断を絞り込む。本人や家族・世話をしている人からまったく情報が得られない特殊な状況を除いて、病歴は診断における最大の武器であるといっても過言ではない。

2. 身体所見をとる

 どんな疾患であっても、緊急度を占うために全身の概観とバイタルサインはルーチンに観察されるべきであるが、それ以外の身体所見は、病歴から考えられた診断仮説を検証(rule in/out)するためにフォーカスしてとられるべきである。しかし、全身を丁寧にみていくと、病歴聴取では挙がってこなかったか、鑑別診断リストの下のほうにあったものが、新たに浮上してくることもあり、その際は新たに診断仮説を追加して再び病歴をとり直すことになる。身体所

見は、超音波検査や内視鏡検査以上に、とる者の技量に依存するため上達には訓練と経験を要する。

> **身体診察の意義とコツ**
>
> 「知らないものは見えない」
>
> 　目に入っているものでも知っていなければ認識できない。すなわち、せっかく患者の呈している身体所見も知らないと見過ごしてしまうので、臨床に携わる者は身体所見についての知識を増やす必要がある。
>
> 「WatchしないとみえないしListenしないと聞こえない」
>
> 　五感は意識を集中しながら用いて初めて役に立つ。Ⅱ音の分裂も肺野の気管支呼吸音も腹部の血管雑音も、頭の中で他の雑音を遮断して初めて聞こえてくる。リンパ節の触診や直腸診も解剖学を意識しつつ指先に神経を集中して初めて異常に気づく。
>
> 　病歴と身体所見から、ここにこんな所見があるはずと意識して読むと画像の感度は上がり、無関係陽性所見に引っ張られることも減る（すなわち特異度も上がる）。
>
> 「身体所見は変わらない（時代を超える）」
>
> 　現在のヒトの体の構造と反応様式は何十万年もかけた進化の賜物であるから、ここ数十年で人間が編み出した技術と比べて、より普遍的かつ不変である。したがって身体所見に関する知識は決して古くならず、いつまでも役に立つので、しっかりと学ぶ必要がある。

3. 初期検査をオーダーする

　病歴と身体所見から疑われる診断仮説をrule in/outするために、簡便、迅速で願わくは安価な検査をオーダーする。ここで重要なことは、診断を除外するためには感度（sensitivity）の高い検査を、確定に近づけるためには特異度（specificity）の高い検査を選択することである。病歴・身体所見と違い、検査は結果を得るまでのタイムラグがあるうえに、オーダーするごとにコストがかかるし、十分に検査前確率を意識しないでオーダーされた検査の結果には偽陽性（無関係陽性）が多く、それに振り回された結果、さらに多大な時間・労力・コストの無駄と、患者へのさまざまな負担が発生すること（Ulysses症候群）を肝に銘じておくべきである。

4. 精査をオーダーするか依頼する

病歴・身体所見と初期検査のみで診断が確定しなかった場合、精査を行うことになるが、精査は往々にして専門的（専門科へのコンサルトが必要）・侵襲的で、高価である。結果を得るのに長い時間がかかる場合も多い。診断を確定するためにより特異度が高いものを厳選することが望ましい。

鑑別診断の挙げ方

知識と経験が豊富な医師が、病歴だけでほぼ「直感的に」正しい診断に至ることは多々あり、それが最も効率的な医療に直結することは確かであるが、取りこぼしを防ぐために診断仮説を立てる——鑑別診断を思い浮かべる——一助となるのが、次の病因論的（病態生理学的）アプローチと解剖学的アプローチである。前者については適当な英語のアクロニム（頭字語：下記の例ではVINTATIPCI）で項目を思い出せるようにしておけばよい。解剖学的には、症状を来している臓器を思い浮かべ、そこに起こっているであろう病変を想起する（その際も病因論的分類の助けは有用である）とよい。

疾患のtemporal profile（突発性、急性、亜急性、慢性、進行性・再発性など）を考えることはいずれの病因論的分類を中心に考えるべきかのヒントとなる。

病因論的疾患分類

Vascular	血管性（出血・虚血）
Infectious	感染性
Neoplastic	腫瘍性
Toxic/metabolic	代謝性
Autoimmune	自己免疫性
Trauma/Degeneration (Mechanical)	外傷性・変性（物理的）
Iatrogenic	医原性
Psychogenic (Non-organic)	精神因性
Congenital	先天性・遺伝性
Idiopathic	特発性

解剖学的病変部位分類

CardioPulmonary	心肺
GastroIntestinal	消化管
HepatoBiliary	肝胆道
GenitoUrinary	泌尿生殖器
MusculoSkeletal	筋骨格
Hematological	血液
Dermatological	皮膚
NeuroPsychiatric	神経・精神

病歴＋身体所見の信頼性

　検査所見それぞれに検査特性があるように、ある疾患の診断に対する症状（病歴）や徴候（身体所見）にも実は感度や特異度、あるいはそれらから導くことのできる尤度比（LR）—診断の確からしさをオッズとして表した際に、LRを用いれば簡単に「検査」前後でその変化がわかる—が存在する（なお、それぞれの用語の詳細は臨床疫学の入門書に譲る）。たとえば甲状腺機能低下症における倦怠感という症状の感度は98〜99％、3度房室（AV）ブロックにおける心音S1強度の変動は陽性尤度比（＋LR）が24.4である、と表せる。事前確率あるいは事前オッズ、すなわち所見を得る前の診断の確からしさが大きければ、陽性尤度比の高い所見を得たときに診断はほぼ確定できるし、小さければ陰性尤度比の低い所見が陰性と出たときに診断はほぼ除外できるというロジックは、病歴と身体所見の段階でも用いてよい。

　病歴・身体所見の診断への貢献度については古くから次のような研究結果が発表されている。1990年代はじめといえばMRIが流布し出した頃で、CTスキャンはすでに十分に臨床応用されていた。その時点でさえも、その30年前と比べて病歴＋身体所見による診断の精度は変化せず高いままであることがわかる。

最終診断との一致率

病歴のみ	病歴＋身体所見	
	88%	(Crombie 1963) [1]
82%	91%	(Hampton 1975) [2]
56%	73%	(Sandler 1980) [3]
76%	89%	(Peterson 1992) [4]

なお、身体所見の「検査」特性についてはJAMAのRational Clinical ExaminationシリーズやMcGeeのEvidence-Based Physical Diagnosisに詳しいので、そちらを座右の書にされることをぜひ勧めたい。

MEMO

accuracy と precision

accuracy：一般に真の値にどれくらい近いかという性質を表す言葉で、診断学においては、病歴・身体所見・検査所見とも、ゴールドスタンダードに対するsensitivity、specificity、あるいはLRで、定量的にその性質を表すことができる。なお2×2テーブル上での定義は（真の陽性＋真の陰性）/全体で表される。

precision：どれだけ再現性があるかを示す指標で、診断学においては、身体所見のように観察者間の食い違いが起こりやすい項目につき、κ (kappa) という数値を計算することで定量的に表せる。

診断を進めていくうえで大切な考え方

- 可能性は低くても見逃せば重篤になる疾患を除外（rule out）したいなら、感度の高い所見が陰性であることを確かめる。
- 診断を確定（rule in）したいなら、「検査」前確率を高めたうえで特異度の高い所見が陽性であることを確かめる。
- スクリーニングとしてのHIV抗体検査が好例であるように、病歴と身体所見で検査前の診断確率を高めておかないと、感度・特異度の高い検査で陽性と出ても、診断の確定には大いに疑問が残る。

- 予期しない検査異常を認めたときには、それが患者の呈している症候を説明できるか否かを吟味し、できなければ「無関係陽性」と考えて後で別途検討する。
- 検査結果がその後のマネジメント（治療法の選択、予後の告知）を左右しないなら、その検査は無駄である。
- 検査を選ぶとき、上記の検査特性を考慮したうえで、簡便・迅速・低侵襲・低コストのものから選びたい。

[参考文献]
1) Crombie DL. Diagnostic process. J Coll Gen Pract 1963 ; 6 : 579-89.
2) Hampton JR, Harrison MJ, et al. Relative contributions of history-taking, physical examination, and laboratory investigation to diagnosis and management of medical outpatients. Br Med J 1975 ; 2 : 486-9.
3) Sandler G. The importance of the history in the medical clinic and the cost of unnecessary tests. Am Heart J 1980 ; 100 : 928-31.
4) Peterson MC, Holbrook JH, Von Hales D, et al. Contributions of the history, physical examination, and laboratory investigation in making medical diagnoses. West J Med 1992 ; 156 : 163-5.
5) 福井次矢. 臨床医の決断と心理. 東京, 医学書院, 1988.

1章 ショック

Shock

訴えの定義

- 組織の循環不全であり、組織の酸素供給が低下した状態を意味する。単に血圧低下を意味するのではなく、血圧が正常あるいは低下する寸前のショックもあり、また血圧が低下していても、末梢組織の低酸素症がなければショックといえない。
- 末梢組織の低酸素症は、臨床的には、意識障害、頻脈、呼吸苦、乏尿・無尿、冷汗として現れる。

見逃してはならない疾患・病態

- ショックは、以下の4つに分けられる。

1 循環血液量減少性ショック（CO↓）
2 心原性ショック（CO↓）
3 閉塞性ショック（CO↓）
4 血液分布異常性ショック（SVR↓）

- 血行動態的には、心拍出量（CO）の減少か、全身血管抵抗（SVR）の低下のどちらかが起こればショックとなり、双方がそろう必要はない。
- 臨床的には上記4つのショックのうち2つ以上を併せ持っていることも多いので、上記のどれか1つに当てはまらないこともある（例：腸管感染症で嘔吐・下痢で循環血液量減少性ショックとなり、さらに敗血症性ショックにもなっている場合）。

ショックの血行動態的特徴

（生理学的因子）	前負荷	ポンプ機能	後負荷	組織灌流
（臨床的測定）	PCWP	CO	SVR	SvO_2
循環血液量減少性	↓	↓	↑	↓
心原性	↑	↓	↑	↓
閉塞性	↓〜↑	↓	↑	↓
血液分布異常性	↓	↑	↓	↑

MEMO

ショックの病態病理

　酸素供給と、酸素消費のバランスが崩れ、細胞膜のイオンポンプ機構が破綻し、細胞の浮腫をもたらし、細胞内容物が細胞外に流出する。その結果、細胞内pHが変化する。また、細胞外も、血清pHの低下、内皮細胞の機能障害、炎症性サイトカインのカスケードが動き、全身の恒常性の維持が不可能となっていく。当初はこの低酸素症は可逆的であるが、いずれ不可逆的となり、最終臓器障害（end-organ damage）、さらに多臓器障害（MODS）となる。

診療のポイント

▶ショックの診療においては、詳細な病歴をとっている時間的余裕がないため、基本的処置を開始しつつ、病歴はショックに至るまでの状況を簡単に聴取（状況に応じて本人、家族、ケア提供者、目撃者などから）するにとどめ、的を絞った身体所見をとることで、速やかに4つのショックのいずれであるかを判別する。

1）患者背景＋随伴症状

▶以下の場合、循環血液量減少性ショックと推定できる。
　①吐血や下血があるとき
　②発熱が持続している、下痢や嘔吐が激しい、利尿薬を服用しているとき
　③高エネルギー外傷など重症な外傷で、血胸、腹腔内出血、後腹膜出血（骨盤骨折含む）、両側大腿骨骨折が疑われるとき
　④重症な熱傷があるとき
　⑤腹痛があり、胆石症の既往やアルコール多飲歴があり急性膵炎が疑われるとき
　⑥腹痛や腹部膨満があり、手術歴の既往から腸閉塞が疑われるとき

▶以下の場合、心原性ショックと推定できる。
　①突然の胸痛で、冠リスクファクターがあり冷汗や放散痛を伴うとき
　②心筋梗塞後の患者で、胸痛が再発したり血行動態が急に不安定

化したとき
③数日〜2週間の感冒の先行があり、全身倦怠感、胸痛や呼吸困難が先行するとき（急性心筋炎の疑い）
④感染性心内膜炎（IE）や急性心筋梗塞や急性心筋炎で観察中の患者で、突然の呼吸苦・不穏・冷汗を来したとき
⑤肥大型心筋症や拡張型心筋症の末期、左房粘液腫、不整脈（心房細動・心房粗動・心室頻拍・発作性上室頻拍）の診断がついているとき

▶以下の場合、閉塞性ショックと推定できる。
①胸部外傷、陽圧呼吸中の患者に発生したショックであるとき
②長期臥床後、出産後、長時間の航空機搭乗後、経口避妊薬を服用している、下肢深部静脈血栓症の既往があるとき
③胸部外傷、突然発症あるいは移動性の胸背部痛を来したとき

▶以下の場合、血液分布異常性ショックと推定できる。
①発熱や低体温、意識障害、温かい四肢末梢があるとき
②頭頸部・背部の重症外傷患者や、対麻痺があるとき
③薬剤・食物アレルギー、喘息やアトピー性疾患の既往がある者が、薬剤や食物、塗布薬を使用した後、鼻汁、口腔内違和感、のどの痒みや閉塞感、喘鳴、皮膚の痒み・紅斑・蕁麻疹、腹痛・下痢を伴うとき

身体診察のポイント

▶速やかなショックの鑑別を行うために、次のアルゴリズムに従って鑑別していく。
▶ショックの分類ができれば、その原因を同定したり、重症度を判定したり、合併症を予測したりする手がかりを得るための以下の診察を加える。

ショック診療のアルゴリズム

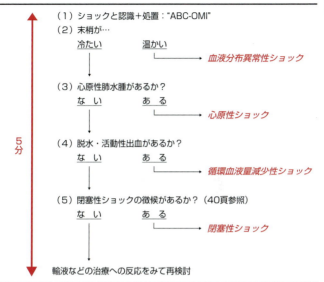

1) 循環血液量減少性ショックを疑う場合

- 循環血液量減少性ショックの不安定なサイン：①収縮期血圧＜90mmHg、あるいは普段の血圧よりも＞40mmHg低下、さらにショックを示唆する臓器症状（意識障害、乏尿・無尿、頻呼吸）を認めるか、②仰臥位→立位（立位が不可能なら、また立位によって失神などの危険性があると判断されたなら座位）で、心拍数増加＞30/分、もしくは収縮期血圧低下＞20mmHg（正常範囲は、心拍数増加＜10〜25/分、収縮期血圧低下＜5〜10mmHg低下）なら、中等量〜多量の失血があると判断されるので、決して以後立位にせず、ラインを2本確保しボリューム負荷し、輸血や緊急止血術、入院を検討する。
- 臥位における頸静脈の虚脱は循環血液量減少を強く示唆する。
- 赤色の吐血があることは、活動性の上部消化管出血の可能性が示唆され、その時点でバイタルサインが安定していても、今後不安

- 片側の胸部の濁音があって呼吸数増加・酸素飽和度の著明な低下があれば重症の血胸である可能性がある。
- 外傷後で骨盤の動揺があれば後腹膜出血を疑う（そして、二度と骨盤の動揺性をチェックしてはいけない）。
- 両側の大腿部の変形・腫脹・圧痛があれば両側大腿骨骨折によるショックを疑う。
- 広範囲の（＞30％）、2～3度の熱傷があればこれによるショックの可能性が高い。
- Grey-Turner徴候（側腹部の紫斑）やCullen徴候（臍周囲の紫斑）をみたときには、腹部大動脈瘤の破裂や重症膵炎による後腹膜出血を考える。

2）心原性ショックを疑う場合

- 呼吸数増加・酸素飽和度の低下に加え、両側肺野での湿性ラ音やwheeze、心拡大を認めたり、Ⅲ・Ⅳ音が聴取されれば心臓のポンプ不全によるショックを考える。
- 新たに出現した心雑音は、弁の破壊による逆流や中隔の穿孔を示唆し、これによる心原性ショックを疑う。

3）閉塞性ショックを疑う場合 （13章「失神」〈166頁〉図参照）

- 患側呼吸音低下かつ打診上鼓音、患側胸郭膨隆（患者の頭側から観察すると左右差がみえやすい）、健側への気管変位、内頸静脈怒張、頸部・胸部の皮下気腫を認めれば緊張性気胸による閉塞性ショックを疑う。
- 呼吸数増加にもかかわらず比較的清な肺の聴診での呼吸音聴取、肺動脈弁性Ⅱ音増強（胸骨左右の第2肋間で肺動脈の拍動を触れることもある）、下肢深部静脈血栓症を示唆する大腿径の左右差や下腿浮腫を認めれば急性肺塞栓症を考える。肺塞栓症は、失神、発熱を伴うこともある。
- 奇脈、頸静脈怒張、心音減弱を認めれば心タンポナーデによる閉塞性ショックを疑う。

4）血液分布異常性ショックを疑う場合

- ▶発熱や低体温、意識障害、頻呼吸があるときは敗血症によるショックを疑う（📂10章「発熱」〈124頁〉MEMO参照）。
- ▶血圧低下に加え、昇圧薬への反応低下の敗血症では、相対的副腎不全を伴った敗血症性ショックを疑う。
- ▶外傷後で、対麻痺とともに徐脈・腹式呼吸があれば頸髄～上部胸髄損傷による神経原性ショックと考えられ、さらに四肢麻痺とともに腹式呼吸も不十分であったり自発呼吸が不安定なときは、C3以上の高位頸髄の損傷による神経原性ショックを考える（横隔神経はC3-C5由来）。
- ▶外傷後でなく、特に悪性腫瘍の既往があって対麻痺や膀胱直腸障害の脊髄症状があれば、転移性悪性腫瘍や多発性骨髄腫による脊髄圧迫を疑う。
- ▶病歴から薬剤・食物アレルギーの既往があり、皮膚紅斑・蕁麻疹、顔面・口腔の浮腫、喘鳴（stridor、wheeze）、腸蠕動音の亢進があるときは、アナフィラキシーによるショックを疑う。

検査のポイント

- ▶ショック共通の所見として、動脈血ガス分析で代謝性アシドーシスを認める。敗血症性ショックの初期には、呼吸性アルカローシスを来してアシデミアとなっていないことがあるが、アニオンギャップ上昇性の代謝性アシドーシスは必ず存在する。アニオンギャップ上昇の主因である血清乳酸値の上昇は、ショックの診断とモニタリングに使用できる。
- ▶検査には、ショックの原因検索のみならず、結果としての臓器障害をみつける意味も含まれる。
- ▶肺動脈カテーテル（Swan-Ganzカテーテル）は、血行動態を直接測定でき4つのショックの鑑別に大きく貢献するが、全例に留置するわけにもいかないため重症例のみに留置する。

1）循環血液量減少性ショックを疑う場合

　［**検体検査**］CBC、生化学（血糖、腎機能、電解質、HCO_3^-、肝

機能、アミラーゼ、リパーゼ）、止血凝固系（PT、APTT、D-dimer）、動脈血ガス分析、尿検査

[**胸部X線**] 血胸

[**腹部X線**] 腸閉塞

[**腹部エコー**] 腹腔内出血、後腹膜出血、急性膵炎、腸閉塞

[**心エコー**] 体液量のチェック（脱水の所見：下大静脈の虚脱、左房径の低下、左室駆出率の異常な高値すなわち"空打ち状態"）

2) **心原性ショックを疑う場合**

[**検体検査**] CBC、生化学（血糖、腎機能、電解質、HCO_3^-、肝機能、CPK-MB、トロポニンT）、止血凝固系（PT、APTT、D-dimer）、動脈血ガス分析

[**心電図**] 心筋虚血、電解質異常、低電位、電気的交互脈、高度房室ブロック、QT延長、不整脈

[**胸部X線**] 心拡大、肺水腫

[**心エコー**] 心機能（収縮能、拡張能）低下、壁運動異常、右心負荷所見、心嚢液貯留、IVC径増加（変動減少）

[**Swan-Ganzカテーテル**] 心原性ショックでは特に有用性が高い。

3) **閉塞性ショックを疑う場合**

[**検体検査**] CBC、生化学（血糖、腎機能、電解質、HCO_3^-、肝機能）、止血凝固系（D-dimer、FDP）、動脈血ガス分析

[**心電図**] 急性右心負荷所見、低電位、電気的交互脈

[**胸部X線**] 肺塞栓では肺動脈主幹部陰影の不均等な拡大（約70%）、片側もしくは両側の横隔膜挙上（約60%）、心陰影拡大（約60%）、少量の胸水（約50%）、肺野血管陰影の部分的減弱（Westermark徴候；約15%）、末梢肺野の楔形陰影（Hampton's hump；約30%）を認める。（緊張性気胸では胸部X線写真が存在しているのは恥ずべきことである。）

[**心エコー**] 心機能（収縮能、拡張能）低下、右心負荷所見、心嚢液貯留、IVC径増加（変動減少）

4）血管分布異常性ショックを疑う場合

[**検体検査**] CBC、生化学（血糖、腎機能、電解質、HCO_3^-、肝機能、アミラーゼ、リパーゼ）、止血凝固系（PT、APTT、D-dimer）、動脈血ガス分析、尿検査、（敗血症性を考えた場合）血液培養を含む各種培養

[**胸部X線**] 肺炎像、結節影（septic emboli）

[**腹部エコー**] 肝膿瘍、胆嚢炎、胆嚢および総胆管結石、総胆管拡張、水腎症、腹水

[**心エコー**] 弁のvegetation、心機能（収縮能、拡張能）、心嚢液貯留

見逃してはならない疾患・病態の解説

1 循環血液量減少性ショック

- 血管内ボリュームの減少により発生する。これに対し生体は、COを増加させようとするものの、循環血液量減少のためCOは減少する。すると、それを補おうと心拍数が増加、SVRは増加する。
- 原因は、消化管出血、鼻出血、喀血、外傷（外出血だけでなく、血胸、腹腔内出血、後腹膜出血、骨盤骨折、大腿骨骨折の内出血も含む。またこれらの内出血は、外傷以外でも生じ得る）、脱水（発熱、頻回の嘔吐・下痢、夏の高温の部屋での寝たきり状態、精神疾患による摂水不足、利尿薬内服、高血糖、尿崩症、熱傷、重症急性膵炎、腸閉塞）である。
- 緊急の処置は、生理的食塩水や細胞外液型の多量の輸液である。出血によるショックと思われるときは、濃厚赤血球輸血を行う。膠質液は用いない。また昇圧薬も使わない。

2 心原性ショック

- ポンプ失調によりCOが減少し、組織低酸素症となる。SVRは血圧を維持しようと通常増加する。
- 原因は、急性心筋梗塞、心筋梗塞後心室中隔穿孔・自由壁破裂や

乳頭筋断裂、急性心筋炎、IEや腱索断裂による急性弁機能不全、肥大型心筋症や拡張型心筋症の末期、左房粘液腫、不整脈（心房細動・心房粗動・心室頻拍・発作性上室頻拍）である。
► 緊急的な治療は、利尿薬・ニトログリセリンとともにカテコラミン投与であるが、IABPやPCPSが必要となることもある。

3 閉塞性ショック

► 肺動脈の閉塞や心臓の圧迫により、CO減少で生じる。閉塞性ショックを心原性ショックの1つとする分類法もある。
► 原因は、緊張性気胸、重症肺塞栓、心嚢液貯留（悪性腫瘍心膜転移・尿毒症・外傷による）による心タンポナーデである。
► 緊張性気胸なら脱気、心タンポナーデなら心嚢穿刺を速やかに行う。
► 肺塞栓症を疑ったら、十分な酸素投与、生理的食塩水や細胞外液型の輸液を行い、造影CTなどで診断確定後、抗凝固薬を投与するが、ショックを来している場合、t-PAを併用するほうが循環動態は早く改善する。

4 血液分布異常性ショック

► 種々の原因（細菌の出すトキシン、Ⅰ型アレルギーによるヒスタミンなど、脊髄損傷による交感神経機能の低下・消失）による血管拡張（SVR低下）で血圧が低下し、組織に低酸素症を生じる。反応性にCOは増加する。敗血症性ショック、脊髄損傷などによる神経原性ショック、即時型アレルギー反応によるアナフィラキシーショックの3つがある。
► 敗血症となりやすい感染は、尿路感染症・胆道感染症であるが、IE、肝膿瘍、化膿性関節炎、壊死性筋膜炎、毒素性ショック症候群も敗血症の原因として忘れてはいけない。
► 血液分布異常性ショックの緊急の対応は、大量の生理的食塩水や細胞外液型の輸液であり、これで反応に乏しいときは昇圧薬投与（敗血症ではノルアドレナリン）である。アナフィラキシーにははじめからアドレナリンを筋注する。

M E M O

脊髄損傷

脊髄損傷の分類の方法は2通りあり、損傷部位と、損傷の程度である。損傷部位は頸髄・胸髄・腰髄と分けられ、脊椎損傷の10～20%に脊髄損傷を合併する（脊椎損傷のうち45%が頸椎、40%が胸椎、15%が腰仙椎である）。脊髄損傷のうちの50%が頸髄であり、その40%が四肢麻痺を呈する。損傷の程度は、完全損傷・不完全損傷・中心性損傷・前方損傷・一過性損傷と分けられる。

なお、spinal shockがこの神経原性ショックと混同して使用されている傾向があるが、spinal shockとは可逆的な一時的な脊髄の麻痺であるので留意したい。およそ数時間～数週間で回復する。

M E M O

アナフィラキシーとアナフィラキシー様反応

アナフィラキシー様反応とは、IgEを介さず、特定の物質による直接肥満細胞や好塩基球からの顆粒のリリースによって起こるものである。したがって、初回投与後から起こるものであり、この点もアナフィラキシーと異なる。バンコマイシンのred man症候群やアスピリン喘息などがこれに当たる。この両者をERの現場で区別することは容易でないことが多い。

Dr. Tierney's Clinical Pearls

When a patient appears to be in shock — diaphoretic, vasoconstricted, anxious — but is hypertensive, consider aortic dissection.

患者がショックにあるようにみえる、すなわち冷や汗をかいて末梢が冷たく不穏であるにもかかわらず血圧が高いときは、大動脈解離を考える。

Remember warm shock — many patients in shock are warm due to vasodilatation and reduced peripheral resistance due to endotoxin.

手足の温かいショックを忘れないこと。多くのショック患者は、エンドトキシンが血管拡張と末梢血管抵抗低下を起こすために温かい。

[参考文献]

1) Gaieski D. Shock in adults : Types, presentation, and diagnostic approach. UpToDate 17.1.
2) 日本救急医学会専門医認定委員会 編. 救急診療指針 改訂第4版. 日本救急医学会 監修, 東京, へるす出版, 2011.
3) 日本外傷学会外傷初期診療ガイドライン改訂第5版編集委員会 編. 外傷初期診療ガイドライン JATEC 改訂第5版. 日本外傷学会/日本救急医学会 監修, 東京, へるす出版, 2016.

2章 全身倦怠感

General Malaise

訴えの定義

► 「疲れやすい」から「疲れて何もできない」まで程度はさまざま。(全身が) つらい、だるいと表現されることも多い。ただし、眠い、息苦しい、吐き気がする、筋力が落ちている、とは区別する (それぞれ、3章「不眠」、22章「呼吸困難」、25章「悪心 (嘔気)・嘔吐」、33章「歩行障害・脱力」を参照)。

見逃してはならない疾患・病態

1 心不全　**2** 貧血　**3** 脱水　**4** 感染症　**5** 肝不全・肝炎　**6** 腎不全　**7** 副腎不全　**8** 血糖異常 (副腎不全以外)　**9** 電解質異常　**10** 希死念慮を伴ううつ病　**11** 栄養障害　**12** 薬物・毒物　**13** 膠原病・血管炎　**14** 悪性腫瘍　**15** 甲状腺機能異常

► このうち緊急を要する疾患・病態は **1**〜**9** のうち急性発症のものと **10** である。

► ただし、緊急度は疾患カテゴリーよりも、身体所見上の全般的印象 (重症感)、意識変容、急迫状態 (呼吸・苦痛)、冷汗、嘔吐の有無とバイタルサインの異常 (起立性も含む) で決まる。

全身倦怠感+αで絞り込む疾患群

► 全身倦怠感はそれのみではlow yield symptomであるため、随伴症状からある程度の絞り込みを行っておくと便利である。ただし、「+α」のほうが主訴であれば、該当する章を参照のこと。

①発熱→感染症、膠原病・血管炎、悪性腫瘍、肝炎
②労作時呼吸困難→心不全、貧血
③悪心→肝・腎・副腎不全、薬物・毒物
④口渇→脱水、糖尿病、高Ca血症、薬物
⑤体重減少→慢性炎症・感染症、悪性腫瘍、糖尿病、甲状腺機能亢進症、副腎不全

⑥体重増加→心不全、腎不全・ネフローゼ、甲状腺機能低下症
⑦便秘→高Ca血症、甲状腺機能低下症
⑧しびれ→栄養障害、糖尿病
⑨抑うつ気分→うつ病

診断仮説ごとに把握すべき病歴・身体所見・検査所見

1 心不全

▶ 虚血性心疾患、高血圧性心疾患、弁膜症、心筋炎(ウイルス性、薬剤アレルギー性、好酸球性、巨細胞性)、心筋症(特発性、甲状腺機能低下、アルコール性、薬剤性、アミロイドーシス、サルコイドーシス、ヘモクロマトーシス)、先天性心疾患、収縮性心外膜炎などによりポンプ機能不全を来して全身倦怠感を招く。

病 歴

[患者背景] 動脈硬化のリスクファクター(特に高血圧)、虚血性心疾患・弁膜症・心筋症の既往、治療へのアドヒアランス、これまでの運動耐容能、先行感染症、アルコール多飲、薬剤(アントラサイクリン系薬、ハーセプチン®、抗不整脈薬)の使用

[随伴症状] 胸痛、呼吸困難(労作時・臥床時)、臥床時の咳(→この咳は呼吸困難と同等の意義がある)、むくみ・体重増加、動悸、失神

身体所見

[バイタルサイン] BP↑↓、HR↑↓(不整の有無も大切)、RR↑、奇脈(心タンポナーデ)、脈圧↓(高拍出性なら↑)

[概観] 不穏(低酸素性脳症を疑う)、起坐呼吸、発汗、顔面蒼白、むくみ

[頸部] 頸動脈遅脈(大動脈弁狭窄)、頸静脈怒張(JVD)、腹部(肝臓)頸静脈逆流(A〈H〉JR)、Kussmaul徴候(収縮性心外膜炎)、cannon A波(完全房室ブロック)

[胸部] 心拡大(打診、心尖拍動)、Ⅲ音ギャロップ、心膜ノック音(収縮性心外膜炎)、肺ラ音・喘鳴

検査所見

[**胸部X線**] 心拡大、肺うっ血所見、胸水（両側、多くは右＞左）
[**ECG**] 心房負荷所見、虚血所見、刺激伝導異常所見、不整脈など、何らかの異常を示すことがほとんどである。
[**心エコー**] 心拡大、心肥大、壁運動異常、壁エコー輝度増強（アミロイドーシス）、弁異常、下大静脈径異常など
[**血液**] 呼吸症状がある場合、BNP≧（200〜）400pg/mLは心不全のrule inに、＜100pg/mLはrule outに役立つが、肥満があれば低めに、腎不全があれば高めに出ることに注意する。

2 貧血

▶急性発症のものほど全身倦怠感の症状は強いが、ゆっくりと進行したものでは馴化が起こるため、驚くほど貧血が進んでいても（例えばHb＝3g/dL）労作時の息切れや易疲労性を訴えるのみで歩いて外来を受診する者もいる。貧血を認めたら、出血、溶血、造血不全に分けて疾患を想起する。

病歴

[**患者背景**] 腹部手術歴、癌の既往、肝疾患・腎疾患（中高年者）。月経過多、偏食、胆石・貧血の家族歴（若年者）
[**随伴症状**] 労作時の息切れ・動悸があれば疑う（「めまい」は急性失血による起立性低血圧以外では貧血の症状としない）。貧血の原因を示唆する随伴症状として、胸やけ、上腹部痛・不快感、慢性下痢・腹痛、進行性便秘、下血・タール便、易出血性の有無を聴取する。

身体所見

[**バイタルサイン**] 起立性BP↓、脈圧↑、労作時HR↑、微熱
[**皮膚・粘膜**] 蒼白、黄疸、青みがかった強膜（→潜在的鉄欠乏も捉え得る）、出血斑
[**心血管系**] 静脈hum、駆出性心雑音
[**腹部**] 圧痛、腫瘤、肝脾腫、直腸診による便潜血

(検査所見)

Hb、MCV、網状赤血球数、WBC数と分画、血小板数、末梢血スメア、MCVに応じてFe/TIBC、フェリチン、ハプトグロビン（Hp）、ビタミン定量など。原因疾患の推定は検査によるところが大きい。赤血球の産生障害、破壊亢進、失血のいずれかの病態生理を念頭に置き、MCVで小球性、正球性、大球性に分けるところから鑑別を始める。末梢血スメアの観察は重要である。末梢血で診断困難なときは骨髄検査まで行う。

3 脱水

▶ 不感蒸泄のため、代謝水を差し引いてもヒトは毎日10mL/kgほどの水分を失っており、発熱や発汗があればさらに水分喪失量は増える。そのため、原因の如何にかかわらず経口摂取が減少すると簡単に脱水に陥り、全身倦怠感を来すことが多い。口渇を伴っているときに考える。

(病 歴)

[患者背景] 経口摂取不足、嘔吐、下痢、多尿、発熱・発汗、高温環境への曝露

[随伴症状] 口渇、尿量↓、体重↓

(身体所見)

[バイタルサイン] BP↓、HR↑ （→特に起立性が大切）

[頸部] 臥位の頸静脈の虚脱

[皮膚・粘膜] 口腔粘膜の乾燥、舌の皺、腋窩の乾燥、皮膚ツルゴールの低下

(検査所見)

尿比重↑、BUN↑（血液の濃縮によりHbやAlbは実力以上に高く測定されることに注意する）、尿糖、血清Ca

4 感染症

▶ 全身倦怠感に発熱を伴う場合、まず何らかの感染症を考えるのは自然である（📁10章「発熱」参照）。全身倦怠感は発熱に前駆す

る場合もあるし、ほぼ同時に生じる場合もある。

病歴

[患者背景] 曝露歴（旅行歴、動物・虫・病人との接触歴、性交歴）、免疫不全のリスク（→予後に大きくかかわるので大切）

[随伴症状] 呼吸器、肝・胆・膵を含む消化器、泌尿生殖器、皮膚、関節などの局所症状

身体所見

局所症状を聞き出すことができればそれを手がかりにする。局所症状に乏しい場合は、頭皮・爪・結膜を含めた全身の皮膚・粘膜、眼底、鼓膜、心雑音、腋窩・滑車上リンパ節、脊椎・関節、直腸・肛門・生殖器周囲を念入りに診察する。

検査所見

局所症状に乏しい場合、CBC、血液培養×2セット、末梢血スメア、ESR、ツ反 or インターフェロン-γ 遊離検査（IGRA）、HIV検査、尿検査・尿培養、胸部X線検査、腹部エコー・CT、経食道心エコー（TEE）、骨髄培養を考慮する。

MEMO

見逃されやすい感染症

結核

倦怠感のみならず、微熱・寝汗・体重減少などの全身症状あるいは2〜3週間以上続く咳が診断の端緒となることが多い。疑えば、胸部X線検査、PPDあるいはIGRA、（誘発）喀痰・胃液の塗抹・培養、体腔液検査や組織の生検で診断をつける。

EBV・CMV感染症

発熱、咽頭炎、リンパ節腫脹、肝脾腫を伴うことから疑われることが多いが、検査上、末梢血単核球増多や肝細胞障害から疑われることもある。免疫不全状態にない限り、有症状感染はCMVのほうがやや年齢層が高い。通常は血清学的に診断する。

HIV感染症

昨今、わが国でも50歳代までのおもに男性で、全身倦怠感以外に皮疹、リンパ節腫脹、口腔カンジダ、慢性咳嗽、進行性息切れ、嚥下痛、慢性下痢を呈するなかにHIV感染症患者が着実に増加している。性交歴・薬剤使用歴および性病歴を適切に聞き出し、同意を得たうえで抗体

検査を行う。なお、10～40歳代の伝染性単核球症様症候に対し、急性HIV感染症を疑うときはRNAを直接測定する。

亜急性細菌性心内膜炎（SBE）

倦怠感・発熱・体重減少などの全身症状に心雑音（特に逆流性雑音）が加われば疑うが、たとえ心雑音が曖昧でも、皮疹、関節炎、蛋白尿、脾腫など、長期にわたる抗原刺激に対する免疫応答あるいは免疫複合体産生による多彩な症状をみたときには疑いたい。血液培養とTEEで診断する。

5 肝不全・肝炎

► 肝臓は、蛋白合成、脂質合成、グリコーゲン貯蔵・ブドウ糖産生、ビリルビン代謝・胆汁産生、ビタミン貯蔵、薬物代謝・解毒、門脈血中の細菌除去など多彩な役割を担っている臓器なため、その不調により強い全身倦怠感を招く。

► 急性肝炎では倦怠感が進行しているうちは劇症化の危険があり、反対に倦怠感が改善しつつあれば、たとえトランスアミナーゼの絶対値が高くても、また黄疸が遷延していても回復に向かうと考えてよい。

病　歴

[患者背景] 貝類・動物肉摂取歴、海外渡航歴、アルコール多飲歴、輸血歴、薬剤使用歴（IVDA含む）、性交歴、肝疾患の既往歴・家族歴

[随伴症状] 食欲不振、悪心・嘔吐、右季肋部痛、腹部膨満、浮腫、黄疸・着色尿、瘙痒感、先行する発熱・関節痛

身体所見

[バイタルサイン] BP↓、HR↑、BT↑、意識変容（＋）なら肝不全を疑う

[皮膚・粘膜] 黄疸、貧血、出血斑、手掌紅斑、色素沈着

[頭頸部] ネズミ・かび臭、Kayser-Fleischer輪、doll's eye現象消失

[胸部] 女性化乳房、クモ状血管拡張

[腹部] 腹水、腹壁静脈拡張、肝腫大、肝叩打痛、脾濁音界拡大

[陰部] 睾丸萎縮、痔核、便潜血
[四肢] 筋肉量低下、浮腫、手掌紅斑、注射痕、羽ばたき振戦、ばち指

(検査所見)

[血液検査]「肝機能」生化学（📂 9章「黄疸」〈114頁〉参照）、PT↑（肝不全で最も重要なマーカー）、蛋白分画、肝炎ウイルス抗原・抗体、ヘルペスウイルス科ウイルス抗体、Fe/TIBC↑、フェリチン↑、Cu・Cp↓
[画像検査] 腹部エコー

6 腎不全

▶ 腎臓は、尿の生成と排泄を通じて、生体の恒常性（水、電解質、酸塩基、窒素）を維持するとともに、レニンを介して血圧・電解質を、エリスロポエチンを介して造血を、ビタミンDの活性化を介してCa吸収を調節するという内分泌臓器としての役割を担っているため、その不調が全身倦怠感を来す。

(病　歴)

[患者背景] 高血圧、糖尿病、腎疾患・蛋白尿、膠原病の既往、薬剤使用歴、腎疾患の家族歴
[随伴症状] 食欲不振、悪心・嘔吐、尿量減少、呼吸困難、浮腫

(身体所見)

[バイタルサイン] BP↑、RR↑（＋呼気尿臭）、意識変容
[皮膚・粘膜] 貧血、色素沈着、発疹性出血斑、浮腫
[頸部・胸部] JVD、肺ラ音、心拡大、ギャロップ音

(検査所見)

[検体検査]「腎機能」生化学、電解質、ABG、尿定性・沈渣、尿中電解質、BJP
[ECG] T波↑、低電位、電気的交互脈
[胸部X線] 心拡大、肺うっ血所見、胸水
[腹部エコー] 腎臓萎縮、輝度↑、多発囊胞、腎盂拡大、残尿、前立腺肥大・腫瘍

7 副腎不全

▶ 副腎不全では、一見、消化器疾患やリウマチ性疾患のような症状を来すことがあるが、どの場合も全身倦怠感が中心症状となる。

病歴

[患者背景] ステロイド内服歴、自己免疫性甲状腺疾患・悪性貧血・白斑症、結核や癌の既往。先行するストレス（感染症、外傷、手術など）。出産後授乳不能・早発閉経・体毛の脱落（女性の場合）

[随伴症状] 食欲低下、悪心・嘔吐、腹痛、下痢・便秘、発熱、筋肉・関節のこわばり

身体所見

[バイタルサイン] BP↓（→起立性が敏感）、HR↓（→発熱、低血圧のわりに）、BT↑

[皮膚・粘膜] 色素沈着（副腎性の場合）、あるいは色素脱失（下垂体性の場合）

検査所見

Na↓、K↑、血糖↓、好中球数↓、リンパ球数↑、好酸球数↑、迅速ACTH負荷テスト

MEMO

迅速ACTH負荷テスト

・早朝採血におけるコルチゾール値が＜3μg/dLであればそれだけで副腎不全を疑える。＞11μg/dLなら有意な副腎不全はほぼ否定できるが、より確実に診断するにはACTH負荷テストが必要である。
・コルチゾール前値測定のための採血に続いてコートロシン®0.25mgをivし、30分後（60分後まで可）に採血して、コルチゾールが18μg/dLに達さないときに副腎皮質機能不全と診断する。なお急ぐ場合、早朝空腹時でなくても検査してよい。副腎クリーゼが疑われ、1時間の猶予もなく治療を急ぐ場合は、デキサメタゾン4mgをivし、翌朝にACTH負荷テストを行っても検査値には影響しない。

---

8 血糖異常（副腎不全以外）

▶ 高血糖による脱水、浸透圧異常、糖尿病による蛋白の異化、低血

糖による脳のエネルギー不足などにより全身倦怠感を来す。

(病　歴)

[患者背景] 糖尿病の既往歴・家族歴、血糖降下薬・インスリンの使用歴

[随伴症状] 空腹感・あくび（低血糖）、口渇・多飲・多尿・体重減少（高血糖）

(身体所見)

[バイタルサイン] HR↑・意識↓・BT↓（低血糖）

[皮膚・粘膜] 冷汗（低血糖）、乾燥（高血糖）

(検査所見)

血糖（→薬剤使用歴が不明の低血糖患者をみたときは、必ず同時にIRI測定用の検体を採取してから50％ブドウ糖をivすること）、尿定性、ABG、電解質、HbA1c

9 電解質異常 （📁4章「食欲不振」〈68頁〉参照）

▶中枢神経系、末梢神経系、筋肉の働きが侵されて全身倦怠感を来す。

(病　歴)

[患者背景] 癌や呼吸器疾患の既往、薬物・アルコールの使用

[随伴症状] 頭痛・悪心・けいれん・意識障害（低Na血症）、脱力・多尿・便秘（低K血症）、多尿・口渇・便秘・悪心・嘔吐・意識障害（高Ca血症）

(身体所見)

乳頭浮腫（一部の低Na血症）、腱反射↓、腸蠕動音↓（低K血症）、不整脈

(検査所見)

Na↓、K↓、Ca↑

MEMO

全身倦怠感を来す電解質異常

低Na血症

悪心・けいれん・意識障害を伴いやすい。全身水分量は低下しているがNa量はもっと欠乏している（例：嘔吐、副腎不全）か、全身水分量は

増加しているが総Na量はほぼ正常である（例：過剰抗利尿症候群〈SIAD〉、甲状腺機能低下、心因性多飲）か、全身でNaが増加しているが水分量はもっと増加している（心不全、肝硬変症、ネフローゼ）かに分類して鑑別診断を考える。

低K血症

筋力低下・多尿・便秘・悪心を伴いやすい。摂取不足、消化管からの喪失、尿への喪失、細胞内への移動の4つの可能性を考え、鑑別診断を考える。低Mg血症を伴っていれば、それが是正されない限り低K血症は補正できない。

高Ca血症

多尿・口渇・便秘・食欲不振・悪心・嘔吐・意識障害を伴いやすい。原因の9割は副甲状腺機能亢進症あるいは悪性腫瘍であるため、intact PTH、PTHrPを測定する。血清Ca＞13mg/dLであれば、まず悪性腫瘍を疑う。血清Pも高値であれば、ビタミンD過剰状態を考える。

10 希死念慮を伴ううつ病（ 3章「不眠」〈61頁〉、 38章「不安・抑うつ」〈435頁〉参照）

▶ 意欲の低下、精神運動静止が全身倦怠感として自覚される。睡眠障害も全身倦怠感を増強する。

病　歴

抑うつ気分（depressive mood）、あるいは喜びの喪失（anhedonia）の有無。いずれかに yes であれば、全身倦怠感の日内変動、睡眠障害、食欲変化、集中力・決断力の低下、不安・焦燥、自信の喪失の有無と同時に、必ず「死にたいと思うか」「死ぬ用意をしたことがあるか」について共感的態度をもって尋ねる。

身体所見

暗い表情、小さな声、遅い返答、かまわない身だしなみなどが手がかりになることがある。

検査所見

他の疾患をrule outするために用いるのみ。

11 栄養障害

(病　歴)

[**患者背景**] 摂食障害、消化器手術歴、アルコール多飲歴、慢性下痢、偏食（菜食主義など）、肝疾患の既往

[**随伴症状**] 体重減少、むくみ、しびれ、ふらつき、認知機能低下、皮膚・粘膜の荒れ、労作時の息切れ

(身体所見)

[**バイタルサイン**] BT↓、BP↓（起立性を含む）

[**概観**] るい瘦、筋肉量低下、浮腫

[**皮膚・粘膜**] 口唇・口角炎、舌炎、皮膚炎（特に陰部・肢端）、出血斑

[**神経**] 知覚（温痛覚、振動覚）↓、腱反射↓、Romberg徴候、体幹失調、眼球運動↓、高次機能↓

(検査所見)

ESR、便潜血・虫卵、CBC、生化学（Alb、ChE、T-Choなど）、ビタミン定量。摂食不良も肝障害もなく、ネフローゼでもないのに低アルブミン血症である場合は吸収不良症候群（📁30章「便通異常（下痢・便秘）」〈352頁〉参照）や蛋白漏出性胃腸症（📁6章「浮腫」〈84頁〉参照）を疑う。

12 薬物・毒物

(病　歴)

詳細な薬剤使用歴・普通でないものの摂取歴を聴取することに尽きる。処方薬のみならず、市販薬・漢方薬・健康食品（サプリメント）も漏らさず聞き出す。利尿薬・降圧薬、向精神薬、抗ヒスタミン薬、筋弛緩薬、抗癌薬が全身倦怠感を来すものとして頻度が高い。アルコール、カフェイン、ニコチンを含め乱用・常用している薬物のwithdrawal（禁断）症状としての全身倦怠感もある。アルコール依存症を疑えば、CAGE質問を行う。

(身体所見)

起立性BP↓、意識変容、粘膜乾燥、腸蠕動音↓

M E M O

CAGE質問

　アルコール依存症を拾い上げるためのツールで以下の4つの質問の2つ以上にyesであれば、さらに詳しい質問票（久里浜式アルコール依存症スクリーニングテスト〈KAST〉など）に進む。
Cut down　飲酒を減らさなければいけないと思ったことがありますか
Annoyed　飲酒を批判されていらだったことがありますか
Guilt　飲酒後に後ろめたい気持ちになったことがありますか
Eye opener　朝酒や迎え酒を飲んだことがありますか

13 膠原病・血管炎

▶ 急性の炎症のみならず慢性炎症が長期にわたる消耗を引き起こし全身倦怠感を来す。

(病　歴)

[随伴症状] 筋肉痛・関節痛・こわばり、皮疹、Raynaud現象、頭痛、発熱、体重減少、眼・口の渇き

(身体所見)

[皮膚・粘膜] 紅斑、皮下結節、眼の充血、潰瘍、丘疹状出血斑
[筋肉・関節] 圧痛、可動痛・可動域制限、関節腫脹・熱感、知覚低下

(検査所見)

ESR、CBC、蛋白分画、尿定性・沈渣、補体価、ANA、抗CCP抗体、ANCA

14 悪性腫瘍

(病　歴)

[患者背景] 癌の既往歴・家族歴、喫煙の有無
[随伴症状] 体重減少、消化器・呼吸器・泌尿生殖器に関する局所症状、夜間の背部痛・腰痛

(身体所見)

嗄声、貧血、リンパ節腫脹、乳房腫瘤、胸水・腹水所見、腹部腫瘤、便潜血、脊椎叩打痛、婦人科的内診異常

(検査所見)

[血液検査] CBC、Caを含む電解質
[画像検査] 胸部X線検査、腹部エコー・CT、消化管内視鏡

15 甲状腺機能異常

▶甲状腺機能低下症では全身倦怠感が中心の症状となるが、機能亢進症でもしばしば全身倦怠感を訴える。

(病 歴)

[患者背景] 女性≫男性。甲状腺疾患歴・家族歴。分娩後のことも。ヨード摂取については日本では過多があり得る。

[随伴症状] 動悸、発汗過多、暑がり、食欲あるのに体重減少、下痢、月経過少（以上、機能亢進症）。眠気、発汗減少、寒がり、体重増加、便秘、月経過多、むくみ、ときに認知低下（以上、機能低下症）

(身体所見)

HR↑、BT↑、見張るような目つき、早口、皮膚色素沈着、血管雑音(＋)のびまん性甲状腺腫、湿った毛髪・皮膚、手指振戦、全般に亢進した腱反射（以上、機能亢進症）。HR↓、BT↓、外側に薄い眉毛、浮腫状顔貌、低い声、乾いた毛髪・皮膚、甲状腺腫がある場合は硬め、腱反射もどり遅延（以上、機能低下症）

(検査所見)

[血液検査] TSH、FT4、FT3、Tg抗体、TPO抗体
[画像検査] 甲状腺シンチグラフィ、甲状腺エコー

その他

生理的倦怠感

▶①オーバーワーク、②睡眠不足（生活習慣のみならず、睡眠時無呼吸症候群にも注意）、③疾病・外傷からの回復期、④妊娠・育児
▶患者の日常生活を描写してもらい、健康であっても全身倦怠感が起こり得ると了解可能な場合。実はプライマリケアの場では、こ

のような場合と精神・心理的要因（前記うつ病に加えて、不安、ストレス反応）による全身倦怠感の訴えが多い。

Dr. Tierney's Clinical Pearls

Malaise is a non-specific symptom ; if there is no weight loss and the ESR is normal, no cause is found for it as an isolated symptom.

全身倦怠感は非特異的症状である。もし体重減少や赤沈異常を伴わなければ、単独の症状としての倦怠感の原因はみつからない。

［参考文献］
1) Evaluation of Chronic Fatigue. Primary Care Medicine, 6th ed. Philadelphia, Lippincott Williams & Wilkins, 2009.
2) 野口善令．全身倦怠感．必修化対応 臨床研修マニュアル．東京，羊土社，2003.

3章 不眠

Insomnia

訴えの定義

- 不眠とは適切な睡眠が得られないという訴えである。慣習的に入眠障害、中途覚醒、早朝覚醒、熟眠障害に分類されることが多い。
- ICSD (International Classification of Sleep Disorders) では急性不眠（3カ月以内）と慢性不眠（3カ月以上）の2種類の分類となっている。
- 不眠の原因は多岐にわたるが、「サーカディアンリズム」と「恒常性維持機能」、そして「覚醒」の3要素のバランスの乱れが根本にある。

MEMO

睡眠の評価方法

不眠を来す身体疾患が除外されれば、不眠の詳細な評価を行う。具体的には睡眠日誌をつけてもらうことが重要である。

朝に記録するもの

今日の起床時刻、昨晩の就寝時刻、推定就眠時刻、推定覚醒回数、夜間の推定総覚醒時間、推定睡眠時間、睡眠によってどれだけ疲れがとれたか

就寝時に記録するもの

今日の疲れの度合い、昼寝の回数・時刻、アルコール摂取回数・時刻、カフェイン摂取回数・時刻、日中のストレッサー、晩の活動（運動・性交など）、夕食および夜食の時刻

見逃してはならない疾患・病態

❶希死念慮を伴ううつ病　❷心不全　❸尿毒症　❹睡眠時無呼吸症候群　❺慢性閉塞性肺疾患（COPD）・喘息　❻薬剤性　❼神経疾患　❽精神疾患（躁病、不安障害、パニック障害、統合失調症など）

- このうち緊急を要するのは❶〜❸と❺の急性増悪である。
- 他の疾患・病態は緊急を要するわけではないが、医学的な介入を

行うことで患者のQOLを改善させることができるため、安易に睡眠薬を処方して事足れりとしてはいけない。

代表的な睡眠薬

作用時間	一般名	商品名	用量(mg)	半減期(時間)
超短時間作用型	トリアゾラム	ハルシオン®	0.125〜0.5	2〜4
	ゾピクロン	アモバン®	7.5〜10	4
	エスゾピクロン	ルネスタ®	1〜3	5
	ゾルピデム	マイスリー®	5〜10	2
短時間作用型	エチゾラム	デパス®	1〜3	6
	ブロチゾラム	レンドルミン®	0.25〜0.5	7
	リルマザホン	リスミー®	1〜2	10
	ロルメタゼパム	エバミール®	1〜2	10
中間作用型	フルニトラゼパム	ロヒプノール®	0.5〜2	24
	エスタゾラム	ユーロジン®	1〜4	24
	ニトラゼパム	ベンザリン®	5〜10	28
長時間作用型	フルラゼパム	ダルメート®	10〜30	65
	クアゼパム	ドラール®	15〜30	36
その他	ラメルテオン	ロゼレム®	8	1〜2
	スボレキサント	ベルソムラ®	15〜20	10

※睡眠薬の禁忌・慎重投与：COPD，重症筋無力症，急性閉塞隅角緑内障，妊婦，肝機能障害，腎機能障害など

病歴聴取のポイント

▶ 不眠の診療の中心は病歴聴取である。必ずベッドパートナーからも聴取する。

▶ 不眠を訴える患者の約半数は精神疾患が原因である。そのうち見逃してはならないのは希死念慮を伴ううつ病である。病歴からうつ病を疑えば、必ず「死にたいかどうか」を聞く。

▶ また重篤な内科的疾患が原因で不眠を訴えることがあるため、呼吸困難、咳、痛み、痒みといった随伴症状がないかどうかを聴取する必要がある。

身体診察のポイント

▶ 心不全などの心疾患、COPDや喘息などの呼吸器疾患、肝硬変症、鉄欠乏症（後述するrestless legs syndromeとの関連）などが原因となっている場合に重要となる。
▶ 精神疾患の鑑別で有用となる身体所見は少ない。

検査のポイント

▶ 精神疾患と診断するために器質的疾患を除外目的で用いることが多い。器質的疾患を疑った場合はそれぞれの疾患に応じた検査を行う。

見逃してはならない疾患・病態の解説

1 希死念慮を伴ううつ病（🗀 2章「全身倦怠感」〈54頁〉、🗀 38章「不安・抑うつ」〈435頁〉参照）

▶ 病歴が最も重要。抑うつ気分あるいは喜び・興味の喪失の有無を尋ねる。どちらも陰性であればうつ病はほぼ否定できる。いずれか1つでも陽性であれば食欲や体重の変化、思考力や集中力の減退、焦燥感などの有無を尋ねる。
▶ また必ず希死念慮や自殺企図についても尋ねる。希死念慮があれば速やかに精神科にコンサルトを行う。
▶ 身体診察、検査は他の疾患を除外するために行う。

2 心不全（🗀 2章「全身倦怠感」〈46頁〉、🗀 22章「呼吸困難」〈251頁〉参照）

▶ 心不全では夜間の呼吸困難や咳のため不眠を呈することがある。就寝後2〜3時間で起こるものは可能性が高い。その場合、NYHA Ⅳ度の心不全であり、早急な加療が必要となる。

3 尿毒症

▶ 尿毒症では溢水を反映した呼吸困難、あるいは尿毒症の精神症状

として不眠を訴えることがある。腎疾患の既往や合併症としての腎機能障害を呈する疾患（糖尿病、高血圧、膠原病など）の有無を尋ねる。
▶ 随伴症状としては全身倦怠感、悪心・嘔吐、食欲不振、尿量減少、体重増加などがある。
▶ 血圧は高値であることが多く、また尿臭を伴う呼気となる。腎不全に伴う貧血、色素沈着やvolume overloadを反映した所見（頸静脈圧の上昇、ラ音、過剰心音）をチェックする。
▶ 採血で腎機能、電解質異常や血液ガスを評価する。

4 睡眠時無呼吸症候群

▶ 肥満体形で日中の過度の眠気、夜間にいびきをかく場合に閉塞型の睡眠時無呼吸症候群を疑う。男性に多く、朝方の頭痛や覚醒時の口渇を伴うことが多い。日本人では顔の奥行きが比較的狭いため、顎が小さかったり、扁桃が大きいだけで、太っていなくてもこれを来すことがある。
▶ 二次性の高血圧を合併し、小さい顎、短く太い首、口腔・咽頭の異常所見（巨舌、軟口蓋の低位、扁桃肥大）を認めることがある。また重症例では肺性心を合併することもある。
▶ 疑った場合、まず睡眠時SpO_2モニタリングを行い、Apnea-hypopnea index（AHI）を評価する。中等症以上ではポリソムノグラフィなどで精査を行う。

MEMO

ポリソムノグラフィ

睡眠中の中枢神経系、呼吸、循環などを総合的に調べるための検査。睡眠中の脳波、眼球運動、頤筋筋電図、呼吸（サーミスター）、換気運動、心電図、SpO_2、体位、下肢筋電図をモニターすることで睡眠を多角的に評価する。これにより睡眠時無呼吸症候群は閉塞型、中枢型、混合型の3つに分類できる

5 慢性閉塞性肺疾患（COPD）・喘息

- 病歴では喫煙歴やアレルギー素因を尋ねる。呼吸困難や咳・痰などの症状を伴う。
- 頻呼吸に加え、視診で気管の短縮や呼吸補助筋の発達、聴診で喘鳴や呼吸音の減弱がみられる。
- 胸部X線検査で肺野の過膨脹や透過性亢進、滴状心などの所見をみる。長期的なフォローのために呼吸機能検査やピークフロー測定が重要である。

6 薬剤性

- 薬剤によりさまざまな睡眠障害が起こり得る。以下に示す薬物を使用していないか確かめる。

睡眠障害を来す薬剤

・カフェイン	・テオフィリン
・ニコチン	・抗パーキンソン病薬
・アルコール	・SSRI
・ステロイド	・インターフェロン
・β遮断薬	・メチルフェニデート

7 神経疾患

- 各種の神経疾患で睡眠障害が出現する。中枢神経系そのものの異常や異常運動が原因となり得る。前者として脳血管障害や脳腫瘍、後者としてパーキンソン病、片側バリスム、Huntington舞踏病、Gilles de la Tourette症候群などがある。
- 不随意運動などの随伴症状の評価および神経学的診察が重要である。

8 精神疾患（躁病、不安障害、パニック障害、統合失調症など）

- 精神疾患患者の約8割に睡眠に関する訴えがみられる。
- 躁病では睡眠欲求の減少と睡眠潜時の増加により全睡眠時間が減少する。

- ▶不安障害では覚醒中の不安が夜間に持ち越されるため入眠障害を訴えることが多い。
- ▶パニック障害患者の約3割が夜間の発作を経験するため、睡眠中の発作への予期不安から持続性の入眠障害を呈する。
- ▶統合失調症の急性期では入眠障害や中途覚醒、熟眠障害がほぼ必発である。

その他

胃食道逆流症（GERD）（📁26章「胸やけ」〈287頁〉参照）

restless legs syndrome
- ▶下肢の異常感覚（むずむずする、足がつる、虫が這っているように感じる）により、患肢を動かしたいという衝動に駆られるため入眠障害を呈する。
- ▶鉄欠乏症を合併することがある。また、尿毒症やニューロパチー（糖尿病性、アルコール性など）を基礎疾患とすることがある。持続する症状に対してはドパミン作動薬が有効である。難治例ではオピオイドを使用することもある。

周期性四肢運動障害
- ▶入眠直後（ノンレム睡眠中）に一側あるいは両側の母趾あるいは足関節の背屈が周期的（20～40秒ごと）に起こり、数分～数時間持続する。

交替勤務、時差ぼけ、環境要素（気温、騒音など）
- ▶病歴から推定可能である。

Dr. Tierney's Clinical Pearls

Many people who believe they have insomnia do not, as the need for sleep wanes with age. Don't forget depression and hyperthyroidism as causes.

眠れないと訴える患者の多くは実際は眠れている。なぜなら，睡眠必要量は年をとるごとに減少するからである。不眠の原因にうつと甲状腺機能亢進症を忘れないこと。

[参考文献]
1) 睡眠障害の診断・治療ガイドライン研究会；内山 真 編．睡眠障害の対応と治療ガイドライン 第2版．東京，じほう．2012．
2) マーク・ヘンダーソン 他．聞く技術 答えは患者の中にある 第2版．東京，日経BP社．2013．
3) 河合 真．極論で語る睡眠医学（香坂 俊 監修）．東京，丸善出版．2016．

4章 食欲不振

Anorexia

訴えの定義

- 食欲不振は摂食に対する欲求の低下である。Satiety（飽食感）、sitophobia（食物に対する恐怖症）とは別物である。
- Satietyは空腹が食事によって満たされた感覚で、摂食量が少ないにもかかわらずこれが早期に来ると（early satiety）、問題である。
- Sitophobiaは、食事をすることにより不快感が起こるために食事ができなくなる状態である。

見逃してはならない疾患・病態

1 急性心筋梗塞　**2** 心不全　**3** 慢性呼吸不全　**4** 消化管出血　**5** 敗血症　**6** 糖尿病性ケトアシドーシス（DKA）　**7** 副腎不全・汎下垂体機能低下症　**8** 急性腎障害（AKI）　**9** 電解質異常（特に高Ca血症）　**10** 劇症肝炎　**11** 悪性腫瘍　**12** 希死念慮を伴ううつ病　**13** 妊娠

食欲不振＋αで絞り込む疾患群

- 食欲不振はそれ自体ではあまりに非特異的であり単独では診断価値が低い。共存する症候をいかにうまく探すかが原因診断のカギである。

 ①胸痛→急性心筋梗塞
 ②労作時呼吸困難→心不全、呼吸不全
 ③浮腫→心不全、尿毒症、低栄養
 ④心窩部痛→胃炎・胃潰瘍・胃癌、心筋梗塞、膵炎、膵癌
 ⑤タール便→消化管出血
 ⑥頭痛→脳腫瘍
 ⑦意識障害→DKA、劇症肝炎、電解質異常（特に高Ca血症）、薬物中毒
 ⑧担癌患者→癌自体、薬剤性（モルヒネなど）、電解質異常（特

に高Ca血症）
⑨発熱、低血圧、頻脈→敗血症、急性副腎不全
⑩全身倦怠感、低血圧→副腎不全
⑪色素沈着→副腎不全（原発性）
⑫黄疸→急性肝炎
⑬精神疾患→薬物中毒、うつ病
⑭体重減少→副腎不全、甲状腺機能亢進症、DKA、悪性腫瘍、慢性感染症（結核など）、うつ病、神経性食思不振症
⑮無月経→妊娠、神経性食思不振症

診断仮説ごとに把握すべき病歴・身体所見・検査所見

1 急性心筋梗塞（☞23章「胸痛」〈258頁〉参照）
► 高齢者、糖尿病患者などでは胸痛よりも食欲不振が主訴となる場合があり、動脈硬化のリスクファクターのある患者が急な食欲不振で受診した場合に疑う。

2 心不全（☞2章「全身倦怠感」〈46頁〉、☞22章「呼吸困難」〈251頁〉参照）

3 慢性呼吸不全（☞22章「呼吸困難」参照）

4 消化管出血（☞29章「吐血・下血」参照）

5 敗血症（☞10章「発熱」〈132頁〉参照）

6 糖尿病性ケトアシドーシス（DKA）（☞25章「悪心（嘔気）・嘔吐」〈282頁〉、☞28章「腹痛」〈311頁〉参照）

7 副腎不全・汎下垂体機能低下症（☞2章「全身倦怠感」〈52頁〉参照）

8 急性腎障害（AKI）（📁37章「尿量異常」〈427頁〉参照）

9 電解質異常（特に高Ca血症）（📁2章「全身倦怠感」〈53頁〉、📁25章「悪心（嘔気）・嘔吐」〈282頁〉参照）

病　歴

[患者背景] 悪性腫瘍、肉芽腫性疾患（結核、サルコイドーシス）、薬剤内服（サイアザイド系利尿薬、ビタミンD、リチウム）、原発性副甲状腺機能亢進症、甲状腺機能亢進症、副腎不全、末端肥大症、褐色細胞腫、尿路結石、消化性潰瘍、膵炎の既往

[随伴症状] 口渇、多飲、多尿、悪心・嘔吐、腹痛、便秘、骨痛、瘙痒感、意識障害、脱力

身体所見

[バイタルサイン] 意識変容、BP↑↓、脈拍↑（起立性変化も）
[皮膚] 粘膜・腋窩乾燥、皮膚のツルゴール低下
[頭部] 角膜石灰化
[筋・骨格] 骨の圧痛

検査所見

[血液検査] BUN・Cr、血清Ca（低アルブミン血症がある場合は血清Ca（mg/dL）＋ 4 − Alb（g/dL）で補正）、無機P、intact PTH、PTHrP

10 劇症肝炎（📁9章「黄疸」〈114頁〉参照）

11 悪性腫瘍（📁2章「全身倦怠感」〈56頁〉参照）

12 希死念慮を伴ううつ病（📁2章「全身倦怠感」〈54頁〉、📁38章「不安・抑うつ」〈435頁〉参照）

13 妊娠（📁25章「悪心（嘔気）・嘔吐」〈281頁〉参照）

▶ 妊娠可能年齢の女性で悪心を伴う食欲不振をみた場合は疑う必要

がある。
- 嘔吐、体重減少、ケトン尿まで来した場合、妊娠悪阻と呼ぶ。
- 通常妊娠4〜10週から始まり、9週にピーク、その後20週頃までに改善していくが、より長く続く場合もある。

病　歴

[患者背景] 無月経。性交歴＋正常の最終月経から数えた月経の遅れ

[随伴症状] 眠気、臭覚変化、乳房の張り、帯下変化、繰り返す嘔吐、体重減少（定量的に確認すること）

身体所見

[概観] 起立性低血圧・脈拍変化、粘膜・腋窩乾燥、皮膚のツルゴール低下

[産婦人科的診察] 妊娠徴候

検査所見

[血液検査] CBC、腎機能、電解質

[尿検査] 尿ケトン体、妊娠が診断されていなければ尿hCG

その他

神経性食思不振症（📁 5章「体重減少（るい痩）・体重増加」〈77頁〉参照）
- 若い健康な女性に起こる摂食障害で、肥満に対する病的な恐怖があり、やせることに対する強いこだわりを呈する。
- 患者は食事を極端に制限したり、過度の運動をしたりする。また逆に衝動的な過食の後、自分で嘔吐を誘発したり、下剤や利尿薬を乱用する場合もある。

薬剤性
- NSAIDs、ジギタリス、テオフィリン、抗パーキンソン病薬、抗癌薬、モルヒネ、アルコールなどでよくみられる。

口腔疾患

▶ 口内炎、舌炎、歯肉炎、咽頭炎などにより食事をするときの不快感により食事摂取量が減ることがあるが、むしろsitophobiaとみなすべきである。

MEMO

> **摂食障害（神経性食思不振症もしくは過食症）の**
> **スクリーニングに有効な質問（SCOFF questionnaire）**
>
> 1. おなかが張って不快になることはありますか？
> 2. どのくらい食べたらよいかわからなくなり、食べるのを止められなくなりそうで、心配になることがありますか？
> 3. 最近3カ月間で6.35kg（14ポンド）以上の体重減少がありましたか？
> 4. 人からやせているといわれても太りすぎているような気がしますか？
> 5. 食事や食べ物によって生活全般が支配されているように感じますか？
>
> 2つ以上に「はい」の答えがあれば感度85％、特異度90％（陽性尤度比8.1、陰性尤度比0.2）で摂食障害ありといわれている。

他の疾患

▶ 以下のように鑑別は非常に多岐にわたるため、初診で診断が明らかでない場合は＋αの症候（診断のための手がかり）をみつけるために丁寧な病歴聴取や身体診察を繰り返す必要がある。

①神経疾患（認知症、パーキンソン病、髄膜炎、脳腫瘍）
②慢性感染症（結核など）
③内分泌疾患（重症糖尿病、甲状腺機能低下症・亢進症、副甲状腺機能亢進症）
④消化管疾患（胃・十二指腸潰瘍、腸閉塞、炎症性腸疾患、胃腸炎）
⑤肝・胆・膵疾患（急性肝炎、肝硬変、胆石症、胆道系感染症、急性・慢性膵炎）
⑥膠原病（関節リウマチ、リウマチ性多発筋痛症など）

Dr. Tierney's Clinical Pearls

Appetite loss is another non-specific symptom, but weight loss — documented on the same scale with similar clothing — means it is important.

食欲不振も非特異的な症状であるが、同じ体重計で同じような着衣で測った体重が減少しているなら、その食欲不振は重要である。

[参考文献]

1) Fernandez L. Anorexia. Textbook of Primary Care Medicine, 3rd ed. Philadelphia, Mosby, 2001.
2) Willis GC. Dr.ウィリス ベッドサイド診断. 東京, 医学書院, 2008.
3) Carroll MF, et al. A practical approach to hypercalcemia. Am Fam Physician 2003 ; 67 : 1959-66.
4) Bailey GL, et al. Eating Disorders. American College of Physicians. Physicians' Information and Education Resource. 〈http://pier.acponline.org/index.html〉
5) Morgan JF, et al. The SCOFF questionnaire : assessment of a new screening tool for eating disorders. BMJ 1999 ; 319 : 1467-8.
6) Luck AJ, et al. The SCOFF questionnaire and clinical interview for eating disorders in general practice : comparative study. BMJ 2002 ; 325 : 755-6.

5章 体重減少(るい痩)・体重増加

Weight Loss (Emaciation) and Weight Gain

訴えの定義

▶「3カ月で5kgやせた」あるいは「ここ数日で2kg太った」など。半年で5％を超えるような体重変化や急激な変化には要注意。

見逃してはならない疾患・病態

体重減少（るい痩）

1 感染症、特に亜急性から慢性のもの（亜急性心内膜炎、結核、アスペルギルス症、膿瘍、AIDSなど）　**2** 悪性腫瘍　**3** 脱水　**4** 甲状腺機能亢進症　**5** 糖尿病　**6** 吸収不良症候群　**7** うつ病　**8** 薬物乱用・中毒　**9** 神経性食思不振症　**10** 神経疾患（筋萎縮性側索硬化症〈ALS〉、腫瘍随伴症候群、重症筋無力症〈MG〉）　**11** リウマチ性多発筋痛症・側頭動脈炎　**12** 腹部アンギナ

▶このうち生命予後にかかわる疾患・病態は **1** ～ **3** である。

▶ **11** **12** は高齢者にみられる疾患・病態であり、高齢者ではほかに、口腔咽頭疾患（義歯不適合、咀嚼・嚥下機能低下、歯肉炎、亜鉛欠乏による味覚異常）、認知障害（アルツハイマー病）などを考える。

▶その他、膠原病、血管炎、サルコイドーシス、消化器疾患（逆流性食道炎、消化性潰瘍、アカラシア、慢性膵炎、炎症性腸疾患）、内分泌疾患（副腎不全、下垂体機能不全、褐色細胞腫）などにも注意が必要である。

▶また急激な体重減少に伴い、上腸間膜動脈症候群（脂肪減少により、十二指腸が大動脈と上腸間膜動脈に挟まれ通過障害を起こす）を来し悪循環に陥ることがある。

体重増加

1 心不全　**2** 腎不全（急性腎障害〈AKI〉、慢性腎不全急性増悪）、ネフローゼ症候群　**3** 肝硬変症　**4** 甲状腺機能低下症　**5** Cushing症候群　**6** インスリノーマ　**7** 薬剤性

病歴聴取のポイント

体重減少（るい痩）

▶ まず意図して体重を落としたかどうかの確認が必要である。ただし、神経性食思不振症やMüchhausen症候群については初診時の病歴聴取ではわからないことが多い。

▶ 次に摂取エネルギーと消費エネルギーのバランスを確認する。
　①食欲が保たれている場合。これには以下の2つが考えられる。
　　・エネルギー消費量が増大（異化が同化を上回る）→糖尿病、甲状腺機能亢進症、褐色細胞腫
　　・栄養喪失→吸収不良症候群
　②食欲が低下する（エネルギー摂取量が減少する）場合にその他の疾患を考えていく。

MEMO

体重の程度を客観的に把握するために肥満指数（BMI）を計算する習慣をつける

BMI＝体重（kg）／身長（m）^{2}

日本肥満学会は、BMI 18.5未満を低体重、18.5以上25未満を正常、25以上30未満を1度肥満、30以上35未満を2度肥満、35以上40未満を3度肥満、40以上を4度肥満としている。米国ではBMI 22を標準体重、25以上を肥満傾向（overweight）、30以上を肥満（obesity）としている。

診断仮説ごとに把握すべき病歴・身体所見・検査所見

体重減少（るい痩）

1 感染症、特に亜急性から慢性のもの（亜急性心内膜炎、結核、アスペルギルス症、膿瘍、AIDSなど）

病歴

[患者背景] 免疫不全のリスク（HIV、HTLV-1感染、悪性腫瘍、ステロイド、抗癌薬、免疫抑制薬、TNFα阻害薬など）、曝露歴（旅行歴、病人や動物との接触、性的接触）、結核の既往

[随伴症状] 微熱を含めた発熱、寝汗、全身倦怠感、局所の症状（システムレビューを行う）

身体所見

感染症では感染部位を探すことが非常に重要である（📁2章「全身倦怠感」〈48頁〉、📁10章「発熱」参照）。感染部位のわかりにくいものとして、全身性播種性、心血管系、深部膿瘍、骨・関節、骨盤内臓器の感染症が挙げられる。特に、以下の所見に注意する。

[頭頸部] 眼瞼結膜出血、眼底所見（Roth斑）、鼓膜、リンパ節腫脹

[心血管系] 心雑音

[直腸診] 前立腺圧痛、子宮頸部の可動痛

[骨・関節] 脊柱の叩打痛

[皮膚・粘膜] Osler結節、Janeway病変、出血斑

検査所見

[検体検査] pan-culture（血液培養2セット以上を含む各種検体培養）、末梢血スメア、HIV抗体、HTLV-1抗体、ESR、PPDまたはIGRA、胃液抗酸菌培養、寄生虫検査、各部位の生検（骨髄や胸膜など）

[胸部X線] 胸水・浸潤影、陳旧性結核や既存の肺疾患の確認

[心エコー] 心内膜炎に対する経胸壁心エコーの感度は低いため、

疑えば経食道心エコーが必要である。

[造影CT] 肝膿瘍、胆嚢周囲膿瘍、腎（周囲）膿瘍、硬膜外膿瘍、子宮留膿腫などを検索する。

[核医学検査] 上記の検査でも感染部位が不明のとき、不明熱に準じてFDG-PET、ガリウムシンチグラフィ、骨シンチグラフィなどを行う。

2 悪性腫瘍（📁 2章「全身倦怠感」〈56頁〉参照）

- 体重減少を来しやすいものとして消化器・肺腫瘍とリンパ腫の頻度が高いが、下部消化管悪性腫瘍では早期には必ずしも体重減少を来さない。
- 消化器系では食道癌、胃癌、膵癌、胆嚢癌、胆管癌などに注意する。
- 悪性腫瘍でないものをまとめると悪性腫瘍よりも頻度が高く、悪性腫瘍ばかりを追求しない。

3 脱水（📁 2章「全身倦怠感」〈48頁〉参照）

- 日単位での急激な体重減少は脱水によることが多い。ショックや腎不全、横紋筋融解症の合併に注意する。

4 甲状腺機能亢進症（📁 2章「全身倦怠感」〈57頁〉参照）

- 原因として、バセドウ病、中毒性甲状腺腫、甲状腺炎（亜急性甲状腺炎、無痛性甲状腺炎）などがある。食欲は保たれることが多い。

5 糖尿病

- 体重減少の程度が強い場合には、糖尿病性ケトーシスの可能性がある。また感染症によって血糖コントロールが悪くなり、著明な高血糖を来す場合もある。
- 重症になるまで食欲は保たれることが多い。

（病　歴）

[患者背景] 糖尿病の既往歴・家族歴・治療歴、先行する感染症状
[随伴症状] 口渇・多飲・多尿、全身倦怠感、悪心・嘔吐、腹痛、

意識障害

(身体所見)

[**バイタルサイン**] 頻脈、低血圧

[**概観**] 口臭（甘いアセトン臭）

(検査所見)

尿糖・尿ケトン体定性、血糖、HbA1c

❻ 吸収不良症候群

▶ 原因疾患によるが、食欲は保たれることが多い。最も過程が複雑な脂肪の消化吸収障害が早期に出てきやすい。

(病　歴)

[**患者背景**] 腹部疾患の既往、手術歴、飲酒歴、薬剤使用歴、途上国旅行歴

[**随伴症状**] 発熱、腹痛、悪心・嘔吐、慢性下痢、脂肪便

(身体所見)

[**頭頸部**] 結膜蒼白

[**腹部**] 手術痕

[**直腸診**] 肛門・直腸病変、便潜血

(検査所見)

便中脂肪定性（SudanⅢ染色）、D-キシロース吸収試験、上部・下部消化管内視鏡、フェリチン・ビタミンB_{12}測定、蛋白漏出性胃腸症の精査（6章「浮腫」〈84頁〉参照）。

❼ うつ病（2章「全身倦怠感」〈54頁〉、38章「不安・抑うつ」〈435頁〉参照）

▶ 食欲不振に加えて、気分の落ち込みや興味・喜びの喪失に注意する。

❽ 薬物乱用・中毒

▶ アルコール多飲、利尿薬、下剤によることが多い。

▶ その他、悪心・嘔吐や消化器障害を起こす薬剤（ジギタリス、モルヒネ、NSAIDs、テオフィリン）でも体重減少は起こってくる。

吸収不良症候群を来す疾患

- celiac病（日本人ではまれ）
- 慢性膵炎
- 肝・胆道系疾患による胆汁分泌不全
- 蛋白漏出性胃腸症
- 腸管切除（短腸症候群〈残存小腸が100cm以下〉，胃・回腸終末部切除）
- 炎症性疾患（Crohn病など）
- カルチノイド症候群
- 寄生虫疾患（ランブル鞭毛虫，糞線虫，鉤虫，広節裂頭条虫など）
- 内分泌異常（Zollinger-Ellison症候群，VIPomaなど）
- 薬剤性（コレスチラミン，コルヒチン，フェニトイン，メトトレキサート，フルオロウラシルなど）

9 神経性食思不振症（▶4章「食欲不振」〈69頁〉参照）

- ▶ 身体イメージの歪み（やせているのに太っていると思い込んでいる）を認めることが多い。
- ▶ 内分泌疾患では、汎下垂体機能低下症との鑑別が重要である。神経性食思不振症では、成長ホルモンやコルチゾールが正常ないし増加していることが多い。

10 神経疾患（筋萎縮性側索硬化症〈ALS〉、腫瘍随伴症候群、重症筋無力症〈MG〉）

- ▶ ALSは、筋力低下がはっきりしない場合に数カ月以上にわたって原因のわからない体重減少を起こし得る。
- ▶ 筋線維束攣縮などの神経所見に注意する。

11 リウマチ性多発筋痛症・側頭動脈炎（▶11章「頭痛」〈146頁〉参照）

12 腹部アンギナ

- ▶ 動脈硬化のリスクが高い高齢者で、食後に増悪する慢性の腹痛がある場合に疑う。食事による腸管の血流増加の要求に、血管が応

えられない虚血による腹痛である。
- ▶ 痛みを避けるために食事摂取量が低下し、体重減少を引き起こす。診断確定には血管造影（CTアンギオ、MRAでもよい）が必要である。

MEMO

> **高齢者の体重減少を来す9D's**
> 1. Dentition 歯の状態 2. Dysgeusia 味覚障害 3. Dysphagia 嚥下障害 4. Diarrhea 下痢 5. Disease 慢性疾患 6. Depression うつ病 7. Dementia 認知症 8. Dysfunction 機能不全 9. Drugs 薬剤

体重増加

　数日単位で数kgと急激に体重が増加する場合、体液量の過剰によることが多い。

1 心不全 （📁 2章「全身倦怠感」〈46頁〉、📁 22章「呼吸困難」〈251頁〉参照）

2 腎不全（急性腎障害〈AKI〉、慢性腎不全急性増悪）、ネフローゼ症候群 （📁 2章「全身倦怠感」〈51頁〉、📁 37章「尿量異常」〈427頁〉参照）

3 肝硬変症 （📁 2章「全身倦怠感」〈50頁〉参照）

4 甲状腺機能低下症 （📁 2章「全身倦怠感」〈57頁〉参照）

5 Cushing症候群
- ▶ 体重増加に加えて、中心性肥満、高血圧、耐糖能障害がある場合に疑う。

身体所見

　［概観］中心性肥満、満月様顔貌、赤ら顔
　［頭頸部］buffalo hump（頸部から肩への脂肪の沈着）

[皮膚・粘膜] 皮膚線条、痤瘡（にきび）

（検査所見）

血中ACTH、血中コルチゾール、24時間尿中17-OHCS、24時間尿中コルチゾール測定。いったん陰性でも強く疑った場合、24時間尿中コルチゾール測定を繰り返す。

6 インスリノーマ

- ▶ 悪性であっても体重が増加し得る唯一の腫瘍であるが、頻度はきわめてまれであり、局在診断が困難な場合も多い。
- ▶ まずWhippleの3徴（①意識障害などの中枢神経症状、②発作時の低血糖、③ブドウ糖投与による症状の回復）を確認する。

（検査所見）

内因性インスリン過剰分泌を確認するため、低血糖時のIRI、血中・尿中CPRの測定。さらに造影CTや選択的動脈造影、選択的動脈内Ca負荷試験、ソマトスタチン受容体シンチグラフィ。

7 薬剤性

- ▶ 体重増加を来す薬剤として抗精神病薬、抗うつ薬、ステロイド、インスリン、経口血糖降下薬（特にスルホニル尿素薬）などがある。

その他

- ▶ 神経性過食症、さらに生理的なものとして単純性肥満、禁煙などがある。

Dr. Tierney's Clinical Pearls

With weight gain, the "big three : cardosis, nephrosis and cirrhosis," but don't forget too much fast food.

体重増加の3大原因は「心不全、ネフローゼ、肝硬変」であるが、単に食べすぎである可能性も忘れないこと。

The only causes of weight loss with preserved appetite are diabetes and hyperthyroidism. Insulinoma is the only tumor consistently associated with weight gain ; it is usually benign.

食欲が保たれているのにやせるのは糖尿病か甲状腺機能亢進症である。インスリノーマは体重が増える唯一の腫瘍で、たいてい良性である。

Gradual weight loss is commonly encountered with advancing age.

緩徐な体重減少は加齢でよくみられる。

［参考文献］
1) Huffman GB. Evaluating and treating unintentional weight loss in the elderly. Am Fam Physician 2002 ; 65 : 640-50.
2) 聞く技術 答えは患者の中にある〈上〉. p109-23, 東京, 日経BP社, 2006.
3) Gaddey HL, Holder K. Unintentional Weight Loss in Older Adults. Am Fam Physician. 2014 ; 89 : 718-22.

6章 浮腫

Edema

訴えの定義

- 「手足がむくむ」「顔が腫れぼったい」という訴えはわかりやすいが、「太った」「指輪・ベルト・靴がきつくなった」という訴えも浮腫を示唆する場合がある。手指の浮腫は、他覚的に認めるのは難しくとも、患者本人の訴える「むくんだ感じ」や「握りにくい感じ」でその存在を認めるべきである。

見逃してはならない疾患・病態

1 心不全　**2** 腎不全　**3** 深部静脈血栓症（DVT）　**4** アナフィラキシー・血管浮腫　**5** 局所の炎症　**6** 慢性肝不全・低栄養（蛋白漏出性胃腸症を含む）　**7** ネフローゼ症候群　**8** 大静脈閉塞・収縮性心外膜炎（CP）　**9** リンパ浮腫　**10** 脚気（beriberi）

診断仮説ごとに把握すべき病歴・身体所見・検査所見

- まず全身性浮腫か限局性浮腫かをはっきりさせることで、病態生理を意識した疾患群の分類ができる（次頁の表）。
- なお、圧痕を残すpitting、残さないnon-pittingについては、慢性でない（＜3カ月）場合、pit recovery time＞40秒⇒血清Alb＞3g/dLとの説があるが、原因疾患にかかわらず、pittingも慢性になるとnon-pittingに変化し得る。

1 心不全（ 📁 2章「全身倦怠感」〈46頁〉、📁 22章「呼吸困難」〈251頁〉参照）

2 腎不全（ 📁 2章「全身倦怠感」〈51頁〉参照）

3 深部静脈血栓症（DVT）

- Virchowの3徴（①血流うっ滞、②血管内皮障害、③凝固能亢進）

浮腫のおもな原因

メカニズム	全身傾向のむくみ	限局性または半身のむくみ
静水圧の上昇	・うっ血性心不全 　(肺性心, 収縮性心膜炎を含む) ・急性腎不全 　(慢性腎不全の増悪を含む) ・塩分貯留性製剤 　(NSAIDs, ステロイド, 甘草, チアゾリジン系) ・ホルモン異常 　(Cushing症候群, 月経周期, 妊娠) ・refeeding edema	・上大静脈症候群(上半身), 　Budd-Chiari症候群その他による下大静脈狭窄(下半身) ・深部静脈血栓症 ・静脈弁不全 ・麻痺肢 ・長時間座位
膠質浸透圧の低下	・栄養不良 ・肝不全 ・ネフローゼ症候群 ・蛋白漏出性胃腸症	
毛細血管の透過性亢進	・アナフィラシキー ・好酸球増多症 ・脚気(心不全も関与) ・特発性浮腫 ・血管拡張薬(Ca拮抗薬) ・全身性毛細血管漏出症候群 ・POEMS症候群,多中心性Castleman病/TAFRO症候群	・外傷・熱傷・凍傷 ・蜂窩織炎・脂肪織炎, 関節炎・滑膜炎 ・血管浮腫
リンパ流の阻害	・Yellow nail症候群	(後腹膜の場合は下半身全体に) ・リンパ節転移・リンパ腫 ・リンパ管炎・リンパ節炎 ・リンパ節郭清後, 瘢痕・線維化

- がDVTのリスクファクターで、膝より近位部のDVTは肺塞栓症(PE)のリスクが高い。
- 下肢のDVTが多いが、上肢や腹腔内などまれな場所に発生した場合や、若年発症、あるいは繰り返す場合は、凝固能亢進を来す異常を考える。

病　歴

[患者背景] 血栓症の既往歴・家族歴、妊娠・産褥、外傷・術後、長期臥床、経口避妊薬＋喫煙、静脈カテーテル留置、進行した悪性腫瘍、ネフローゼ症候群

[随伴症状] ときに下肢鈍痛、(肺塞栓を伴うと)息切れ、とき

に胸痛

身体所見

[バイタルサイン] ときにBT↑、(肺塞栓を伴うと) RR↑・HR↑・ときにBP↓

[患肢] ときに発赤、筋握痛（Homans徴候）、側副静脈拡張

検査所見

血管ドプラーエコー検査、抗CL-β_2GPI抗体、APTT/LAC、ATⅢ、プロテインC/S

4 アナフィラキシー・血管浮腫

▶ おもにIgEや補体に媒介された血管の拡張と透過性の亢進が全身性に起こったものがアナフィラキシーであるが、表皮直下の毛細血管の変化のために蕁麻疹が、比較的深部の毛細血管の変化のために血管浮腫が起こる。

▶ 意識障害や血圧低下のある場合はアナフィラキシーショックと考え対応する。

病歴

[患者背景] アレルギー反応の既往（抗菌薬・造影剤・鎮痛薬、食物、虫刺など）、蕁麻疹・血管浮腫の家族歴、ACE阻害薬服用歴

[随伴症状] くしゃみ・鼻水・口内違和感・痒み、口唇・口内の腫れ、呼吸困難、喘鳴、立ちくらみ、皮膚の痒み、蕁麻疹、腹痛・下痢

身体所見

[バイタルサイン] BP↓・PR↑あるいは拡張期BPも↓する起立性低血圧、RR↑

[皮膚・粘膜] 発赤・紅潮、蕁麻疹、口唇・舌・口腔粘膜浮腫

[頸部・胸部] stridor、wheeze

[腹部] 蠕動亢進

検査所見

検査結果を待たず、必要に応じて気道・血管確保のうえ、アド

レナリン0.3〜0.5mgを筋注する。

5 局所の炎症

- ▶ 外傷・熱傷のような物理的原因、蜂窩織炎・脂肪織炎・関節（周囲）炎のような感染症や自己免疫による炎症は、疼痛・熱感・発赤を伴って局所の腫脹や浮腫を来し得る。
- ▶ なかでも壊死性筋膜炎（📂7章「リンパ節腫脹」〈96頁〉、📂8章「発疹」〈102頁〉参照）のような劇症感染症（激しい疼痛と病変の一部の暗赤色への変色で疑う）は見逃してはならない。

（病　歴）

[患者背景] 外傷歴（マイナーなものも）、注射歴、リンパ節郭清の既往、糖尿病歴
[随伴症状] 発熱、痛み、こわばり

（身体所見）

熱感、発赤、圧痛、可動域制限、crepitus（握雪感）

（検査所見）

血液培養、アプローチ可能なら穿刺液検査

6 慢性肝不全・低栄養（蛋白漏出性胃腸症を含む）（📂2章「全身倦怠感」〈55頁〉参照）

- ▶ 蛋白漏出性胃腸症は低アルブミン血症があるのに、摂食障害や肝機能不全も有意な蛋白尿もないときに疑い、α_1アンチトリプシンのクリアランス試験、またはTc-HSAシンチで証明する。
- ▶ 蛋白漏出性胃腸症の基礎疾患には炎症性腸疾患、Menetrier病、胃癌・リンパ腫、リンパ管拡張症、右心不全、アミロイドーシス、好酸球性胃腸炎などが挙げられる。

7 ネフローゼ症候群

（病　歴）

[患者背景] 糖尿病、ウイルス性肝炎、SLE、多発性骨髄腫、悪性腫瘍の既往、薬剤使用歴（DMARDs、NSAIDsなど）

[随伴症状] 体重増加、(大量胸水による) 呼吸困難、(腹水による) 腹部膨満、(特発性細菌性腹膜炎〈SBP〉を合併すれば) 腹痛・発熱、(腎静脈血栓症を合併すれば) 腰痛

身体所見

胸水、腹水、white nails、眼瞼浮腫、陰嚢・陰唇浮腫、皮膚線条

検査所見

血清Alb<3g/dL、尿蛋白>3.5g/dLまたは随時尿蛋白/クレアチニン>3.5、血清T-Cho↑、疾患により補体↓(ループス腎炎、膜性増殖性糸球体腎炎〈MPGN〉、クリオグロブリン血症、感染後腎炎)

8 大静脈閉塞・収縮性心外膜炎 (CP)

▶上大静脈 (SVC) 狭窄あるいは閉塞 (縦隔リンパ節腫脹、縦隔腫瘍、縦隔線維症による) なら、頭頸部や上肢の運動で悪化する上半身のうっ血を伴う上半身のみの浮腫となる。同様に下大静脈 (IVC) 狭窄あるいは閉塞 (Budd-Chiari症候群、後腹膜線維症、後腹膜リンパ節腫脹による) なら下半身のみの浮腫となる。

▶下半身に強いものの頸静脈怒張 (JVD) も伴う全身性浮腫で、腹水も伴い得るため、ときに肝硬変と誤診されるものにCPがある。

病 歴

[患者背景] 喫煙、悪性腫瘍・骨髄増殖性疾患、血液凝固能亢進状態、放射線照射・後腹膜手術歴、Behçet病、結核の既往、妊娠
[随伴症状] 頭痛、呼吸困難、嚥下困難、腰痛、腹部膨満

身体所見

閉塞部位に応じた皮膚表在静脈の拡張 (側副血行路)、赤ら顔、JVD、リンパ節腫脹、Horner徴候、反回神経麻痺、Kussmaul徴候 (吸気時にJVDが増強)、心外膜ノック音、肝脾腫・腹水

検査所見

胸部・腹部の画像検査、心内圧測定、CBC・凝固系検査

MEMO

心外膜ノック音

心臓の拡張期に心室が硬くなった心外膜を打つ音で、ほぼⅢ音のタイミングで聞かれる比較的低音の過剰心音ゆえ、心尖部でベル型聴診器を用いて聴取する。浮腫に対する治療として十分に利尿をかけた後にもかかわらず聴取される"Ⅲ音"はこれである可能性が高い。

9 リンパ浮腫

▶圧痛を残さない「硬むくみ」が局所性にある場合、その近位でのリンパ流阻害要因を考える。

(病　歴)

[**患者背景**] 悪性腫瘍・リンパ節郭清・放射線照射の既往
[**随伴症状**] 蜂窩織炎症状を反復することが多い。

(身体所見)

象皮症、peau d'orange、リンパ節腫脹、手術痕・色素沈着、直腸診・婦人科的内診による腫瘤触知

(検査所見)

CTで縦隔や腹腔・骨盤内のリンパ節腫脹や腫瘤をチェックする。

10 脚気（beriberi）

▶高拍出性心不全を呈するものをwet beriberi、多発性末梢神経障害がメインであるものをdry beriberiと呼び、浮腫は前者で著明となる。Wet beriberiの浮腫に対し、先にフロセミドを使用してしまうと、チアミンの尿中排泄を促し、欠乏症をさらに悪化させ得るので要注意。

(病　歴)

[**患者背景**] アルコール依存、炭水化物ばかりの偏食、ビタミン抜きの糖輸液、飢餓状態、摂食障害、妊娠悪阻、血液透析
[**随伴症状**] 息切れ、動悸、倦怠感・脱力、四肢のしびれ

(身体所見)

HR↑、温かい末梢、腱反射↓

> **検査所見**

血中または尿中チアミン↓。検査結果を待たず、チアミン50〜100mg/日を1週間投与し、その後連日5〜10mg/日投与することで、治療的診断ができる。

その他

好酸球増多症
- 臓器障害の有無を問わず、好酸球増多が何らかの機序で毛細血管透過性を亢進させて四肢の（血管）浮腫を来す。
- ステロイド投与などで好酸球数が減少するとともに消退する。

甲状腺機能低下症
- 甲状腺機能低下の結果、皮下に増加したムコ多糖類は水分保持能力が高く、一般に圧痕を残しにくい（pittingはあってもよい）浮腫を顔面や四肢に来す。
- 眠気、発汗減少、寒がり、体重増加、便秘、過多月経、認知低下、徐脈、毛髪・皮膚乾燥のいずれかを伴うときはTSH↑、FT4↓を確認する（FT4↓でもTSH→なら下垂体性もあり得る）。

下肢静脈不全・沈下性浮腫
- 遺伝的素因、加齢、DVT後遺症などで下肢静脈の弁の閉鎖不全が起こり、立位や座位（下肢下垂位）をしばらくとった際に静脈うっ滞による静水圧上昇のせいで下腿を中心に浮腫が起こる。長期にわたると同部位に色素沈着も起こる。
- 弁不全や他の病的理由がなくても、長時間立位や座位で下腿以下に軽い浮腫が起こることがあり、沈下性浮腫と呼んですませることがある。

妊娠・月経前緊張症
- 黄体ホルモンの分泌が盛んな時期に塩分貯留が起こり、浮腫傾向になることは多い。イライラ・憂うつ、腹部膨満、乳房緊満感を

伴うこともある。
- ▶ 妊娠可能年齢女性の浮腫では必ず月経周期との関連を尋ねる。

特発性浮腫
- ▶ 詳しい機序は不明だが、体位による利尿の違いが著しいため、日中なるべく安静臥床した日に比べて、ほとんど立位をとっていた日の尿量が半減し、典型例では夕方の体重が>1.4kg増えて「手足がパンパンになる」と訴える。比較的若い女性に多い。

薬剤性浮腫
- ▶ 塩分貯留作用のあるホルモン剤、NSAIDs、グリタゾン系の糖尿病薬、あるいは細動脈拡張作用のあるCa拮抗薬を使用している場合におもに沈下部位によくみられる。

Dr. Tierney's Clinical Pearls

In heart failure, edema of the left leg develops first ; the left common iliac vein crosses under the right iliac artery causing higher pressure normally and in heart failure. Isolated right leg edema suggests deep venous clot.

心不全では左下肢の浮腫が先に起こる。なぜならば、左総腸骨静脈は右総腸骨動脈の下をくぐっており、正常でも心不全時でも右より圧が高いからである。右下肢単独の浮腫は深部静脈血栓症を示唆する。

[参考文献]
1) Braunwald E, Loscalzo J. Edema. Harrison's Principles of Internal Medicine, 17th ed. New York, McGraw-Hill, 2008.
2) Evaluation of Leg Edema. Primary Care Medicine, 6th ed. Philadelphia, Lippincott Williams & Wilkins, 2009.
3) 酒見英太. 浮腫. 必修化対応 臨床研修マニュアル. 東京, 羊土社, 2003.
4) Willis GC. Dr.ウィリス ベッドサイド診断. 東京, 医学書院, 2008.

7章 リンパ節腫脹

Lymphadenopathy

訴えの定義

▶「リンパ節が腫れて痛い」「しこりができた・だんだん大きくなってきた」と訴える以外に、本人が気づいていないリンパ節腫脹が身体診察で認められたり、検査で縦隔や腹腔内のリンパ節腫脹がみつかることがある。

▶なお患者が「リンパ節」といっても頸部なら顎下腺（唾液腺）、甲状舌管嚢胞、鰓嚢胞など紛らわしいものもあるので注意する。

見逃してはならない疾患・病態

1 癌転移　**2** リンパ腫・白血病　**3** HIV感染症　**4** 局所感染症に伴う所属リンパ節腫脹　**5** 感染症に伴う全身リンパ節腫脹　**6** 膠原病・血管炎　**7** 薬剤性

▶緊急度が高いものとしては、気道閉塞や上大静脈症候群を来す深頸部感染症・喉頭蓋炎、悪性腫瘍である。

▶プライマリケアでは、多くのリンパ節腫脹は上気道炎などに伴う反応性で、病歴・身体所見から原因は明らかである。病歴・身体所見から診断仮説を立て、狙いをつけた検査を行う。

▶最終的に判断すべきことは、①緊急処置が必要か、②悪性ではないか、③特別な治療が必要か、④生検が必要か、である。

病歴聴取のポイント

▶①年齢、②リンパ節腫脹の部位、③リンパ節腫脹の期間・経過、④随伴症候、⑤既往歴、⑥薬物歴、⑦曝露歴（旅行歴、動物・虫・病人との接触歴、性交歴、静注薬物使用歴）、が診断に大きくかかわる。

1）年齢

▶癌は高齢になるほど多くなるが、リンパ増殖性疾患は年齢による分布差はない。

2）部位

▶ 健常人でも顎下、腋窩、鼠径のリンパ節は触知する。鎖骨上・滑車上リンパ節腫大は、多くの場合、異常である。

リンパ節腫脹の部位による鑑別疾患（参考文献5）

頸部リンパ節
- 感染と悪性疾患が多い
- 細菌性咽頭炎，歯周囲膿瘍，中耳炎・外耳炎，淋菌性咽頭炎，伝染性単核球症，CMV感染症，トキソプラズマ症，肝炎，アデノウイルス感染症
- リンパ腫，頭頸部の扁平上皮癌
- 後頸部や後頭部のみのリンパ節腫脹：風疹，トキソプラズマ症，組織球性壊死性リンパ節炎（菊池-藤本病）

鎖骨上リンパ節
- 最も悪性のリスクが高い。40歳以上では90%，40歳未満では25%の確率
- 触診中にValsalva操作を行わせるとみつけやすい
- 右：縦隔・肺・食道の癌と関連
- 左（Virchowの結節）：腹部・胸部の悪性腫瘍を考慮。消化器・腹腔内臓器癌，リンパ腫，肺癌，乳癌，泌尿生殖器癌
- 慢性真菌感染症，抗酸菌感染症（瘰癧）

腋窩リンパ節
- 感染と悪性疾患が多い
- リンパ腫，乳癌，黒色腫
- 腕のブドウ球菌・連鎖球菌の感染症，ネコひっかき病（CSD），野兎病・スポロトリコーシス

滑車上リンパ節
- リンパ腫，慢性リンパ性白血病（CLL），伝染性単核球症，サルコイドーシス，HIV感染症，皮膚感染症，膠原病，CSD，古典的には梅毒，らい腫型ハンセン病，リーシュマニア症，風疹

鼠径リンパ節
- 多くの成人では正常でもいくらかの鼠径リンパ節腫脹がみられる
- 裸足で外出することが多い人でみられることが多いともいわれる（参考文献4）
- 悪性疾患ではリンパ腫，黒色腫，陰茎・女性外陰部の扁平上皮癌
- 良性では蜂窩織炎，性病（梅毒，軟性下疳，性器ヘルペス，鼠径リンパ肉芽腫）
- Node of Cloquet（またはRosenmüller node）：鼠径管の近くの深部鼠径リンパ節が腫れた場合，鼠径ヘルニアと間違えることも

肺門リンパ節
- 片側の肺門リンパ節：肺炎，肉芽腫性疾患，結核，非結核性抗酸菌症，ヒス

トプラズマ症、コクシジオイデス症、野兎病、オウム病、百日咳、肺癌、乳癌転移、消化器癌転移、リンパ腫
- 両側肺門リンパ節：サルコイドーシス、リンパ腫、転移性癌、慢性肉芽腫性疾患、ベリリオーシス
- 石灰化を伴う肺門リンパ節：結核、ヒストプラズマ症、珪肺症

腹腔内リンパ節
- 腹腔内のみのリンパ節腫脹（腸間膜や後腹膜）はしばしば悪性：リンパ腫、癌転移、CLL、hairy cell白血病、結核

Sister Mary Joseph nodule（臍転移結節）
- 胃癌、大腸癌、膵癌のみならず卵巣癌などの骨盤内の癌でもみられる

3）期間・経過

▶ リンパ腫のリンパ節は一時的に小さくなることがある。数週〜数カ月にわたり増大する場合、悪性の可能性が高い。

4）随伴症候

▶ 全身症状、臓器特異的な局所症状を確認する。
▶ リンパ節腫脹+α

① 発熱、寝汗、体重減少→リンパ増殖性疾患、結核などの慢性感染症

② 吸収不良→アミロイドーシス、Crohn病、celiac病、Whipple病

③ 関節痛、関節炎→関節リウマチ（RA）、SLE、多発血管炎性肉芽腫症、Whipple病、非Hodgkinリンパ腫（NHL）、血管炎

④ 腎疾患→アミロイドーシス、Hodgkin病（paraneoplastic minimal change disease）、混合性結合組織病（MCTD）、SLE、Whipple病

⑤ 低γグロブリン血症→CLL、NHL、分類不能型免疫不全症（CVID）、アミロイドーシス、Whipple病

⑥ M蛋白→アミロイドーシス、CLL、多発性骨髄腫

⑦ Mononucleosis様症候群（リンパ節腫脹、全身倦怠感、発熱、異型リンパ球増加）→EBV・CMV・HIV感染症、B型肝炎、トキソプラズマ症

⑧ Ulceroglandular症候群（皮膚病変＋局所リンパ節腫脹：蜂窩織

炎）→連鎖球菌感染（膿痂疹など）、CSD、Lyme病、野兎病（rabbit、tick）

⑨Oculoglandular症候群（角結膜炎＋耳介前部リンパ節腫脹）→ウイルス性角結膜炎、眼の病変から始まったCSD

5）既往歴

► 癌やその治療の病歴など。

6）薬物歴

► リンパ節腫脹を来す薬剤として次のものが比較的頻度が高い。

リンパ節腫脹を来す薬剤

・アロプリノール	・金製剤
・アテノロール	・ペニシリン系薬
・カプトプリル	・セファロスポリン系薬
・ヒドララジン	・ピリメタミン
・カルバマゼピン	・キニジン
・フェニトイン	・サルファ剤
・プリミドン	・スリンダク

7）曝露歴

► 曝露歴による手がかり

①生活歴：喫煙（各種癌）、静注薬物使用（HIV、HBV）

②性交歴：ハイリスク性行動（HIV、梅毒、HSV、CMV、HBV）

③旅行歴：野山（リケッチア感染症）、米国南西部（コクシジオイデス症、腺ペスト）、米国南東部（ヒストプラズマ症）、中央・南アフリカ（アフリカトリパノソーマ症）、中央・南アメリカ（Chagas病）、東アフリカ・地中海・中国（カラアザール）、中央アメリカ・南アジア・エジプト・東南アジア（腸チフス）

④ペット・動物：ネコ（CSD、トキソプラズマ症）、ウサギ・げっ歯類・他動物（野兎病）、ダニ（リケッチア感染症、Lyme病、野兎病）

⑤職業歴：猟師（野兎病）、漁師・魚屋・屠殺場（類丹毒）

身体診察のポイント

1）リンパ節腫脹の分布：全身性か限局性か、2）リンパ節自体の所見、3）脾腫の有無、4）随伴症候（前述）の有無、を確認することが重要である。

1）リンパ節腫脹の分布：全身性か限局性か
①全身性：2カ所以上の連続しないリンパ節領域で腫脹
②限局性：1カ所のみの領域での腫脹

2）リンパ節自体の所見
► リンパ節を表現する。
► 表現すべきことは以下である。
　①サイズ：1cm以上（鼠径では1.5cm以上、滑車上では0.5cm以上）を異常とする。サイズは定規で正確に測定する。
　②圧痛の有無：圧痛は通常炎症性を考えるが、悪性でも急速に大きくなったり、内部で出血すると圧痛がある。
　③硬さ：石様（通常転移性癌、結核やリンパ腫でもあり得る）、硬いゴム様（リンパ腫）、軟（感染や炎症性、リンパ腫でも）、波動あり（化膿性）。
　④matting：複数のリンパ節がつながっているように触れ全体で1つとして動く。良性も悪性もある。
　⑤sinus tract（瘻孔）：アクチノマイコーシスや結核を考えるが、非常に大きいものでは悪性腫瘍も。

3）脾腫の有無
► EBV・CMV感染症、リンパ腫、急性・慢性リンパ性白血病が最も多い原因。転移性癌では珍しい。
► 同様にWaldeyer輪、肝臓も網内系として反応していないか確認する癖をつける。

検査のポイント

► 病歴と身体所見から疑われた疾患を同定するための各種検査を行う。
► 腫瘍や肉芽腫性病変を疑ったときはリンパ節生検を行う。特に胸部X線写真異常がありサイズが2cm以上で上気道症状がないと

きに生検の意義が増大する。

M E M O

> **リンパ節生検**
> - リンパ腫を疑う場合はFNAでは診断が非常に困難。常に切除生検を行うようにする。
> - 生検の部位
>   鼠径部は最も不適。最良は鼠径部以外の最大のリンパ節
>   複数腫大していて似たサイズなら、鎖骨上＞頸部＞腋窩＞滑車上＞鼠径
>   表在リンパ節がない場合は縦隔、腹腔内、後腹膜を外科的に生検
> - 摘出したリンパ節の検査オーダー
>   ✓ 細菌学的検査：一般細菌・抗酸菌（塗抹・培養）、PCR
>   ✓ 病理組織検査：HE、免疫組織化学
>   ✓ スタンプ標本（細胞診）
>   ✓ フローサイトメトリー：細胞表面マーカー
>   ✓ 染色体検査：G-band
>   ✓ 遺伝子再構成：Ig遺伝子（JH）、TCR遺伝子（Cβ1、γ、δ）
>   ✓ 電子顕微鏡
> - 診断不明の場合、再検を考慮する。

見逃してはならない疾患・病態の解説

1 癌転移

▶ 癌の既往や家族歴、喫煙などのリスクファクターがあり、体重減少や微熱などの全身症状がある場合は悪性腫瘍の可能性を疑う。

▶ 数週～数カ月で大きくなるリンパ節、硬いリンパ節、可動性のないリンパ節は要注意。また鎖骨上にあるリンパ節も癌転移の可能性が高く注意が必要である。

▶ 原発巣にアクセスしにくい場合はリンパ節生検で診断ができることも多い。

2 リンパ腫・白血病

▶ リンパ腫・白血病の家族歴、抗癌薬・放射線治療の使用歴がリス

クファクターである。
- 発熱、寝汗、体重減少、リンパ節腫脹部位により頭頸部・胸部・腹部の局所症状、特に白血病では貧血、出血傾向を伴いやすい。
- 数週～数カ月で大きくなるリンパ節は要注意である。必ずしも硬いわけではなく、ゴム様の感触から石様と触診所見はさまざまである。通常リンパ節は無痛性に腫大するが、急速に増大したり、内部壊死や出血を起こすと痛みが出る。
- Waldeyer輪、肝臓、脾臓の腫大も見落とさないようにする。

3 HIV感染症
- ハイリスク性行動、静注薬物使用などのリスクファクターのある患者では常に疑う。
- 急性HIV感染症は発熱、全身倦怠感、上気道炎症状などの非特異的症状のみで発症する場合が多い。皮疹が出ることも多く、無菌性髄膜炎もまれではない。
- 急性のHIV感染症は感染後6～8週間以内ではHIV抗体が陰性の場合があるため、疑えばHIV RNAの測定が必要である。

4 局所感染症に伴う所属リンパ節腫脹
(1) 咽頭喉頭炎に伴う頸部リンパ節腫脹
- ハイリスクな性行動のある患者では淋菌性やHIV感染も考慮する。
- 溶連菌によるものかウイルス性によるものかの区別が重要であるが、病歴・身体診察から必ずしも明確にできるわけではない。ただし、結膜炎、咳・鼻水、下痢の存在はウイルス性を示唆する。また前頸部リンパ節腫脹は細菌性、後頸部はウイルス性を示唆する。さらに脾腫はEBV感染、CMV感染を示唆する。
- 溶連菌迅速抗原検査、咽頭培養（淋菌を疑った場合はその旨検査室へ知らせ速やかに検体を届ける）、状況に応じてEBV抗体、CMV抗体、HIV抗体、HIV RNAを調べる。

MEMO

緊急度が高く専門科へのコンサルトが必要な咽喉頭・頸部感染症

- 扁桃周囲膿瘍：激しい咽頭痛、嚥下困難、開口障害、流涎、含み声、嗄声、片側扁桃および周囲の腫脹、口蓋垂の対側への変位がみられる。
- 喉頭蓋炎：激しい咽頭痛、嚥下困難、前頸部痛、含み声、流涎、呼吸困難、前かがみ座位での呼吸。
- Ludwig angina：下顎歯の周囲炎や最近の治療、下顎骨の骨折、口腔底の外傷や異物、舌外傷、口腔内腫瘍の二次感染、顎下腺炎を契機に進行性に口腔底から前頸部の結合織の蜂窩織炎が起こる。気道閉塞が起こり得る。
- Lemierre症候群：咽頭炎や歯周囲炎などから始まり、内頸静脈に血栓性静脈炎を起こし、肺に感染性塞栓を起こす。咽頭炎、前頸部痛、胸痛を訴える場合は疑う必要あり。

（2）皮膚感染症（蜂窩織炎など）に伴うリンパ節腫脹

▶ 皮膚外傷（軽微なことあり）、白癬、リンパ浮腫、蜂窩織炎の既往、ネコなどの動物との接触、糖尿病、ステロイド長期内服などの免疫抑制状態がリスクファクターである。

▶ 発熱、患肢の疼痛、熱感、腫脹、発赤がみられる。

▶ リンパ節：上肢なら腋窩、下肢なら鼠径・大腿部の有痛性リンパ節腫脹を認める。

（3）壊死性筋膜炎（ 📖 8章「発疹」〈102頁〉参照）

▶ 糖尿病、ステロイドや免疫抑制薬内服、肝硬変＋魚介類摂取（*Vibrio vulnificus*）などがリスクファクターであるが、健常者にも起こり得る。

▶ 高熱および局所所見からは想像できない激痛や皮膚の感覚鈍麻、あるいは非常に重症感が強い場合には疑う必要がある。

▶ 皮膚の変化は、初期は発赤程度だが圧痛が著明であることが特徴的で、次第に腫脹、熱感さらに水疱を形成したり、皮膚のチアノーゼ様、壊死様の変色を来す。また浮腫により血管が圧迫され患部末梢の脈拍が減弱・消失する。

▶ 緊急にデブリドマンをしなければ急速に敗血症性ショックとなり

死に至るため、疑えばすぐに専門科にコンサルトする。

5 感染症に伴う全身リンパ節腫脹

- 全身リンパ節腫脹を来す感染症を下表に挙げる。
- 曝露歴（旅行歴、動物・虫・病人との接触歴、性交歴、静注薬物使用歴）、免疫不全のリスクの有無の確認および、全身の局所症状を詳しく聞き出すことが重要である。
- 局所症状があればそれを手がかりにする。特に皮疹、粘膜病変、肝脾腫、関節炎などは重要な手がかりとなる。

全身リンパ節腫脹を来す感染症

- ウイルス：HIV・EBV・CMV感染症，B型肝炎
- 細菌：結核，腸チフス，第2期梅毒，ツツガムシ病，ブルセラ症，野兎病
- 真菌：ヒストプラズマ症，コクシジオイデス症
- 原虫：トキソプラズマ症，リーシュマニア症

6 膠原病・血管炎

- RA、SLE、成人Still病、多発血管炎性肉芽腫症、皮膚筋炎などでみられる。
- 筋肉痛、関節痛、こわばり、皮疹、Raynaud現象、頭痛、発熱、体重減少、眼・口の渇きの訴えや紅斑、皮下結節、関節炎所見、眼の充血、口腔内や陰部の潰瘍、丘疹状出血斑など多臓器にわたる所見があれば疑う。

7 薬剤性

- 詳細な薬剤使用歴を確認することにつきる。降圧薬、抗てんかん薬、βラクタム系薬、サルファ剤などが原因として多い。

その他

▶ 内分泌疾患（甲状腺機能亢進症・低下症、副腎皮質機能低下症）、アレルギー性疾患（薬剤、血清病）、アミロイドーシス、サルコイドーシス、組織球性壊死性リンパ節炎（菊池-藤本病）などでもリンパ節腫脹を来す。

Dr. Tierney's Clinical Pearls

Pain in lymph nodes after alcohol use means Hodgkin's disease until proven otherwise.

アルコール摂取後のリンパ節痛は、他の診断が証明されない限りホジキン病と考える。

Inguinal lymphadenopathy is commonly reactive ; femoral triangle nodes, easily confused with inguinal nodes, mean intra-abdominal pathology.

鼠径リンパ節腫脹は通常反応性である。鼠径リンパ節と混同されやすい大腿三角部リンパ節の腫脹は、腹腔内病変を示唆する。

[参考文献]

1) Lee Y, Terry R, Lukes RJ. Lymph node biopsy for diagnosis : a statistical study. J Surg Oncol 1980 ; 14 : 53-60.
2) Fijten GH, Blijham GH. Unexplained lymphadenopathy in family practice. An evaluation of the probability of malignant causes and the effectiveness of physicians' workup. J Fam Pract 1988 ; 27 : 373-6.
3) Selby CD, Marcus HS, Toghill PJ. Enlarged epitrochlear lymph nodes : an old physical sign revisited. J R Coll Physicians Lond 1992 ; 26 : 159-61.
4) Oluwole SF, Odesanmi WO, Kalidasa AM. Peripheral lymphadenopathy in Nigeria. Acta Trop 1985 ; 42 : 87-96.
5) Habermann HM, Steensma DP. Lymphadenopathy. Mayo Clin Proc 2000 ; 75 : 723-32.
6) Ferrer R. Lymphadenopathy : differential diagnosis and evaluation. Am Fam Physician 1998 ; 58 : 1313-20.
7) Henry PH, Longo DL. Enlargement of Lymph Nodes and Spleen. Harrison's Principles of Internal Medicine, 17th ed. New York, McGraw-Hill, 2008.
8) Tierney Jr LM, Henderson MC. The Patient History : Evidence-Based Approach. New York, McGraw-Hill, 2004.
9) Pangalis GA, Vassilakopoulos TP, Boussiotis VA, et al. Clinical approach to lymphadenopathy. Semin Oncol 1993 ; 20 : 570-82.

8章 発疹

Rash (Skin Lesions)

訴えの定義

► 患者が「湿疹」や「蕁麻疹」が出たと訴えても、そのままカルテに書いてはならない。皮膚科的診断がつくまでは、皮疹(発疹)あるいは皮膚病変と記載し、詳しい問診あるいは直接の観察に基づいて皮膚病変の分類ができれば、下表のような適切な医学用語で記載すべきである。

► その際、①部位・分布(対称?体幹 or 末梢優位?露出部?間擦部?)、②並び方・集まり方(散在 or 癒合?デルマトームに沿う?)、③形状(線状?爬行状?円盤状?環状?標的状?網状?)、④色、のそれぞれについて視診所見を記載する。

► なお、デジタルカメラが普及した昨今では、経時的変化を比較したいときや、ベッドサイド以外で所見を議論するときのために写真に撮っておくことが勧められる。

皮膚病変の種類

- 平坦な色素斑 macule≦1cm＜patch
- 出血斑 purpura（点状出血斑 petechia＜斑状出血斑 ecchymosis）
- 丘疹 papule≦5mm＜plaque（集簇丘疹）
- 結節 nodule≦1〜2cm＜tumor（腫瘤）
- 膨疹 wheal
- 水疱 vesicle≦5mm＜bulla
- 膿疱 pustule，膿瘍 abscess
- びらん erosion（浅い≦表皮），潰瘍 ulcer（深い≧真皮）
- 亀裂 fissure
- 鱗屑 scaling（表皮剥離 desquamation）
- 痂皮 crust，黒色痂皮 eschar
- 硬化 sclerosis
- 苔癬化 lichenification
- ケロイド keloid
- 萎縮 atrophy

見逃してはならない疾患・病態

> 重症化し得る全身疾患に伴う皮膚病変や、皮膚・粘膜主体の疾患でも重症化し得るものがここに挙げられる。

紅斑性（±膨疹）
1 壊死性筋膜炎　**2** 毒素性ショック症候群（TSS）・毒素性ショック様症候群（TSLS）　**3** ブドウ球菌性熱傷様皮膚症候群（SSSS）　**4** 紅皮症　**5** アナフィラキシー・血管浮腫

紅小丘疹性（麻疹様）
1 薬疹、特に薬剤性過敏症症候群（DIHS）　**2** 急性移植片対宿主病（急性GVHD）　**3** 急性HIV感染症　**4** 川崎病

落屑性
1 紅皮症　**2** 皮膚筋炎・全身性エリテマトーデス（SLE）、他の膠原病

水疱性
1 Stevens-Johnson症候群（SJS）・中毒性表皮壊死症（TEN）　**2** 尋常性天疱瘡　**3** 単純ヘルペスウイルス（HSV）感染症、水痘・帯状疱疹ウイルス（VZV）感染症

膿疱性
1 播種性淋菌感染症（DGI）　**2** 急性汎発性発疹性膿疱症（AGEP）

紫斑性
1 白血球破砕性血管炎（leukocytoclastic vasculitis）　**2** 播種性血管内凝固症候群（DIC）　**3** 感染性心内膜炎（IE）　**4** 髄膜炎菌感染症　**5** コレステロール塞栓症　**6** 血液疾患（白血病、血小板減少症、凝固因子異常）

病歴聴取のポイント

1）症状の詳細＋随伴症状
> ①発症経過、部位、性状、②痛み・痒みの有無、③全身症状の有無、④改善・増悪因子、⑤Köbner現象の有無、⑥外用薬使用歴とそれへの反応、について尋ねる。

M E M O

Köbner現象

患者の一見健常な皮膚を刺激する(叩く、擦る、引っ掻くなど)と、問題としている病変が後日その部位に発生する現象で、尋常性乾癬、扁平苔癬などでみられる。

2) 患者背景

▶①接触・虫刺・外傷歴、②薬剤使用歴・アレルギー歴、③病人・動物との接触歴、旅行歴、性交歴、④免疫抑制の有無、⑤職業・趣味、日光曝露歴、温熱・寒冷曝露歴、⑥皮膚疾患の家族歴、⑦(虚血・阻血を疑うとき)動脈硬化・IE・膠原病/血管炎のリスクファクター、腎不全・血管内操作の既往、をチェックする。

身体診察のポイント

▶緊急度を占うためにバイタルサインを確認することは、主訴が皮疹であっても同様である。皮膚病変の診断は視診(ルーペを用いることはある)に頼ったパターン認識によることが大きいが、触診(浸潤、波動、硬結)や、刺激に対する反応(皮膚描記症、Nikolsky現象)を参考にすることもある。

M E M O

皮膚描記症、Nikolsky現象

患者の皮膚を引っ掻くことで膨疹が誘発されることを皮膚描記症と呼ぶ。皮膚を軽く叩くと膨疹が誘発される場合Darier徴候と呼び、色素性蕁麻疹(全身性肥満細胞症)でみられる。Nikolsky現象は、水疱や表皮を軽く擦ると容易にびらんとなる現象で、尋常性天疱瘡、SSSSやTENでみられる。

検査のポイント

▶①感染症検査、②免疫・アレルギー検査、③膠原病・血管炎検査、④出血凝固検査、といった全身疾患の検索の一方、⑤グラム染色、⑥KOH、⑦Tzank smear、⑧Wood's lamp、⑨皮膚生検、と

いったベッドサイドで比較的簡単に行える皮膚病変そのものに対する検査を適宜組み合わせる。

見逃してはならない疾患・病態の解説

紅斑性（±膨疹）

1 壊死性筋膜炎 （7章「リンパ節腫脹」〈96頁〉参照）

- 紅丘疹や紅斑に始まるが、一見不釣り合いな激痛を訴える場合に強く疑う。皮膚病変の中心部が紫色、褐色や黒色に変色する傾向をみせたときに可能性は一気に高まる。顎下に発生したものはLudwig angina、陰部に発症したものはFournier's gangreneと呼ばれる。
- 時間単位で急速に拡大し、皮膚の変色が進み、ときに水疱形成が起こる。コンパートメント症候群として、末梢の感覚・運動麻痺や脈拍減弱も来し得る。
- 免疫不全者（コントロール不良の糖尿病、肝硬変、悪性腫瘍を含む）や末梢血流障害者に起こるⅠ型では好気性菌・嫌気性菌の混合感染、健常者にも起こるⅡ型ではA群β溶連菌（まれにB・C・G群溶連菌やブドウ球菌）が起因することが多い。肝硬変や鉄過剰状態の患者で海産物摂取や海水・淡水への曝露があれば、*Vibrio vulnificus*や*Aeromonas hydrophila*によるものを疑う。
- 短時間でショックとなり得るので、血液培養＋抗菌薬開始とともに広範なデブリドマンを要することが多く、迅速に専門科にコンサルトする。

2 毒素性ショック症候群（TSS）・毒素性ショック様症候群（TSLS）

- びまん性の紅斑（日焼け様で圧すると消退する）とともに、高熱、下痢、血圧低下、多臓器障害（肝・腎・筋肉・肺）を1〜2日で来す。結膜や口腔などの粘膜の充血を伴うこともある。1〜2週間後に広範な皮膚の落屑を来すことで確認できる（手掌・足底など角層の厚い部分では遅れる傾向がある）が、早期診断には

- TSSは身体のどこかに感染あるいは定着しているブドウ球菌による外毒素TSST-1がスーパー抗原として直接T細胞を刺激し、サイトカインの嵐を来すために発症するので、血液培養は陰性のことも多い。
- 近年、ブドウ球菌感染症に占めるMRSAの割合が飛躍的に増え、かつMRSAはTSST-1を産生する株が多いので、抗菌薬はバンコマイシン（VCM）から始める。TSST-1に対する抗体が含まれていることがあるので、静注用免疫グロブリン（IVIg）は投与する価値がある。
- よく似た毒素を産生するβ溶連菌によるTSLSは「様」がついているが、実はこちらのほうが予後が悪い。血液培養や体液・組織培養も陽性となりやすく、高熱、ショック、多臓器不全は壊死性筋膜炎に伴うこともある。十分量のペニシリンとともに、こちらもIVIgの併用を行う。

3 ブドウ球菌性熱傷様皮膚症候群（SSSS）

- ほとんど5歳未満の小児に限られ、発熱、不機嫌、急速に広がる紅斑、水疱形成、表皮剥離が特徴である。
- ブドウ球菌の産生する外毒素exfoliative toxinにより広範な表皮内水疱を来すため、Nikolsky現象陽性である。
- 抗菌薬と同時に熱傷に準じた支持療法が必要である。

4 紅皮症

- これは疾患単位ではなく、湿疹性皮膚炎、尋常性乾癬、薬疹などが一過性に悪化したときに呈する皮膚病変で、全身の皮膚がびまん性に発赤、肥厚し、強い落屑を伴うものである。大量の蛋白を失うことに留意する。
- 慢性である場合、菌状息肉症（mycosis fungoides）などの皮膚T細胞性リンパ腫を疑って皮膚生検を行う。

5 アナフィラキシー・血管浮腫（📂 1 章「ショック」〈43頁〉MEMO参照）

► 痒みを伴い1日以内に消退する紅斑と膨疹（すなわち蕁麻疹）や、皮下や粘膜下の限局性のむくみ（血管浮腫）は一般的な疾病であるが、これが契機（飲食・接触・虫刺・薬物投与など）をもって急速に発症し、全身症候（気分不良・嘔気、血圧低下・意識障害、口内違和感・喘鳴・呼吸困難など）を伴う場合はアナフィラキシーとして迅速な処置（アドレナリン筋注など）を要する。

► 血管浮腫（顔面に発症するとQuinckeの浮腫と呼ばれる）も、咽喉頭に発生すると危険となり得る。蕁麻疹とともにIgE依存性の場合と補体依存性の場合があるが、近年、降圧薬のACE阻害薬に起因するものが増えている。

紅小丘疹性（麻疹様）

1 薬疹、特に薬剤性過敏症症候群（DIHS）

► あらゆる形態の皮疹をとり得るとされているが、いわゆる麻疹様（morbilliform）の小紅斑や紅丘疹が多く、ごく一部は数日以内に最重症型のSJS/TEN（後述）に進展する場合がある。

► 発熱、肝炎、リンパ節腫脹を伴う強い紅丘疹はDIHSと呼ばれ、一部は過敏性血管炎として触知可能な出血斑（palpable purpura：組織学的には白血球破砕性血管炎〈leukocytoclastic vasculitis〉〈後述〉）を来す。抗けいれん薬、サルファ剤、アロプリノール投与後2～6週間で発症することが多く、HHV-6等のヘルペス科ウイルスの再活性化との関連が指摘されている。

2 急性移植片対宿主病（急性GVHD）

► 輸血や骨髄などの臓器移植後1～2週間で麻疹様紅斑に続き、重症なら発熱、下痢、肝障害、血球減少を伴って、TENに至る。

► わが国では輸血用製剤への放射線照射が一般的となったため、輸血後GVHDはほとんどみられなくなった。一方、同種骨髄・幹細胞移植では毎年数千例の急性GVHDが起こっているが、診断は病

歴聴取により簡単である。

3 急性HIV感染症
- 発熱、咽頭痛、リンパ節腫脹などの伝染性単核球症様症状とともに麻疹様皮疹や口内炎を伴って急性レトロウイルス症候群を曝露後2〜4週間で発症することがある。
- この時期にはいまだ抗体は検出しにくいが、RNA-PCRで診断可能である。

4 川崎病
- 5歳以下で、5日以上続く発熱と、手足の紅斑と硬性浮腫、結膜・口腔粘膜の充血、苺舌、頸部リンパ節腫脹のうちいくつかを伴って、「オムツかぶれ」様の紅斑、あるいはBCG接種痕周囲の紅斑を来すことがある。

落屑性

1 紅皮症
- 上述のTSS、川崎病も紅皮症同様、経過中落屑が著しい時期が来る。

2 皮膚筋炎・全身性エリテマトーデス（SLE）、他の膠原病（27章「嚥下障害」〈293頁〉、33章「歩行障害・脱力」〈397頁〉参照）
- 皮膚病変は膠原病の診断に重要なことが多いが、皮膚筋炎におけるヘリオトロープ疹（紫がかった眼瞼紅斑）、ショール徴候（肩掛けをかけたような紅斑）、Gottron徴候（関節伸側の角化傾向のある紅斑）、SLEにおける顔面の蝶形紅斑や円板状紅斑、Sjögren症候群における輪状紅斑は診断の助けとなる。いずれも表面に軽い落屑を伴うことが多い。

水疱性

1 Stevens-Johnson症候群（SJS）・中毒性表皮壊死症（TEN）
- 薬疹の最重症型で、多形滲出性紅斑が重症化して結膜、口腔粘膜、

陰部粘膜のびらんを来したらSJS、さらに皮膚に水疱化とびらんが広がり、皮膚面積の30%を超えたらTENと呼ぶ。
► サルファ剤、抗てんかん薬、アロプリノール、抗菌薬が原因となりやすい薬物である。
► Nikolsky現象陽性である。
► 熱傷に準じた支持療法が必要である。ステロイドの有効性は確立していない。

2 尋常性天疱瘡
► 容易にやぶれてびらんとなる表皮内水疱を、口腔粘膜を含む全身性に来す。Nikolsky現象陽性である。
► 有棘細胞間のデスモグレインに対する自己抗体が病因であるため、皮膚科でステロイドや免疫抑制薬を長期にわたって投与する必要がある。
► リンパ系の悪性腫瘍に随伴することがある。

3 単純ヘルペスウイルス（HSV）感染症、水痘・帯状疱疹ウイルス（VZV）感染症
► 小水疱・膿疱を急性に来す疾患の代表である。
► HSV-1の初感染は口内の前方を強く侵す歯肉口内炎、再燃は「熱の華」と呼ばれる口唇炎、HSV-2はおもに陰部の有痛性小水疱（すぐにびらんとなる）を来す。アトピー性皮膚炎にHSV感染が重なるとカポジ水痘様発疹症と呼ばれる重症皮膚炎となる。
► 多形滲出性紅斑が、HSVやマイコプラズマ感染症に伴うことがある。
► VZVの初感染は水痘であり、発熱とともに、頭皮・顔面から全身に広がる、痒みの強い紅丘疹→小水疱・膿疱→痂皮を来す。
► 妊婦や免疫抑制状態にあると水痘が重篤な肺臓炎を来すことがあるので、アシクロビル投与の適応がある。健康成人であれば、最初の皮疹が出てから24時間以内なら症状軽減のために投与の意義はある。
► VZVの再燃は通常、帯状疱疹（herpes zoster）の形をとるが、免

疫抑制状態にあると水痘様に播種することがある。
- 帯状疱疹は一側のデルマトームに一致する表在性の強い痛みとその周囲の知覚異常で始まり、同部位に集簇する紅斑・水疱・膿疱が出現する（通常1週間以内）と診断は容易となる。

膿疱性

1 播種性淋菌感染症（DGI）（📂32章「関節痛」〈372頁〉参照）
- 四肢末梢に膿疱（ときに出血性）を来す。

2 急性汎発性発疹性膿皮症（AGEP）
- 重症薬疹の1つであり、種々の抗菌薬、アロプリノール、カルバマゼピンでの報告が多い。
- 高熱を伴い、びまん性紅斑上に多数の小膿疱が出現する。
- 新規薬剤であれば1～2週で、すでに感作された薬剤なら数時間～数日で発症する。
- 薬剤を中止することによって約2週間で改善する。

紫斑性

1 白血球破砕性血管炎（leukocytoclastic vasculitis）
- 丘疹状出血斑（palpable purpura）として捉えられる。
- 白血球破砕性血管炎は組織病理学的診断名であり、薬剤過敏性血管炎、アナフィラクトイド紫斑病（IgA血管炎〈IgAV；旧名 Henoch-Schönlein紫斑病〉）、顕微鏡的多発血管炎（MPA）、多発血管炎性肉芽腫症（GPA；旧名 Wegener症候群）、好酸球性多発血管炎性肉芽腫症（EGPA；旧名 Churg-Strauss症候群）、クリオグロブリン血症性血管炎など原因は多岐にわたる。

2 播種性血管内凝固症候群（DIC）
- 点状出血斑、粘膜出血、皮膚穿刺部からの止血困難という形で発症する。
- 血小板減少とFDPの上昇が最も早く起こる。

- DICが敗血症や急性前骨髄球性白血病（APL）の徴候であることがある。
- qSOFA（☞10章「発熱」〈124頁〉MEMO参照）の2項目があるときには、敗血症を疑って血液培養を提出する。

3 感染性心内膜炎（IE）（☞10章「発熱」〈132頁〉参照）
- 四肢末梢の皮疹（おもに出血斑）に発熱や心雑音を伴うときは必ずIEを考慮する。
- 特に結膜や指趾の出血斑（爪床を含む）、Janeway病変、Osler結節、眼底のRoth斑は積極的に探しに行く。

4 髄膜炎菌感染症
- ごく初期は麻疹様であることもあるが、粘膜も含めて、急速に点状出血斑から斑状出血斑が発生し、一部はpurpura fulminansと呼ばれる出血性水疱と壊死を伴うようになる。
- 典型的な髄膜炎症状を来す場合と、強い筋肉痛を伴う重症のインフルエンザ様症状を来す場合がある。
- 発生頻度の高いアフリカ、中近東、欧米に比べて日本ではまれである（年間10例前後）。

5 コレステロール塞栓症
- 網状皮疹や指趾の壊疽がありながら、末梢動脈が触知可能なときに疑う。
- 動脈硬化の強い患者に動脈内操作をして数日以上してから微小塞栓症状が出現すると典型的だが、何ら誘引なく特発性の場合もある。
- 急速に腎不全が進行したり、他の内臓の虚血症候を伴うこともある。
- 眼底のHollenhorst斑（網膜細動脈分岐部に引っかかった黄色く光る粒）、末梢血好酸球増多や補体低下が診断の助けとなり得る。

6 血液疾患（白血病、血小板減少症、凝固因子異常）
- 血小板数や血小板機能が低下した場合には点状出血斑、凝固因子

異常を来した場合には皮下なら大きな斑状出血斑や筋肉内・関節内などの深部の遅発性の出血を来す。
► 白血病では出血斑のみならず貧血も強いことが多い。
► 白血病のうちAPLは線溶優位で出血傾向の強いDICを来しやすい。

MEMO

手掌・足底にも病変を来す疾患

感染性
- 第2期梅毒
- ロッキー山紅斑熱
- 髄膜炎菌血症
- 手足口病
- 心内膜炎
- 鼠咬熱
- 天然痘
- 異型麻疹

非感染性
- ライター症候群
- 多形紅斑
- 膿疱性乾癬
- 薬の有害作用

その他

全身性感染症に伴う紅小丘疹

► 麻疹・風疹・ヘルペスウイルス科感染症・エンテロウイルス科感染症・デング熱・ジカ熱などのウイルス感染症、猩紅熱・第2期梅毒・腸チフスなどの細菌感染症、ツツガムシ病・日本紅斑熱などのリケッチア感染症が代表的であるため、疫学的問診(旅行歴・接触歴・曝露歴など)を詳しく聴取する。
► おもに5歳以下で顔面・臀部・四肢伸側に発生し、肝炎を伴うものをGianotti-Crosti症候群と呼び、HBVやEBVによるものを指す。

皮膚悪性腫瘍

► いかなる皮膚病変でも、慢性・難治性・進行性(増大性)の場合は悪性腫瘍を否定するために生検が必要である。
► 乳頭周辺や陰部周辺の「慢性湿疹」はPaget病、難治性紅斑〜紅皮症はT細胞性リンパ腫、日光露光部位の難治性角化あるいは落屑性病変は有棘細胞癌(皮膚ではsquamous cell carcinomaを扁平上皮癌と呼ばずこう呼ぶ)を疑う。
► 悪性黒色腫を疑う「ほくろ」の所見は、
- Asymmetry(非対称形)

- Border irregularity（辺縁不整）
- Color inhomogeneity（色調不均一）
- Diameter＞6mm（直径6mmを超える）
- Elevation/Enlargement（隆起・増大）

のABCDEと覚えるとよい。

Dr. Tierney's Clinical Pearls

All patients with rash on palms and soles should be tested for syphilis; the history of sexual contact is often denied.

手掌や足底に皮疹の出た患者にはすべて梅毒の検査をすべきである。なぜなら、患者は性交歴をしばしば否定するからである。

A chronic unexplained diffuse skin rash should be considered cutaneous T cell lymphoma until proven otherwise.

説明のつかないびまん性の皮疹は、そうでないと証明されるまで皮膚原発T細胞性リンパ腫と考えるべきである。

If a patient wants a mole removed, do it ; the risk of mole removal is trivial but missed melanoma is fatal.

患者がほくろを取ってほしがれば、してやりなさい。ほくろ切除のリスクは微小だが、メラノーマを見逃すと命取りとなる。

［参考文献］

1) Lawley TJ, Yancey KB. Apporach to the Patient with a Skin Disorder. Harrison's Principles of Internal Medicine, 17th ed. New York, McGraw-Hill, 2008.
2) Kaye ET, Kaye KM. Fever and Rash. Harrison's Principles of Internal Medicine, 17th ed. New York, McGraw Hill, 2008.
3) Fitzpatrick's Color Atlas and Synopsis of Clinical Dermatology, 5th ed. New York, McGraw-Hill, 2005.
4) Gohara MA, Schaffer JV, Arndt KA. Inflammatory Dermatoses（Rashes）. The Patient History : Evidence-Based Approach（Lange）. New York, McGraw-Hill, 2004.
5) Willis GC. Dr.ウィリス ベッドサイド診断．東京，医学書院，2008.

9章 黄疸

Jaundice

訴えの定義

- 鑑別診断に入る前に、本当に黄疸かどうか確かめる必要がある。
- 皮膚や粘膜の黄染は自然光の下でチェックしないと感度が落ちる。眼球結膜の黄染があれば黄疸を疑ってよいが、それなしに手掌・足底が黄色い場合はカロテン血症を考える。東洋人の皮膚色の個人差（日焼けや喫煙による着色も含む）や貧血のせいで皮膚が黄色っぽくみえることがあるが、やはり眼球結膜の黄染がないことで区別できる。
- 一方、屋外労働者などで眼球結膜が眼裂寄りで黄色っぽく着色していることがあるが、部分的であることで区別できる。
- なお、黄疸の存在を支持する他の症状として、皮膚瘙痒感、濃い（赤っぽい・茶色い）尿、白っぽい便の存在は聞き出しておくと診断の助けとなる。

MEMO

カロテン血症

柑皮症とも呼ばれ、ミカン、ニンジン、カボチャなどを多く摂取した際に、手掌・足底などが黄染する状態で、それらの摂取歴が明らかで他の症状がなければ、まず病的意義はない。まれに甲状腺機能低下症、ネフローゼ症候群、神経性食思不振症、糖尿病に伴って現れることがある。

見逃してはならない疾患・病態

- 黄疸は、ビリルビン代謝の病態生理と胆道系の解剖学に基づいて疾患を想起すれば鑑別診断を考えやすいが、一般に急性発症の黄疸、発熱・腹痛・嘔吐・体重減少を伴う黄疸は要注意であり、意識障害や血圧低下を伴うものはさらに緊急を要する。

ビリルビンの過剰産生
1 血管内溶血（異型輸血、クロストリジウム敗血症、マラリア、微小血管症性溶血性貧血〈MAHAまたはTMA〉）

肝細胞でのビリルビン代謝障害
1 急性肝炎　**2** 慢性肝炎・肝硬変症

胆汁うっ滞
1 肝外胆道閉塞（結石±化膿性胆管炎・癌・寄生虫）

病歴聴取のポイント

1）症状の詳細＋随伴症状
▶ 黄疸が、慢性か急性発症か、着色尿・白色便を伴うか、関節痛・筋肉痛、結膜充血、皮疹、悪寒・戦慄・発熱、食欲不振、嘔吐、意識障害、上腹部痛・右季肋部痛、体重減少を伴うかどうか尋ねる。

2）患者背景
▶ 感染の機会（輸血歴・性交歴・違法薬物使用歴・刺青歴）があったかどうか、アルコールや薬物（市販薬・漢方薬・サプリメントを含む）を飲んでいるか、肝疾患・胆石症の既往歴や家族歴がないか聞き出す。貧血や黄疸の既往歴・家族歴も聞いておく。

身体診察のポイント

▶ 身体診察上、意識低下や羽ばたき振戦、ときには呼気のかび臭いにおいの存在で肝不全を疑う。発熱とともに肝叩打痛あるいは圧痛（Murphy徴候）があれば、肝炎あるいは胆道系の急性感染症を考えねばならない。

▶ 栄養低下、クモ状血管腫、腹水・浮腫、肝脾腫、体毛減少・睾丸萎縮、出血斑、手掌紅斑、ばち指、白い爪、内痔核や便潜血があれば肝硬変を考え、Courvoisier徴候があれば膵頭部腫瘤を疑う。

▶ 40歳未満で錐体外路症候を呈する場合はWilson病を考え、肉眼でわからなければ細隙灯を用いてでもKayser-Fleischer輪の存在を確認する。

検査のポイント

▶ 臨床的に黄疸を認めるということは、一般に血清T-Bil＞2～3 mg/dLであることを意味する。病歴・身体所見より、肝・胆道系疾患を疑った場合、検体検査で確定診断に迫るが、すぐに腹部エコーを行い、肝臓の腫大・形状、輝度の上昇、腫瘤、肝内・肝外胆管の拡張、胆嚢の異常、結石、膵頭部の異常の有無をチェックする。胆管の拡張を認めるが腹部エコーで総胆管結石の存在まで確認できない場合は、早急に腹部CTを撮る。

▶ 一方、貧血を伴う患者には、血管内外での溶血の存在を考えて次項 **1** に示す検査を行うが、末梢血のスメアを観察することを省いてはならない。

見逃してはならない疾患・病態の解説

ビリルビンの過剰産生

1 血管内溶血（異型輸血、クロストリジウム敗血症、マラリア、微小血管症性溶血性貧血〈MAHAまたはTMA〉）

▶ 尿潜血反応（＋）、しかし尿中赤血球（－）あるいは尿潜血反応≫尿中赤血球、かつ血漿の色が赤味を帯びる場合に血管内溶血の存在を考える（ミオグロビン尿なら、血漿の色は正常である）。尿ヘモジデリン（＋）もこれを示唆する。

▶ ハプトグロビン（Hp）↓（最も敏感）、LDH↑、間接ビリルビン↑、尿ウロビリノゲン↑も溶血を示唆するが、血管外での溶血でも起こる。

▶ 末梢血スメアで破砕赤血球が目立つ（一説には赤血球の≧3％）場合、MAHA（📂35章「血尿」〈412頁〉MEMO参照）を来す疾患を考える。同時に血小板の著しい減少を来している場合は重篤である。発熱しており海外旅行歴があれば、必ず1,000倍油浸でマラリア原虫の存在を確かめる。

▶ buffy coatのグラム染色と血液培養は、細菌性敗血症の診断に有力であるが、最も重篤な感染症の1つであるクロストリジウム敗血症では激しい溶血を来すので、buffy coatのグラム染色での迅速診断が一助となる。

肝細胞でのビリルビン代謝障害

1 急性肝炎 （ 2章「全身倦怠感」〈50頁〉参照）

- 約1カ月前に生カキを食べた者が発熱後数日して黄疸を来したらHAVを疑う。輸血や垂直感染によるHBV感染はほとんど姿を消したが、性交後2〜6カ月後に発症する黄疸ではHBVを疑う。HCVは注射針の共同使用などの後、一部が1〜3カ月で急性発症するが、黄疸は軽いことが多い。シカ・イノシシ・ブタの生肉の食後2週間〜2カ月で発症した場合にはHEV感染を疑う。
- 肝細胞障害の指標はAST↑、ALT↑、LDH↑である。
- 肝機能（予備能）障害の指標は、プロトロンビン時間（PT）↑、ChE↓、Alb↓、T-Cho↓（合成能↓）、T-Bil↑（ビリルビン代謝↓）、NH_3↑（解毒能↓）である。
- 病因の検索のための検査には、以下を選択して調べる―HAV-IgM抗体、HBs抗原、HCV-RNA、HDV-RNA（HBV感染の前提が必要で日本ではまれ）、HEV-RNA、EBV・CMV・HSV各抗体、薬剤リンパ球刺激テスト（DLST：感度は高くない）。
- 急性肝炎が収束してもビリルビンの上昇が月単位で遷延することがある。症状が改善していれば経過観察でよい。
- 劇症化の指標には半減期の短いPTがよい。PT＜40％となりⅡ度以上の肝性脳症（羽ばたき振戦＋）を認めた場合、劇症肝炎と診断する。
- Wilson病の肝障害は、通常、慢性肝炎として発見されるが、ときに急性肝炎や劇症肝炎として初診のことがある。ほとんどが＜30歳であるため、若年者の肝炎でウイルス性などで説明がつかない場合は、血清CuとCpの低下や尿中Cuの著増をチェックする。他の肝疾患に比べてALPが上昇しにくいのもWilson病の特徴である。
- げっ歯類や家畜の尿で汚染された可能性のある淡水への暴露歴のある者が、発熱、頭痛、筋肉痛、結膜充血（ 17章「結膜充血」〈203頁〉参照）のあとに黄疸を来した場合は重症のレプトスピラ症を考える。

MEMO

「肝機能検査」の解釈のコツ

- 肝細胞障害を示すAST、ALT、LDHの上昇は、細胞破壊が進行中の場合にAST、LDHの高値が目立ち、経過とともに次第にALT優位となり、LDHは比較的速やかに減少していく（肝臓由来のLDH5は半減期が短いため）。
- アルコール性肝障害ではAST＞ALTが特徴的であり、AST＞500IU/Lとなることはまずない。また、アルコール性肝炎においてT-Bil＞5mg/dLは予後不良とされる。
- トランスアミナーゼが＞1000IU/Lとなるのは、まず肝炎ウイルス（A・B・C・D・E）性肝炎、薬剤性肝炎あるいは毒物による肝障害、急性肝虚血（ショック肝）のいずれかである。まれに自己免疫性肝炎（AIH）やWilson病の急性増悪、妊娠後期の急性脂肪肝やReye症候群による脂肪肝壊死でもこのレベルとなる。
- ヘルペスウイルス科や発疹性ウイルスなどさまざまなウイルスでも軽い肝炎を来すことは多いが、トランスアミナーゼはたいてい＜500IU/Lであり、T-Bilはたいてい＜5mg/dLである。
- ビリルビンのピークは肝細胞障害にやや遅れる。グルクロン酸抱合能より胆汁排泄能が先に侵されるため、血中に直接ビリルビンが増加していることが多いが、劇症となると間接ビリルビンが上昇してくる。
- 直接ビリルビンは血中で上昇する前に尿中に現れるため、尿中ビリルビンは肝細胞障害や胆汁うっ滞の敏感な指標である。

2 慢性肝炎・肝硬変症

- 原因として、①B型・C型肝炎（ウイルス性）、②アルコール性、あるいは非アルコール性脂肪肝、薬剤性（代謝性）、③原発性胆汁性肝硬変（PBC）・AIH（自己免疫性）、④ヘモクロマトーシス、Wilson病、日本にはまれな$α_1$アンチトリプシン（AT）欠損症（遺伝性）を鑑別する。
- 重症度には Child-Pugh 分類を用いる。黄疸が出現すると、ほとんどの場合 class B 以上となる。
- 合併症としての、①腹水（ときに右胸水）と特発性細菌性腹膜炎（SBP）、②食道・胃静脈瘤からの消化管出血、③肝性脳症（向精神薬、利尿薬などによる代謝性アルカローシス、便秘、消化管出

血で悪化する)、④肝癌(門脈や肝静脈に浸潤することがある)、⑤肝腎症候群(NSAIDs使用、利尿薬過剰で誘発される)の発生には常に気を配る必要がある。

Child-Pugh分類

臨床所見・生化学検査	1	2	3
アルブミン (g/dL)	>3.5	2.8〜3.5	<2.8
ビリルビン (mg/dL)	<2	2〜3	>3
PT-INR	<1.7	1.7〜2.3	>2.3
腹水	なし	少量	中等度
脳症(重症度)	なし	1〜2(1:昼夜逆転,そわそわした,2:嗜眠,反応が鈍い)	3〜4(3:傾眠〈覚醒し得る〉,錯乱,4:昏睡)
Class	A	B	C
上記5項目の点数の合計	5, 6	7〜9	10〜15

胆汁うっ滞

1 肝外胆道閉塞(結石±化膿性胆管炎・癌・寄生虫)

▶ 黄疸患者で腹部エコーにて総胆管の拡張(内径≧7〜10mm)を認めた場合、総胆管結石、総胆管癌・膵頭部癌、慢性膵炎、原発性硬化性胆管炎(PSC)、寄生虫迷入、リンパ節腫大、Mirizzi症候群(胆嚢管に嵌頓した結石により総肝管あるいは総胆管が外から圧迫されて閉塞したもの)を鑑別する。

▶ 発熱(悪寒戦慄)・右季肋部痛(上腹部痛)とともにこのタイプの黄疸を来した場合、急性化膿性胆管炎として、血液培養・抗菌薬投与とともに胆道ドレナージを手配する。なお、腹部エコーで総胆管の遠位がみえない場合は腹部CTで総胆管結石を確認する。CTでもなお判然としない場合、ERCPを行ってはじめて総胆管結石が判明することもある。

その他

血管外溶血
- 無効造血や脾機能亢進に際して、網内系（髄内）での赤血球の破壊が進み、ヘモグロビンの異化が亢進して肝臓での処理能力を上回るビリルビンの産生が行われたときに、非抱合（間接）ビリルビン主体の黄疸が生じる。
- 大きな血腫が吸収される際にも同様なことが起こり得る。
- 血管内溶血と同様Hpは低下する。溶血が有意で骨髄機能が正常であれば、網状赤血球インデックス（RPI≒ret%×Ht/45×1/2）＞1となる。

甲状腺クリーゼ
- 甲状腺機能が亢進すると間接ビリルビンのグルクロン酸抱合が低下するため、クリーゼでは血液中の間接ビリルビンの上昇が起こる。

体質性黄疸
- 先天性にビリルビン抱合能の弱いCrigler-Najjar症候群（新生児期発症）、Gilbert症候群と、抱合ビリルビンの肝細胞外への分泌が低下して血清直接ビリルビンが上昇するDubin-Johnson症候群、Rotor症候群がある。後3者は小児期〜思春期以降に発症し、いずれも黄疸以外の症状はなく予後良好である。
- 比較的頻度の高いGilbert症候群についてはよく知っておく必要がある。黄疸以外の症状や血清間接ビリルビンの上昇以外の検査異常がなく、カロリー摂取が不足したときに黄疸は増強する特徴がある。
- 家族歴があれば、さらに疑いは濃厚となる。

肝内胆汁うっ滞
- 肝内で細胆管以遠での胆汁のうっ滞によって血清直接ビリルビンが上昇するもので、同時にトランスアミナーゼに比べてALP、LAP、GGTなどの胆道系酵素の上昇が目立つ。

- アナボリックステロイドやクロルプロマジンなどの薬物、自己免疫疾患であるPBC、妊娠、高カロリー輸液、腫瘍随伴症候群（腎癌によるStauffer症候群）が原因になり得る。
- PBCは中年女性が血清ALP高値を指摘されたり、皮膚瘙痒感・全身倦怠感を訴えるときに疑い、抗ミトコンドリア抗体（AMA：特にAMA-M2が特異的である）がほとんどの場合で陽性となる。Sjögren症候群も高率に合併するので、眼や口腔の乾燥感も手がかりとなる。

Dr. Tierney's Clinical Pearls

Obstructive jaundice is a cause of bradycardia ; bile salts resemble digitalis chemically.

閉塞性黄疸は徐脈の原因となり得る。なぜならば、胆汁酸塩はジギタリスと化学構造が似ているからである。

The serum bilirubin seldom rises above 15 with gallstone common duct obstruction as the blockage is incomplete ; a higher bilirubin suggests complete obstruction by tumor.

胆石による総胆管の閉塞では、完全閉塞を来さないため、血清ビリルビンは滅多に15を超えない。ビリルビンがそれより高ければ、腫瘍による完全閉塞を考える。

［参考文献］

1) Pratt DS, Kaplan MM. Jaundice. Harrison's Principles of Internal Medicine, 17th ed. New York, McGraw-Hill, 2008.
2) Evaluation of Jaundice. Primary Care Medicine, 6th ed. Philadelphia, Lippincott Williams & Wilkins, 2009.
3) Chowdhury NR, Chowdhury JR. Classification and causes of jaundice or asymptomatic hyperbilirubinemia. UpToDate 17.1.
4) Willis GC. Dr.ウィリス ベッドサイド診断. 東京, 医学書院, 2008.

10章 発熱

Fever

訴えの定義

- 「熱が出る」という訴えを他と間違えることは少ない。しかし、ときに「熱っぽい」「自分の平熱は36℃のはずなのに測ったら37℃で、なんとなくつらい気がする」という訴えに対し、体温の正確な記載を求めなくてはならないことはある。
- その際、①計測部位によって差があること（直腸＞口腔＞腋窩で各0.3～0.5℃の差）、②健常人でも0.5～1.0℃ほどの日内変動を繰り返し（早朝に最低で夕方に最高になる）、1日の最高体温は腋窩で37.3℃あってもよいこと、③月経のある女性では黄体期にさらに～0.6℃上昇しても不思議ではないことを知っておく必要がある。
- さらに用いる体温計によっても微妙な差が生じる（鼓膜体温計は簡便・迅速ではあるが、どの体温を表すか設定がさまざまなうえに、使い方によって再現性にやや問題がある）ことまで考慮すると、一時点の絶対値に厳密さを求めず、再現性や変動と随伴症状に着目する必要がある。
- 逆に、実際は通常なら発熱するはずの病態が発生していながら、計測上正常範囲に収まる（あるいは低体温にさえなる）ことがあることも知っておく。超高齢者・低栄養者や敗血症患者がその例である。全身状態の概観所見がより大切である所以である。
- 発熱が体温計測で捉えられてなくても、悪寒戦慄、寝汗があれば発熱しているものとみなして鑑別診断を考えていく。なお、戦慄まで来す発熱は菌血症やウイルス血症、発熱性サイトカインの急増を示唆するため、重篤なものを念頭に置くようにする。

見逃してはならない疾患・病態

- 発熱を主訴とする疾患で見逃してはならないものの代表として次を挙げる。これ以外にも重症化しやすいホスト（後述）における感染症は見逃してはならない。

■1 敗血症　■2 毒素性ショック症候群（TSS）　■3 細菌性髄膜炎　■4 感染性心内膜炎（IE）　■5 熱帯熱マラリア　■6 急性レトロウイルス症候群　■7 血管炎症候群（古典的結節性多発動脈炎〈古典的PN〉、巨細胞性動脈炎〈側頭動脈炎〉、ANCA関連血管炎など）　■8 悪性リンパ腫　■9 薬物性（離脱性）hyperthermia、セロトニン症候群

MEMO

feverとhyperthermia

　体温が上昇している患者をみたとき、鑑別疾患を考え対症療法を選択するうえで、fever（発熱）とhyperthermia（高体温症）の違いは理解しておいたほうがよい。feverは外因性（感染や化学物質）、内因性（組織壊死や免疫反応）にかかわらず、マクロファージなどの免疫担当細胞が発熱性サイトカインを放出して、それが視床下部の体温調節中枢の設定値を上昇させることにより体熱産生と放熱抑制が起こって体温が上昇したものである。したがって、アセトアミノフェン、アスピリン、NSAIDsなどが対症的に有効である。

feverへの対症療法

・適応：①心肺機能や栄養状態が低下し、酸素需要増加や異化亢進が問題となる症例、②虚血性心疾患や弁膜症で心拍数の増加が問題となる症例、③高齢者でせん妄を来したり、小児で熱性けいれんを起こした症例（予防はできない）、④発熱に伴って、痛み・全身倦怠感・食欲低下などの不快が強い症例、が挙げられる。
・薬剤：アセトアミノフェン（10mg/kg）が推奨される。重症の肝障害やアルコール摂取との重なりがなければ、この用量で4時間ごとの反復が可能である。経口できなければ座薬が使える。

　一方、hyperthermiaでは体温調節中枢の設定値の切り替えがなく、放熱能力を超える環境要因（高温環境、乳児の過度の厚着）や身体的要因による熱産生の増加あるいは熱放散の低下によって体温が上昇する。そのため、NSAIDsなどは無効で、対症的に強制冷却が必要となる。なお、体温調節中枢が機能不全となると体温の上昇は極端となり腋窩でも40.5℃を超えることが多い。その際、発汗が停止するため皮膚は乾燥しているのが特徴である。

hyperthermiaを来す身体的要因

熱産生の増加
- （高温・高湿度環境下の）肉体労働
- 向精神薬使用，または抗パーキンソン病薬の離脱による悪性症候群
- 麻酔薬（ハロセン，サクシニルコリン）誘発の遺伝性悪性高体温症
- 甲状腺機能亢進症（特にクリーゼ）
- 褐色細胞腫
- 覚醒剤中毒
- セロトニン症候群（抗うつ薬中毒）
- 振戦せん妄（DT）（アルコール離脱）

熱放散の低下（発汗低下）
- 脱水
- 抗コリン作用のある薬剤使用
- 熱射病

脳の病変
- 脳出血，てんかん重積，視床下部損傷

▶ 発熱を来す病態は、感染症、腫瘍、膠原病・血管炎、滑膜炎（結晶性）、肉芽腫、アレルギー、組織壊死、血栓症・塞栓症、出血後・血腫、ホルモン異常、中毒・薬物作用（離脱も）、輸血反応、うつ（微熱のみ）と多岐にわたる。

▶ 急性（発症後数日以内）の発熱をみたらまず感染症を考えるのはよいが、重症感染症以外に、組織壊死［肺塞栓・梗塞（📂22章「呼吸困難」〈249頁〉）、心筋梗塞（📂23章「胸痛」〈258頁〉）、腸管壊死（📂28章「腹痛」〈301頁〉）、劇症肝炎（📂9章「黄疸」〈114頁〉）参照］もしばしば発熱を来す。副腎クリーゼや甲状腺のような内分泌疾患（📂2章「全身倦怠感」〈52, 57頁〉参照）や、表に示すhyperthermiaを来す疾患・病態も緊急を要する。

▶ 亜急性（週の単位で持続）～慢性（月の単位で持続）の発熱では、膠原病・血管炎その他の非感染性炎症性疾患や、発熱を来す腫瘍（リンパ腫・白血病、腎細胞癌、肝細胞癌、骨肉腫、心房粘液腫などの炎症性サイトカイン産生腫瘍）が鑑別診断として台頭してくる。これらは診断しにくい感染症とともに不明熱（FUO）の

原因疾患群を形成する。

病歴聴取のポイント

▶ どのような患者に、どのような発熱＋随伴症状が生じたかによって、いち早く診断仮説を立て、追加の病歴をとることで、病変のフォーカスや性質（病態）を絞り込んでいく。次の各点を押さえるとよい。なお、感染症が重症化しやすいホストでは、入院の閾値を下げる必要がある。

①ホストの要因：年齢、性、持病、嗜好品、月経/性交歴、職業、悪性腫瘍の既往、手術・化学/放射線療法・輸血などの既往、熱性疾患・免疫疾患・膠原病の家族歴

②症状の詳細：発熱パターン、熱以外の症状の詳細（部位・種類・性質・程度・発生様式・変遷、発症契機、増悪・軽減因子）、システムレビューを要領よく

③曝露歴：人（家族、職場、友人、小児）、動物・虫、土壌・水、旅行、温泉・循環風呂、飲食物、化学物質（薬物・毒物）

④受診までに使用した市販薬・健康食品、受けた検査・治療・説明

感染症が重症化しやすいホスト

- 年齢：生後3カ月未満の小児、超高齢者
- 免疫不全状態：ステロイド・免疫抑制薬・抗癌薬使用中、脾摘後、HIV感染
- 重度の基礎疾患：糖尿病、腎不全、肝硬変症、COPD、悪性腫瘍
- 人工器官など体内異物：人工弁、人工関節、人工血管など

MEMO

コントロール不良な糖尿病患者に比較的特有な感染症

- 悪性外耳道炎
- 鼻脳型ムコール症
- 気腫性胆嚢炎
- 気腫性膵炎
- 気腫性腎盂腎炎
- 腎（周囲）膿瘍
- 気腫性膀胱炎
- 壊死性軟部組織感染症

MEMO

間欠熱の鑑別

弛張熱や稽留熱などの発熱のパターンは、実は疾患の鑑別にあまり役立たない。しかし、1日以上の無熱期を挟み、かつそれを繰り返す間欠熱となると、鑑別疾患は限られてくる。

- 感染症：マラリア、ボレリア症（回帰熱）、塹壕熱、ブルセラ症、結核、Whipple病
- 腫瘍：悪性リンパ腫（特にHodgkin病）
- 周期性好中球減少症
- periodic fever/autoinflammatory syndromes：基本的に遺伝性で孤発例は非常にまれ
  - 成人でも発症；家族性地中海熱（FMF/variant FMF）、
  - TNF受容体関連周期性発熱症候群（TRAPS）
  - <5歳で発症；高IgD症候群（MvK欠損症）など
- その他：医原性、詐病

身体診察のポイント

▶ 第一印象とバイタルサインは重症度や緊急度を物語るため、全例について最初にチェックし記載する。バイタルサインが不安定な場合は、検査と処置を並行しながらその他の身体所見を手際よくとっていく。安定している場合は、徹底的な身体診察を行い熱源となっている病巣を探り当てる。

1）第一印象（概観）

▶ 重篤感、意識状態、呼吸状態をみる。

▶ 重篤感のある患者とは以下の所見を示している患者で、迅速な検査・治療と厳重なモニタリングを必要とする。

①戦慄、疲弊、極端な高熱（腋窩で>40.5℃）
②血圧低下、乏尿
③意識障害、けいれん
④呼吸窮迫、低酸素血症
⑤点状出血斑

2) バイタルサイン
► 血圧低下がないか、全身性炎症反応症候群（SIRS）に合致するかが重要である。

MEMO
敗血症の新定義
感染症を疑ったとき、qSOFA（quick SOFA = BPs≦100mmHg、R≧22/min、GCS≦14）のうち2つ以上あれば敗血症を疑い、臓器障害の評価にSOFA（PaO₂/FiO₂、Plt、T-Bil、mBP、GCS、Cr）をモニターして、SOFAスコアがベースラインより2点以上上昇したら敗血症と診断する。十分な輸液負荷にもかかわらずmBP≧65mmHgのために昇圧剤を要し、かつ乳酸≧2mmol/L（18mg/dL）の場合、敗血症性ショックと定義する。

MEMO
発熱のわりに比較的徐脈を来し得る疾患
①レジオネラ症、オウム病、クラミジア肺炎、Q熱、ツツガムシ病
②腸チフス・パラチフス、レプトスピラ症、ブルセラ症、マラリア、バベシア症、黄熱、デング熱
③薬剤熱、中枢神経系（CNS）疾患、悪性リンパ腫、菊池病
④β遮断薬・Ca拮抗薬使用、詐熱

3) 皮膚・粘膜、リンパ節、頭部、頸部、胸部、心臓、腹部、背部、直腸、泌尿生殖器、四肢（関節・筋肉ほか）、神経系について、
a) 病歴から疑われる臓器/系統に的を絞って、あるいは、
b) 病歴から病巣の予測がつきにくい場合は「頭の先からつま先まで」系統的に身体所見をとる。
①皮膚・粘膜：発熱が発疹を伴っている場合、発疹の性状によって鑑別診断を絞ることができる（📂8章「発疹」参照）。特に、出血斑（IE、敗血症・播種性血管内凝固症候群〈DIC〉、リケッチア感染症、白血病）、強い痛みを伴う紅斑（壊死性筋膜炎📂8章「発疹」〈102頁〉参照）、触診時の握雪感（crepitus）（ガス産生菌感染症）、Osler結節・Janeway病変（IE）を伴うものは注意を要する。カテーテル刺入部周辺は念入りに観察すべきである。網状皮斑（livedo reticularis）は血管炎による細

静脈拡張でも起こるが、よく似たパターンの紫がかった網状・斑状の皮膚の色むらが、原因は何であれ、重症の循環不全（ショック）を意味することもある。

②**リンパ節**：腫脹が全身性か局所性かで鑑別診断が変わってくる（📁7章「リンパ節腫脹」参照）。特に鎖骨上、腋窩、滑車上のリンパ節腫脹はしっかり捉える。

③**頭部**：頭皮過敏や側頭動脈の怒張・結節・圧痛は側頭動脈炎を疑う。頭部振盪痛は髄膜炎に感度は高いが、それ以外に脳膿瘍、副鼻腔炎や単に発熱に伴う血管拡張性頭痛でも陽性となるため、特異度は低い。覗ける穴はすべて覗き、結膜炎・上強膜炎・強膜炎・ぶどう膜炎（📁17章「結膜充血」〈204頁〉参照）、外耳道炎・中耳炎（📁18章「聴覚障害」〈213頁〉参照）、鼻炎・副鼻腔炎、咽頭炎・咽頭周囲炎の有無をチェックする。眼底は乳頭とその周辺までは直像鏡で観察できるようスキルを磨いておく。Roth斑、綿花様白斑がみえれば心内膜炎、血液疾患、真菌性眼内炎や網脈絡膜炎を疑うことができる。

④**頸部**：リンパ節腫脹以外に、甲状腺（亜急性甲状腺炎）や頸動脈（高安病）・頸静脈（Lemierre症候群）に沿った圧痛にも注意を払う。頭部前屈試験で髄膜刺激症候の存在もチェックする。

⑤**胸部**：聴打診にて肺炎や胸水貯留を捉える。肺の聴診時にはどの肺葉をみているのか意識しながら聴診器を当てる。ラ音がなくても、肺野で気管支呼吸音が聴取されれば、そこには肺胞浸潤の存在が疑われる。

⑥**心臓**：心雑音、特に新しい（あるいは以前より増強した）逆流性雑音はIEを示唆する。まれではあるが、発熱している患者で僧帽弁狭窄症様の過剰心音やランブルを聞いたら左房の粘液腫を考える。

⑦**腹部**：腸蠕動音低下、腹膜刺激症状、圧痛点から腹膜炎や腹腔内感染症を捉える（📁28章「腹痛」〈303頁〉参照）。圧痛のある拍動性腫瘤は大動脈炎・大動脈周囲炎を、psoas徴候は腸腰筋膿瘍や後方変位した虫垂炎の存在を示唆する。肝脾腫（脾腫

は濁音界の拡大が辺縁の触知よりも敏感である）があれば、エコー検査やCTで占拠性病変（SOL：膿瘍や腫瘍）の検索を行い、それらがなければ、リンパ腫や肉芽腫性疾患を考える。

⑧ **背部**：CVA圧痛・叩打痛で腎盂腎炎を疑うことは多いが、右なら肝臓、左なら膵臓や脾臓の痛みかもしれないし、左右いずれでも筋肉骨格系の痛みをみているかもしれない。脊椎の圧痛・叩打痛・可動痛は脊椎椎間板炎を疑わせる。

⑨ **直腸**：男性において前立腺の圧痛は前立腺炎を示唆し、圧痛がなくても腫大があれば閉塞性尿路感染症の傍証となる。女性においては子宮頸部の可動痛は骨盤内炎症性疾患（PID）（📁28章「腹痛」〈326頁〉参照）を示唆する。両性において、付着便の性状あるいは潜血反応によっては侵襲的な腸炎の可能性が、また圧痛や波動によって直腸周囲の炎の存在がチェックできる（注意：前立腺を刺激しすぎたり、直腸壁を傷つけないよう丁寧な診察を心がけること）。

⑩ **泌尿生殖器**：熱源を探すなら、直腸診とともに泌尿生殖器の診察を省略しないこと。尿道炎、睾丸炎・副睾丸炎、子宮頸管炎は所見をとりにいかなければわからない。

⑪ **四肢**：筋炎、関節炎、蜂窩織炎、静脈ライン刺入部静脈炎、深部静脈血栓症（DVT）の所見をチェックする。

⑫ **神経系**：神経学的巣徴候を探し、単麻痺では脳膿瘍、脳神経麻痺があれば頭蓋底の髄膜炎や細胞浸潤、多発性単神経炎なら血管炎症候群を考える。IE、中枢神経の結核、HIVに伴う日和見感染症、SLE、サルコイドーシス、リンパ腫は発熱とともにさまざまな神経症状を呈し得る。

検査のポイント

▶ むやみにルーチン検査をオーダーすることなく、病歴・身体所見から疑われた診断仮説の確定と除外の手助けとなるものに絞るべきである。さもなくばUlysses症候群に陥る。

▶ 尿検査、痰や膿のグラム染色、腹部・心臓・血管エコー、単純X

線検査のように簡便・迅速な検査で診断が確定するに越したことはないが、膿瘍・腫瘍や深部のリンパ節腫脹、血管病変を検出する造影CTが必要になることは多い。病巣の部位の推定さえ困難なときは、当たりをつけるのにGaシンチグラフィやFDG-PETが役立つことがある。

▶ 発熱患者に対しては、抗菌薬投与前に必ず血液培養を最低2セットとることは当然ながら、胸水・腹水、関節液、髄液、膿瘍を疑う病変は、症状に応じて積極的に穿刺吸引し、検査(細胞、化学および微生物関連)に出す。また実質臓器や充実性の病変は熱源だと思えば果敢に生検し、組織検査のみならず組織培養(抗酸菌や真菌を含む)を行うのが、診断に直結しない周辺検査を繰り返すより結果的に患者の負担を軽減することになる。

1) CBCと白血球分画、末梢血スメア

▶ <12,000/mm^{3}の白血球増多は、さまざまなストレスにより交感神経の興奮やステロイドホルモン分泌を介しても引き起こされるため、それのみをもって細菌感染症の証拠としてはならない。

▶ 好中球絶対数(例えば>10,000/mm^3)や桿状核好中球(band/stab)数の大幅な増加(例えば>1,000/mm^3)、また中毒顆粒の存在がレポートされる場合は、細菌感染症を疑う理由となる。逆に白血球数の減少(<4,000/mm^3)は重症感染症でも起こり得、SLEや骨髄占拠性病変を示唆する場合もある。さらに極端な減少(例えば<1,000/mm^3)は感染症の結果よりは原因となっている可能性が高く、薬剤性の骨髄抑制(薬理作用あるいは特異体質的反応)を

顆粒球減少症を来しやすい薬剤(抗癌薬,免疫抑制薬以外)

- 抗甲状腺薬:チアマゾール,プロピルチオウラシル
- 抗てんかん薬:カルバマゼピン,フェニトイン
- 抗精神病薬:クロザピン,フェノチアジン系
- 抗菌薬:βラクタム系
- 消炎薬:NSAIDs
- サルファ含有薬:スルファサラジン,ST合剤,SU薬(経口糖尿病薬),利尿薬
- その他:シメチジン,チクロピジン,抗不整脈薬

考える必要が出てくる。また、発熱患者に好酸球増多が起こっている場合は、血管炎、リンパ腫、薬剤アレルギー、副腎不全を疑う。
► 末梢血スメアの観察（1,000倍の倍率で）はときに決定的な情報を与えてくれるのでおろそかにしてはならない。熱帯など流行地域からの帰国者ではマラリアその他の病原体をみつけることができ、芽球の出現で白血病を診断できるからである。破砕赤血球を認めれば、血栓性血小板減少性紫斑病（TTP）/溶血性尿毒症症候群（HUS）や敗血症に伴うDICを疑うことになる。

2）ESR、CRP

► 発熱疾患の原因特定においてこれらはほとんど役に立たず、経過観察においてさえも体温や食欲の推移以上の情報とはならない。
► ESRは発熱の有無にかかわらず、急性から慢性にかけての幅広い炎症性疾患や、骨髄腫のように血清蛋白異常の存在を示唆する。これはフィブリノゲンやグロブリンの増加、アルブミンの低下、貧血でESRが亢進するからである。リウマチ性多発筋痛症（PMR）のようにそれしか有用なマーカーがない場合には確認のために使われる。
► 逆にフィブリノゲンが減少するまでに進行したDICではESRは正常〜低下する。幅広い疾患で非特異的に上昇するため、DICを除いて、それが正常（大まかには1時間値mm＜年齢÷2）であれば、器質的疾患の存在の可能性は減少する。
► CRPは正常値と異常値の変動差が大きく何らかの炎症の存在を敏感に示すが、非特異的であるために、その高値は何ら病因を示唆しない。そこで、むしろ発熱しているのにCRPが上昇しないか、わずかしか変動しない下記のような病態を知っておくと役に立つかもしれない。
①発熱初日
②CNS疾患（脳炎、髄膜炎）
③薬剤熱（＋抗コリン薬中毒、セロトニン症候群、悪性症候群）
④SLE（漿膜炎、感染症の合併以外）
⑤うつ（微熱）

⑥甲状腺機能亢進症（微熱）

⑦肝不全患者の感染症、⑧詐病の一部

3）血液化学検査

▶低血糖が敗血症や副腎不全状態を示唆したり、高血糖が増悪した耐糖能異常を示す。また 6)の各種体液検査では血糖との比較が重要となる。各種逸脱酵素は障害臓器を同定することで発熱の原因を推定する手がかりとなる。

▶フェリチンの極端な高値（>10,000ng/mL）は、成人Still病か血球貪食症候群（ウイルス他の感染症関連、自己免疫疾患関連、リンパ腫関連）を強く示唆する。ACEの高値はサルコイドーシスなどの肉芽腫性疾患を示唆する。

4）尿検査

▶膿尿があれば尿路感染症をまず考え、グラム染色を行う。無菌性膿尿では、尿路結核、クラミジア感染症、マイコプラズマ・ジェニタリウム感染症、間質性腎炎、血管炎症候群（後2者では好酸球尿もみられ得る）を考える。

▶発熱に伴う血尿は、尿路閉塞を起こした結石・腫瘍あるいは腎細胞癌を示唆し、また血尿が変形赤血球や赤血球円柱を伴えば血管炎に伴う糸球体腎炎を示唆する。

5）抗原検査、免疫学的検査

▶各種感染症の病原体の核酸PCRを含む抗原検査あるいは抗体検査、ツベルクリンなどの皮内反応、リンパ球刺激検査（IGRA、DLST）、膠原病・血管炎における各種自己抗体検査は診断確定に大きく寄与する。

▶肺炎の際は、肺炎球菌やレジオネラの尿中抗原検査が迅速にできるが、治療後も数週間陽性が持続し得ることは知っておく。

▶近年、レジオネラ、マイコプラズマ、結核に対するLAMP法や、溶連菌はもちろん、マイコプラズマや各種ウイルスなどに対する免疫クロマト法による抗原検査が続々利用可能となっている。

▶診断が難しそうな症例の病初期の血清は、凍結保存しておいて、将来遡及的に検査する場合に備えるのは賢明である。

6）各種体液検査

- 髄液、胸水・腹水、関節液その他の穿刺液の検体に応じて、細胞数と種類、蛋白・糖の含量、ADA、LDH、pH、Alb、細胞診、グラム染色・抗酸菌染色、真菌抗原検査（クリプトコッカス、アスペルギルス）、細菌抗原検査（肺炎球菌）、一般細菌・抗酸菌・真菌培養、核酸PCR（結核菌、HSV）、結晶同定を行い確定診断に迫る。なお、PCRは感度・特異度ともに上げるためにnested PCRやreal-time PCRが開発されている。
- 痰、尿、腟分泌液、創部浸出液、胃液、便汁（📁30章「便通異常（下痢・便秘）」〈345頁〉参照）は常在菌による汚染が起こりやすいが、多核白血球の存在、グラム染色や抗酸菌染色による有意な菌の存在は病原菌の推定に役立つ。抗菌薬の使用歴（〜8週間以内）がある者の下痢便は*Clostridium difficile*トキシンA/Bの検査を行う。

7）単純X線検査

- 胸部X線検査で肺炎（浸潤影）、間質性肺炎（すりガラス影）、肺結核その他の肉芽腫性疾患（結節影・空洞影）、胸膜炎（胸水貯留）、縦隔リンパ節腫大を探す。
- 腹部エコーが普及した現在、局所の病変描出はエコーに任されることが多いが、腹部X線検査では全体が俯瞰できるため、胆石、糞石、尿路結石、腫瘍・嚢胞壁・リンパ節・血管壁・動脈瘤壁の石灰化、壊死性腸炎（門脈内ガス）、コントロール不良な糖尿病患者に起こる気腫性胆嚢炎・気腫性腎盂腎炎の検出、肝脾腫・腎腫大や腫瘤存在の推定が可能である。なお、基本は背臥位AP撮影で、消化管閉塞（ニボー）、消化管穿孔（free air）検出を目的とするときのみ立位あるいは側臥位で撮影する。
- 胸背部痛・脊椎可動痛のある発熱患者に脊椎単純X線で傍脊柱軟部組織影の膨隆を認めたら、椎骨椎間板炎の可能性があるので、脊椎MRI（＋Gd造影）で確認する必要がある。

8）エコー検査

- 腹部エコーにて胆嚢炎、胆管炎（結石、拡張所見）、肝臓・脾臓・腎臓・膵臓・骨盤内臓器の膿瘍・腫瘍、傍大動脈リンパ節腫脹、

尿路閉塞、大動脈拡張、腹水の存在がチェックできる。
- ▶心エコーは心内膜炎のワークアップに不可欠で、疣贅描出の感度は経食道＞経胸壁であるのは周知の通りである。まれに心臓粘液腫の診断に至ることもある。仰臥位で増強する胸痛を伴う患者の心嚢水は心外膜炎を意味する。
- ▶発熱患者における血管ドプラーエコーはDVT（📁6章「浮腫」〈81頁〉参照）の診断に有用である。

9) 生検と組織培養

- ▶体腔液の穿刺よりはやや侵襲が増すが、皮膚生検（血管炎、リンパ腫）、浅側頭動脈生検（巨細胞性動脈炎）、リンパ節生検（結核、リンパ腫、壊死性リンパ節炎、サルコイドーシス、多中心性Castleman病）、経気管支肺生検（TBLB）・ビデオ胸腔鏡下手術（VATS）（サルコイドーシス、血管炎、リンパ腫）、肝生検（腫瘍、肉芽腫性病変）、骨髄吸引および生検（血液系悪性腫瘍、転移性腫瘍、血球貪食症候群）が診断確定に大きく寄与する。
- ▶なお、すべての生検検体は組織学的検査に出されると同時に、無菌的に処理して各種培養検査に回すことを忘れてはならない（例：リンパ節生検📁7章「リンパ節腫脹」〈94頁〉MEMO参照）。パラフィン固定された検体から病原体のPCRが可能なこともある。

診断がつかないとき

- ▶以上のワークアップで診断がつかないときは、システムレビューおよび全身の綿密な身体診察を何度も繰り返すことが肝要である。抗菌薬が投与されていれば中止して24時間以上経過後、さらに血液培養を3セット繰り返し、検体は最低2週間培養を続ける。
- ▶GaシンチやPET-CTは、大動脈炎の診断など一部の例外を除いて、それのみで診断するというよりは生検部位を選ぶつもりでオーダーする。
- ▶発熱が持続するのに診断がつかず、患者の消耗が進行して対策が必要となれば、それまでの最良の手がかりを根拠に治療的診断（抗菌薬＞抗結核薬≫ステロイドなど）を開始して反応を観察せ

ざるを得ないことがあるが、あくまで最終手段である。なお、症候が多彩あるいは非特異的で、診断に難渋しやすい発熱疾患のリストを以下に挙げる。

①感染症：結核、梅毒、HIV感染症、CMV感染症、心内膜炎・血流内感染症、骨髄炎
②自己免疫・炎症性疾患：古典的PN、顕微鏡的PN、大動脈炎、PMR、成人Still病、Crohn病、サルコイドーシス
③腫瘍：血管内リンパ腫（IVL）、Hodgkin病
④その他：CPPD症（偽痛風、偽リウマチ）、多中心性Castleman病・TAFRO症候群、薬剤熱

見逃してはならない疾患・病態の解説

1 敗血症

▶ SOFAスコアが2点以上増加する感染症は敗血症と定義される。
▶ 血液培養体2セットと、病歴・身体所見から推定される病巣にかかわる培養検体を採取後、ホストの要因・曝露歴と症候から想定される病原体をカバーする抗菌薬を開始する。
▶ 培養と感受性検査の結果を得次第、抗菌薬のde-escalationを行う。
▶ 敗血症性ショックでは、リンゲル液による思い切った補液と、ノルアドレナリンによる昇圧、100mg×3/日のハイドロコルチゾン投与、120〜180mg/dLをターゲットにした血糖コントロールが推奨される。静注用免疫グロブリン（IVIg）の併用には賛否両論があるが、A群溶連菌性の敗血症性ショックには、TSS（次項）同様推奨される。

2 毒素性ショック症候群（TSS） （📂 8章「発疹」〈102頁〉参照）

3 細菌性髄膜炎 （📂 11章「頭痛」〈144頁〉参照）

4 感染性心内膜炎（IE） （📂 8章「発疹」〈108頁〉、📂 32章「関

節痛」〈373頁〉参照）
- ▶感染性塞栓・転移性膿瘍や血管炎・滑膜炎により全身に多彩な症候を来し得るが、決め手は持続性血液培養陽性と心内膜の病変（疣贅・肥厚＞弁輪膿瘍）描出である。
- ▶局所的に血流ジェットを来す先天性心疾患や後天性弁膜症、人工弁置換や心内膜炎の既往、先行する菌血症の機会（出血を伴う歯科処置や内視鏡的処置、血管内カテーテル留置、静注薬物乱用）があれば疑いやすい（ただし処置前の抗菌薬予防投与の適応は近年狭められている）。
- ▶グラム陽性球菌によるものが大多数であるが、まれにHACEK群、その他のグラム陰性桿菌、真菌、コクシエラ、バルトネラによるものもあるため、長めの血液培養や特殊検査を要することがある。
- ▶黄色ブドウ球菌のような強毒菌による場合は経過が速く（急性細菌性心内膜炎〈ABE〉）、感染性塞栓を次々と起こしたり、腱索・弁の破壊による急性心不全を来しやすいため、検体採取後早急に治療（セファゾリンorセフトリアキソン＋ゲンタマイシン、MRSAが疑われるならバンコマイシン）を開始する。
- ▶腱索・弁の破壊による急性心不全、可動性のある10mm以上の大きな疣贅、内科的治療への抵抗は心臓外科的治療の適応である。

5 熱帯熱マラリア

- ▶マラリア流行地域への旅行者が発熱した場合は、必ず末梢血スメア標本を1,000倍（油浸）で観察し、マラリア、特に熱帯熱マラリアの除外を行わなければならない。
- ▶熱帯地域への旅行者に発熱を来す代表的な感染症は、マラリアの他にデング熱・インフルエンザ、腸チフス・パラチフス、A型・E型肝炎であるが、発熱＋黄疸となると、マラリア以外には肝炎、Weil病（レプトスピラ症の重症型）、黄熱病を考える。
- ▶熱帯熱マラリアは早期に治療を開始しないと、発熱・黄疸以外に脳症・腎不全・急性呼吸窮迫症候群（ARDS）を来して死亡する。

6 急性レトロウイルス症候群

- 伝染性単核球症を疑わせる症候をみたときには、EBV、CMV以外に常にHIVの急性感染症を思い浮かべ、1〜2カ月以内のリスク行動（性行為、静注薬物乱用）を聞き出す。
- EBV・CMVに比べて麻疹様紅丘疹、口内炎・陰部潰瘍、無菌性髄膜炎を来す割合が少々高く、血中リンパ球（特にCD4）が減少していることが手がかりとなることがある。
- 診断確定は抗体検査ではなく、PCRによるHIV-RNAの検出で行う。

7 血管炎症候群（古典的結節性多発動脈炎〈古典的PN〉、巨細胞性動脈炎〈側頭動脈炎〉、ANCA関連血管炎など）

- 発熱患者に、①丘疹様出血斑、②多発性単神経炎〜多発神経炎、③肺・腎症候群、④リスクを持たない患者の脳血管障害、⑤腫脹を伴わない睾丸痛、⑥説明のつかない好酸球増多をみたときには血管炎を疑う。
- おもな血管炎と侵される血管の太さは次のごとくである。
  ①大血管：高安動脈炎、巨細胞性動脈炎
  ②中血管：古典的PN、川崎病、孤発性脳血管炎
  ③小血管：顕微鏡的多発血管炎（MPA）、多発血管炎性肉芽腫症（GPA）、好酸球性多発血管炎性肉芽腫症（EGPA）、IgA血管炎（IgAV）、過敏性血管炎、クリオグロブリン血症・膠原病に伴う血管炎

8 悪性リンパ腫

- リンパ節腫脹を伴い摘出生検ができれば診断は容易である（7章「リンパ節腫脹」〈93頁〉参照）。
- 日本人に多いのはびまん性B大細胞型である。Hodgkin病は1割しかないが、アルコール摂取に伴ってリンパ節の痛みが誘発されたり、Pel-Ebstein型と呼ばれる間欠熱から疑われることがある。
- B症状（発熱・寝汗、体重減少）、低酸素血症、意識障害、肝脾腫は来すが、体のどこにもリンパ節腫脹を来さないIVLは診断が

難しい。骨髄生検、皮膚生検（皮疹があればそこを、なければランダムに複数個所）で毛細血管や細静脈の中の異型Bリンパ細胞の集簇を証明すればよい。

9 薬物性（離脱性）hyperthermia、セロトニン症候群

▶ 抗精神病薬の投与、あるいは抗パーキンソン病薬からの離脱はいずれもドパミン遮断状態を生み出し、高体温（しばしば＞40℃）、意識障害、重度の筋固縮、頻脈・血圧不安定・多汗などの自律神経症状を来す。

▶ 一方、SSRIの過量によるセロトニン症候群では、高熱、意識障害、自律神経症状は類似するが、嘔吐・下痢、腱反射亢進、ミオクローヌス（眼球も含む）、失調がより著明である。

その他

リウマチ性多発筋痛症（PMR）

▶ 高齢者に、項〜両肩〜両上腕、腰〜両臀部〜両大腿にかけての痛みや強いこわばりを伴って、さまざまな程度の発熱を来したときに疑う。手関節や手指の滑膜炎症状を伴っても矛盾はしない。

▶ ESRが高値で、症状は少量（〜20mg/日）のプレドニゾロンによく反応するのが特徴である。

▶ 頭痛を伴うときは側頭動脈炎の合併を疑う（ 11章「頭痛」〈146頁〉参照）。

CPPD症（軟骨石灰化症〈chondrocalcinosis〉）

▶ 感染症や外傷・手術などのストレスを誘引に、発熱とともに膝などに急性単関節炎を来し、感染性関節炎の否定のために関節穿刺が必要になり、感染が否定され、CPPD結晶を貪食した白血球が認められれば、軟骨石灰化症のうち偽痛風（pseudogout）と呼ばれる。

▶ 一方、比較的まれではあるが、同様の契機で、発熱とともに手指の小関節を含む対称性の多関節炎を来し、抗CCP抗体陰性で、関

節穿刺にて同じくCPPD結晶を貪食した白血球が認められれば、軟骨石灰化症のうち偽リウマチ（pseudo-RA）と呼ばれる。

成人Still病
- 比較的若年者に高熱とともに、咽頭痛、関節炎（手関節に多い）を来し、運よく発熱とともに出没するサーモンピンク色の紅斑が認められれば強く疑われる。
- 肝炎、漿膜炎を来すこともあり、ANA・RFは陰性である一方、血清フェリチンが異常高値であることが特徴的である（32章「関節痛」参照）。

薬剤熱
- 熱のわりに全身状態がよく、食欲も保たれ、脈拍も比較的遅い場合に疑う。
- いかなる薬剤でも来し得るが、比較的薬剤熱を来しやすい薬剤が知られているので下表に示す。
- 疑わしい薬剤を中止して3日ほどで解熱すれば、原因であった可能性が高い。

薬剤熱を来しやすい薬剤（太字は特に多いとされるもの）

- 抗菌薬：**βラクタム系薬**, **サルファ剤**, アムホテリシンB, イソニアジド
- 循環器薬：**αメチルドパ**, **キニジン**, **プロカインアミド**, ニフェジピン, ヒドララジン
- 中枢神経系薬：フェニトイン, カルバマゼピン, バルビツール酸
- 抗腫瘍薬・免疫抑制薬：ブレオマイシン, L-アスパラギナーゼ, アザチオプリン
- その他：**インターフェロン**, アロプリノール, シメチジン, NSAIDs, ヨード剤

詐熱
- 複雑な心理社会的背景を持っており、何らかの疾病利得を享受している様子がうかがわれ、身体所見（脈拍数など）や検査所見（CRP、ESR）と体温との乖離がある場合に疑う。
- 観察下の検温を繰り返すことで、本当の体温を確認する。

MEMO

術後の発熱 (参考文献6)

感染症
①創部感染症、②尿路感染症、③気道感染症（副鼻腔炎、肺炎）、④カテーテル関連感染症、⑤偽膜性大腸炎

治療関連
①手術侵襲自体によるもの（侵襲度の高いものほど発熱を来しやすく、術後48時間以内の発熱の大半を占める）；気管支鏡は手術ではないが、検査後一過性に発熱することは多い、②薬剤熱（抗菌薬によるものが多い）、③輸血（新鮮凍結血漿〈FFP〉でも起こり得る）

その他
①アルコール・抗不安薬・抗パーキンソン病薬からの離脱症候群、②術後血栓症（心筋梗塞、DVT・肺塞栓症、血栓性静脈炎）、③甲状腺・副腎クリーゼ、④無石性胆嚢炎、⑤偽痛風

術後発熱のタイミング

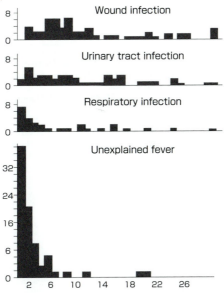

Dr. Tierney's Clinical Pearls

If the patient with fever looks well, suspect two problems : 1) drug fever, and 2) factitious fever.

熱のある患者が元気そうにみえるときには、①薬剤熱と②詐熱を考える。

An inappropriately low pulse with fever is typical of typhoid, yellow fever and legionellosis. In the modern day, however, pacemakers and beta-blockers are more common causes.

比較的徐脈は、腸チフス、黄熱病、レジオネラ症で典型的であるが、今日ではペースメーカーリズムやβ遮断薬使用によることのほうが多い。

[参考文献]

1) Dinarello CA, Porat R. Fever and Hyperthermia. Harrison's Principles of Internal Medicine, 17th ed. New York, McGraw-Hill, 2008.
2) Evaluation of Fever. Primary Care Medicine, 6th ed. Philadelphia, Lippincott Williams & Wilkins, 2009.
3) Fever, FUO. Current Consult Medicine 2007 (Lange). New York, McGraw-Hill, 2006.
4) Fever. Internal Medicine On Call, 4th ed. New York, McGraw-Hill, 2005.
5) Weed HG, Baddour LM. Postoperative fever. UpToDate 17.1.
6) Garibaldi RA, Brodine S, Matsumiya S, et al. Evidence for the non-infectious etiology of early postoperative fever. Infect Control 1985 ; 6 : 273-7.

11章 頭痛

Headache

訴えの定義

- 「頭が痛い」という訴えを他と間違うことはまずないが、「頭が重い」と訴えられることも多い。「目の奥が痛い」と表現される頭痛もときどき遭遇する。
- 頭痛が「ズキズキ」と表現されるとき、即「拍動性」と記載してしまうと鑑別診断を誤る。本来持続性と表現されるべき頭痛でさえも「ズキズキする」と表現する患者は多いからである。ズキズキが「ズキンズキン」であるか、さらには患者自身に自分の橈骨動脈を触れてもらい、同様の拍動性を感じているのかを確かめる必要がある。
- だだし、ときにいずれとも判別し難いか、初期は非拍動性だが極期には拍動性が明らかになるものもある。

見逃してはならない疾患・病態

1 頭蓋内出血　2 中枢神経感染症（髄膜炎・脳炎・脳膿瘍）　3 脳浮腫　4 脳腫瘍　5 代謝性脳症（CO中毒・高CO_2血症・低酸素血症・低血糖）　6 過粘度症候群　7 側頭動脈炎　8 急性緑内障発作　9 急性細菌性副鼻腔炎

- 一般にプライマリケアでは一次性頭痛と呼ばれる片頭痛と筋収縮性（緊張型）頭痛が圧倒的に多く、かなり強くとも患者が過去に繰り返したことのある慢性再発性の頭痛は緊急性がないことが多い。
- 一方、二次性頭痛に分類される上記 **1**〜**9** の疾患による頭痛は見逃してはならない。

MEMO

一次性頭痛の頻度 (参考文献4)

15歳以上の日本人4,029例中
片頭痛：8.4%（男女比＝1：3.6）
緊張型頭痛：22%（男女比＝4：6）
群発頭痛：0.01%（男女比＝3〜4：1）

病歴聴取のポイント

1) 症状の詳細
▶ はじめてか反復性か、部位、拍動性か非拍動性か、程度、発症様式・経時的変化、持続時間、増悪・軽快因子

2) 随伴症状
▶ 発熱、悪心・嘔吐、意識障害、運動・知覚障害、けいれん、視力障害・眼症状・耳症状・鼻症状・項部痛・肩こり、体重減少、認知症・人格変化

3) 患者背景
▶ 発症年齢、性、頭痛の家族歴（一次性頭痛を考えるとき）、職業、基礎疾患、使用薬剤、嗜好品、外傷歴、旅行歴・曝露歴（感染症を考えるとき）

身体診察のポイント

頭痛患者の診察では次に挙げる点に注意を払う。

1) バイタルサイン
▶ BP↑（脈圧↑）とHR↓があればCushing現象として頭蓋内圧亢進の存在を疑う。
▶ 意識障害を伴っている場合、収縮期BP＞140mmHgなら頭蓋内病変の存在を疑い、＞160mmHgなら強く疑う。
▶ 発熱している場合は頭蓋内外の感染症や血管炎を疑うが、発熱に伴って心拍出量が増大して単に血管性頭痛を来している（したがって解熱とともに簡単に消失する）ことも多い。

- ▶ 頭痛が発作的な血圧上昇、脈拍上昇や発汗を伴う場合は、褐色細胞腫を疑って除外する必要がある。

2）頭頸部の診察
①頭皮の視診・触診→帯状疱疹、側頭動脈炎、緊張型頭痛
②振盪試験→頭部の有痛覚構造物の牽引や炎症
③血管（頭皮）圧迫±Valsalva試験→血管性頭痛
④神経圧迫試験→三叉神経痛・急性副鼻腔炎、大後頭神経痛
⑤筋肉の圧痛・緊張*→緊張型頭痛
　＊みえない肘掛け・枕、下顎リラックス試験
⑥頸部前屈試験〜項部硬直→髄膜刺激
⑦眼底検査→脳圧亢進、視神経炎
⑧眼球の診察→急性緑内障発作
⑨鼻腔・副鼻腔の診察→急性副鼻腔炎
⑩顎関節の診察→顎関節症

MEMO

みえない肘掛け・枕、下顎リラックス試験

　頭頸部の筋緊張の強い人は、自然と体の各部に力が入っていることが多い。検者が何気なく支えて浮かせた座位の患者の肘（臥位の患者の頭）からそっと手を離したとき、指示されてもいないのにしばらくそのままの位置を保とうとすることがある。また、顎の力を十分に抜くよう指示されても、検者が患者の頤（おとがい）を持ってすばやく細かく上下に動かそうとすると抵抗してしまう傾向がある。

3）神経学的診察
▶ 神経欠落徴候（巣徴候）の有無をチェックする：Barré徴候、失調、歩行障害、視野障害など。

検査のポイント

1）頭部CT（あるいはMRI）
▶ 次に示す危険な頭痛の特徴があるときには速やかにこれらの画像検査を行う。
①突然発症の頭痛

②人生最悪の頭痛
③中年以降に初発した頭痛
④程度・頻度が増加している頭痛
⑤頭部外傷歴がある
⑥意識障害・けいれんを伴う
⑦項部硬直を伴う
⑧神経学的異常(deficit)を伴う
⑨視神経乳頭浮腫を伴う
⑩急性視力障害を伴う
⑪進行性の認知症や人格変化を伴う
⑫肺癌や乳癌などの既往があり、鎮痛薬に反応しにくい

2) 髄液検査

► 発熱に加えて意識障害、髄膜刺激徴候のいずれかがあるとき、くも膜下出血(SAH)が臨床的に強く疑われるのに脳CT所見が明らかでないときには、禁忌がない限り、速やかに腰椎穿刺を行う。

MEMO

腰椎穿刺の禁忌

髄液採取が診断に必須の場合、腰椎穿刺に絶対的禁忌はないが、乳頭浮腫、呼吸不安定、神経学的局所徴候(運動麻痺、けいれん部分発作、脳神経麻痺)、高度な出血傾向(血小板数<3〜5×10^4/μL、PT-INR>1.5〜2.0など)、穿刺部位の感染症があるときは、対策をとれるものはとりつつ熟練者が慎重に行う必要がある。

3) その他

► ESR、血糖、動脈血ガス分析(COオキシメーター)、副鼻腔X線撮影、頸椎X線撮影で疑った病態が確認できることがある。

見逃してはならない疾患・病態の解説

1 頭蓋内出血

► 巣症候(神経学的局所症候)を伴った急性の頭痛であれば、頭蓋

内出血を真っ先に疑って脳CTを撮る。
- 巣症候を伴わない場合には、頭痛が突然発症した（thunderclap headache）——ほとんどが1〜3分以内にピークに達するため、「何時何分頃発症」「ちょうど○○をしていたときに発症」とタイミングを同定できる——なら、程度がたとえ極端に激烈でなくても、まずSAH、あるいはその前触れ頭痛（警告頭痛）を考える。比較的若くても遠慮なく疑ってかかるべきである。
- 一過性に意識障害を来した例でも、患者が急に頭を抱えた後に意識を失ったという目撃があればSAHが疑われる。
- SAHを疑ったら、単純CTを撮り、脳底部髄液槽の5角形から前頭葉間、左右のシルビウス溝、後方左右の脳幹周囲（ヒトデの5本の触手）の先のほうまで、わずかでも高吸収域がないか目を凝らす。
- 病歴上、SAHが疑わしいのに、脳CTが陰性である場合は、腰椎穿刺にて血液の存在（3チューブ目）あるいはキサントクロミーの存在（発症数時間後〜）を検出する。

MEMO

thunderclap headacheを来す疾患・病態

- くも膜下出血
- 下垂体卒中（下垂体腺腫中への出血）
- 脳静脈洞血栓症（近接部位の感染症に続発するものや、易血栓性の存在時に発症）
- 頸動脈・椎骨動脈解離（片側のみの痛みで同側の虚血症候を伴う）
- 高血圧クリーゼ、RPLS、RCVS
- 第3脳室コロイド嚢胞（一過性反復性の頭痛）
- 特発性脳脊髄圧低下症（座位・立位をとったときのみの再現性ある頭痛）

2 中枢神経感染症（髄膜炎・脳炎・脳膿瘍）（📁14章「けいれん発作」〈182頁〉参照）

- 頭痛が発熱を伴う場合に疑うが、特に発熱のフォーカスが他に求められない場合に積極的に疑う（ちなみに、熱のわりにCRPの上

- 昇が認められない場合も熱源が中枢神経にあることを示唆する）。
- ▶ さらに意識障害やけいれんが加わると重症髄膜炎・脳炎、神経学的巣症候が加わると脳膿瘍を疑う。
- ▶ 髄膜刺激徴候で感度が高いのは、振盪痛と頸部前屈試験であるが、前者は特異度が高くなく、片頭痛などの血管性頭痛、副鼻腔炎、頭蓋内占拠性病変でも陽性となり得る。頸部前屈のみで後頭部〜背部に痛みが誘発されるなら髄液検査の適応がある。
- ▶ 細菌性髄膜炎を疑ったときは可及的速やかにセフトリアキソン（CTRX）2g＋アンピシリン（ABPC）2g（さらに重症なら同時にデキサメタゾン10mg）を投与すべきであるが、血液培養および髄液培養検体を採取した直後を原則とすべきである（髄膜炎菌は抗菌薬投与開始後15分で検出されなくなるので、抗菌薬の開始を腰椎穿刺に先んじるのは、あくまで環境的・技術的に穿刺に手間どった場合、あるいはやむなくCTを先行させなければならない場合の緊急避難である）。なお、肺炎球菌のなかでPRSPの頻度が高い地域では上記抗菌薬にバンコマイシン（VCM）750mgを併用する。
- ▶ 精神障害を思わせる異常言動を伴って比較的急速に意識障害を来す場合はヘルペス脳炎を疑い、髄液で単純ヘルペスウイルス（HSV）のPCR（real-time PCRがより敏感）をオーダーして（1回目陰性でも2回目で陽性もあり得る）、アシクロビル（ACV）500mg×8時間ごと（腎機能によって調整）の点滴を開始する。
- ▶ 亜急性〜慢性の経過をとり、髄液検査でリンパ球優位の細胞増多と糖の低下（〜低下傾向）をみたときは、結核、クリプトコッカス、腫瘍（特にリンパ腫）を疑って検査を追加する（ADA・PCR、抗原検査、β_2MG、細胞診）。
- ▶ 結核性髄膜炎の厳密なゴールドスタンダードは設定が困難である（確定診断＝治療的診断のことがある）ため、各種検査の感度・特異度については解釈に注意を要するが、nested PCRが比較的優れた検査特性を持っているようである。

3 脳浮腫

- ▶頭部外傷、脳血管障害、頭蓋内占拠性病変、代謝性脳障害のいずれでも重症なら脳浮腫を来し得る。
- ▶持続性の頭痛とともに、進行性の意識障害を来すときに疑い、さらに進行すると脳ヘルニアによる瞳孔異常、噴出性嘔吐、不規則な呼吸が出現し得る。
- ▶頭蓋内圧亢進が、Cushing現象（徐脈と脈圧の増大を伴う血圧の上昇）から疑えることがある。
- ▶常日頃から眼底を観察する訓練をして、うっ血乳頭や網膜静脈の拡張で頭蓋内圧亢進を診断できるようにする。

4 脳腫瘍

- ▶慢性進行性、あるいは間欠性でも程度・頻度・持続時間が増加傾向の場合、脳腫瘍をはじめとする頭蓋内でゆっくり増大する占拠性病変を疑う。
- ▶夜間睡眠中に頭痛が増強して覚醒する場合も頭蓋内占拠性病変を疑ってよい。
- ▶亜急性〜慢性頭痛に一過性あるいは間欠性の神経学的巣症候（けいれん発作を含む）を伴った場合も脳腫瘍を疑う。肺癌や乳癌など脳転移しやすい癌の既往があればなおのことである。

5 代謝性脳症（CO中毒・高CO_2血症・低酸素血症・低血糖）

- ▶代謝性脳症で意識障害を来すものは多いが、そのなかで頭痛が主訴となりやすいのは、CO中毒、高CO_2血症、低酸素血症、低血糖である。
- ▶火事場からの搬送であったり、締め切った部屋でのガス湯沸かし器・石油ストーブ・練炭の使用歴があればCO中毒を疑い、CO-Hb濃度を測定する。一般に10〜20％を超えると頭痛が発現する。通常のパルスオキシメータではSpO_2は実際より高く出てしまうので（saturation gap）、だまされてはならない。疑えば、できるだけ高濃度（〜100％）の酸素吸入を開始する。

> **M E M O**
>
> **saturation gap**
>
> 　パルスオキシメータで測定したSpO$_2$と血液ガス検査で測定したPaO$_2$から計算された酸素飽和度に乖離が生じることで、次のような病態のときに観察される。
> ①CO中毒
> ②メトヘモグロビン血症（サルファ剤、亜硝酸薬、リドカイン類似の局所麻酔薬で誘発され、チアノーゼとして現れるが、メトヘモグロビンが35％を超えると頭痛が起こり得る）

6 過粘度症候群

- 鼻出血・歯肉出血、視力障害、しびれなどを伴って頭痛を来す場合に疑う。
- 眼底鏡で怒張・蛇行した網膜静脈や出血が観察されると強く疑える。
- マクログロブリン血症、多発性骨髄腫、骨髄増殖性疾患が原因となるため、血液検査で診断する。

7 側頭動脈炎

- おもに60歳以上で、亜急性〜慢性頭痛に側頭動脈の異常（硬結あるいは圧痛を伴う怒張、蛇行や拍動消失）を伴うときに疑う。
- 体重減少、発熱、上肢帯・下肢帯のこわばり（リウマチ性多発筋痛症）、咀嚼時の顎のだるさ（jaw claudication）を伴うことがしばしばあり、眼球運動障害、乾性咳嗽、大動脈炎を伴うこともある。
- ESRやCRPはまず高値である。
- 視力障害を来した場合は大至急ステロイド（プレドニゾロン換算で1mg/kg）の投与を開始する。生検による動脈炎の証明は1週間ぐらいなら後回しでも構わない。
- 側頭動脈の生検（病変は分節性であるため長めの検体で多数のスライスが必要）による巨細胞性動脈炎を証明するのがゴールドスタンダードであるが、近年、エコー検査でも特徴的な像が描出できることが明らかにされている。

8 急性緑内障発作
► 初老の女性が、片眼の視力障害、痛み、充血、悪心・嘔吐を伴って頭痛を訴える場合に疑う。眼症状が前面に出ない場合もある。
► 眼所見、応急処置は17章「結膜充血」(204頁) を参照。

9 急性細菌性副鼻腔炎
► 感冒後、頭痛が前頭寄りで、長引く鼻症状 (鼻閉、鼻汁、鼻声) を伴うときに疑う。アレルギー性鼻炎など慢性症状がある場合は、明らかな感冒症状の先行がなくても、鼻症状の悪化とともに頭痛が起これば疑う。
► 頭痛は血管性を思わせる拍動性のことも、持続性のことも、頭重感のこともある。
► 感冒後の場合、①鼻症状、後鼻漏感、咽頭痛、夜間の咳が1週間以上続くか、いったんよくなりかけて再び悪化する場合、②鼻汁が次第に膿性になったり血液を混じるようになる場合、③頭部前傾で増悪する顔面や前頭部の痛みやうっ血感を伴う場合、急性副鼻腔炎への進展を考える。
► 副鼻腔からの膿汁排泄を阻害する鼻粘膜の腫脹が合併しているためか、鼻声の副鼻腔炎における感度は比較的高い。
► 歯・歯肉に異常のない上顎歯の自発痛・叩打痛、上顎洞の叩打痛・圧痛 (上顎骨眼窩下孔を押さえればよい) は、いずれも上顎洞を支配する三叉神経第2枝の刺激徴候のため、上顎洞炎に比較的特異度が高い。
► まれに前頭洞炎が脳膿瘍、篩骨洞炎が眼窩周囲蜂窩織炎、蝶形骨洞炎が海綿静脈洞血栓症に進展することがあるので、頭痛・副鼻腔炎症候に神経学的巣症候や眼症候を伴った場合はこれらを疑い、CTやMRIをオーダーする。

その他

群発頭痛
► 比較的若い男性に、日に1〜2回、15分〜3時間持続する、一側

の眼の奥を抉られるようで、じっとしていられない激しい痛みが1カ月ほどの間毎晩のように起こり、同側の発汗、流涙、鼻漏・鼻閉、縮瞳などの自律神経症状を伴う場合、臨床的に診断できる。発作の群発は年に1～2回のことも数年に1回のこともある。
- 一次性頭痛のなかでは比較的まれで、日本人では人口1万人に1人ほどである。

薬物性あるいは離脱性頭痛
- 亜硝酸薬、Ca拮抗薬などの血管拡張薬、エストロゲン製剤が頭痛を誘発することはよくある。
- カフェイン、アスピリン・NSAIDs、エルゴタミン製剤・トリプタン系薬、ひいては麻薬の常用あるいは乱用が耐性と依存を生み、薬物からの離脱で頭痛を起こしてしまうもので、処方薬に関しては医原性頭痛とも呼べる。

Dr. Tierney's Clinical Pearls

There is only one important question : "Is this the worst headache of your life ?" The answer is yes in 50% of subarachnoid hemorrhage.

最も大事な質問は「これは人生最悪の頭痛ですか？」である。くも膜下出血でyesとなるのは半数である。

A headache waking a person from sleep is a worrisome symptom for brain tumor.

眠りから覚醒させる頭痛は、脳腫瘍を示唆する心配な症状である。

[参考文献]

1) Goasby PJ, Raskin NH. Hedache. Harrison's Principles of Internal Medicine, 17th ed. New York, McGraw-Hill, 2008.
2) Approach to the Patient with Headache. Primary Care Medicine, 6th ed. Philadelphia, Lippincott Williams & Wilkins, 2009.
3) 日本頭痛学会新国際頭痛分類普及委員会. 国際頭痛分類第2版日本語版. 日本頭痛学会誌 2004；31：1-188.
4) Sakai F, Igarashi H. Prevalence of migraine in Japan : a nationwide survey. Cephalalgia 1997 ; 17 : 15-22.
5) Smetana GW. Headache. The Patient History : Evidence-Based Approach (Lange). New York, McGraw-Hill, 2004.
6) Willis GC. Dr.ウィリス ベッドサイド診断. 東京, 医学書院, 2008.

12章 意識障害

Disturbance of Consciousness

訴えの定義

- 意識障害の患者の訴えを本人から聴取することは困難なことが多い。したがって、家族や目撃者、救急隊員からの情報が重要となる。なお、秒単位〜2、3分以内の一過性の意識消失は失神である（ 13章「失神」参照）。
- 意識障害とはおもに覚醒レベルの低下を指すが、覚醒レベルは低下していないかむしろ異常に亢進していても、興奮・落ち着きのなさ、妄想・幻覚のような意識の質の障害が伴っていれば意識障害に含まれる。なぜなら意識は大きく分けて、上行性網様体賦活系・視床下部調節系による「覚醒」と両側大脳皮質が司る「認知」で構成され、いずれかまたは両方が障害されることによって意識障害が生じるからである。
- 意識障害という病態は、定常状態であることよりむしろ増悪したり改善したりする病態であることが多い。したがって、定点での意識状態を把握した後も経時的に比較することが大切となってくる。そのためにはJCS、GCSといった代表的なスコアを用いて記載するとよい。このような定量的記載は医療者間のコミュニケーションにも役立つ。
- 身体疾患や中毒によって惹起される急性で変動する意識障害・認知機能障害はせん妄と呼ばれ、高齢者の増加した昨今では常に注意を払う必要がある。

見逃してはならない疾患・病態

1 ショックあるいは心停止 **2 低血糖** **3 低酸素血症** **4 中枢神経感染症** **5 脳血管障害** **6 高体温症** **7 非痙攣性てんかん重積状態（NCSE）**

- 意識障害はそれ自体で危険な症候であるため、原因となる疾患はいずれも見逃してはならず、それを漏れなく想起するには152頁

JCSとGCS

JCS	GCS
Ⅰ．覚醒している（1桁の点数で表現）	開眼機能（Eye opening）「E」
・0 意識清明	・4点：自発的に，またはふつうの呼びかけで開眼
・1（Ⅰ-1）見当識は保たれているが意識清明ではない	・3点：強く呼びかけると開眼
・2（Ⅰ-2）見当識障害がある	・2点：痛み刺激で開眼
・3（Ⅰ-3）自分の名前・生年月日が言えない	・1点：痛み刺激でも開眼しない
	言語機能（Verbal response）「V」
Ⅱ．刺激に応じて一時的に覚醒する（2桁の点数で表現）	・5点：見当識が保たれている
	・4点：会話は成立するが見当識が混乱
・10（Ⅱ-1）普通の呼びかけで開眼する	・3点：発語はみられるが会話は成立しない
・20（Ⅱ-2）大声で呼びかけたり，強く揺するなどで開眼する	・2点：意味のない発声
・30（Ⅱ-3）痛み刺激を加えつつ，呼びかけを続けると辛うじて開眼する	・1点：発語みられず
	運動機能（Motor response）「M」
Ⅲ．刺激しても覚醒しない（3桁の点数で表現）	・6点：命令に従って四肢を動かす
	・5点：痛み刺激に対して手で払いのける
・100（Ⅲ-1）痛みに対して払いのけるなどの動作をする	・4点：指への痛み刺激に対して四肢を引っ込める
・200（Ⅲ-2）痛み刺激で手足を動かしたり，顔をしかめたりする	・3点：痛み刺激に対して緩徐な屈曲運動
	・2点：痛み刺激に対して緩徐な伸展運動
・300（Ⅲ-3）痛み刺激に対しまったく反応しない	・1点：運動みられず
（付記）-Restless, -Incontinent, -Apathetic	

の表「AEIOU-TIPS」が役立つ。しかし、なかでも上記 **1** 〜 **6** は緊急度が高く、すばやい処置が求められる。
► 一方、臨床の現場で頻度や確認のしやすさ、処置の緊急度を加味して順番を変えてみると、次頁の表「意識障害へのアプローチ」も考えられる。

AEIOU-TIPS

A	Alcohol	急性中毒，離脱，Wernicke脳症，AKA
E	Encephalopathy Electrolytes Endorine-metabolic	高血圧性，肝性，浸透圧性 Na↑↓，Ca↑，Mg↑ 甲状腺，副腎，下垂体，副甲状腺，ポルフィリア
I	Insulin	低血糖，高血糖（HHC, DKA）
O	Oxygen Overdose	O_2↓，CO_2↑，CO中毒，CN中毒 麻薬・鎮痛薬，向精神薬
U	Uremia	尿毒症
T	Trauma Tumor Temperature	頭部外傷 頭蓋内腫瘍，傍腫瘍症候群 低体温，高体温（熱射病，NMS）
I	Infection / Inflammation	脳炎，髄膜炎，敗血症
P	Psychiatric Poison Perfusion, micro	ヒステリー，過換気症候群，カタトニー，重症うつ 中毒 TTP, IVL, 過粘度症候群，脂肪塞栓症
S	Shock Stroke Seizure	ショック 脳卒中（SAHを含む） postictal, NCSE

AKA：アルコール性ケトアシドーシス，HHC：高浸透圧性高血糖性昏睡，DKA：糖尿病性ケトアシドーシス
NMS：神経遮断薬性悪性症候群，TTP：血栓性血小板減少性紫斑病，IVL：血管内リンパ腫症
SAH：くも膜下出血，NCSE：非痙攣性てんかん重積状態

意識障害へのアプローチ

まずはじめに	低酸素（CO_2ナルコーシスやCO中毒も）
	低血糖
	低体温・高体温
循環	循環血液量低下
	心血管性（急性冠症候群，心タンポナーデ，肺塞栓，大動脈解離）
	高血圧性脳症
血液成分	電解質異常
	尿毒症
	肝性昏睡
頭蓋内	脳血管障害
	髄膜炎/脳炎/脳症
	てんかん
最後に	薬剤（アルコールを含む）
	内分泌代謝疾患（甲状腺疾患，副腎不全，ビタミンB_1欠乏，ポルフィリン症など）
	精神疾患

病歴聴取のポイント

▶ 意識障害の患者には直接本人から病歴聴取できないことが多い。したがって、患者背景（既往歴、薬剤使用歴）、発症状況・環境、随伴症候を、家族・目撃者・救急隊員などから聴取することが必要となる。

身体診察のポイント

▶ 意識障害の原因は多岐にわたるが、特徴的な臨床症状に注目することで鑑別診断の一助となる。

① 呼吸：代謝性疾患では呼吸は正常で、規則性の頻呼吸・不規則な場合はCheyne-Stokes呼吸を呈することが多い。脳幹の呼吸中枢に障害が及ぶと不規則呼吸（Biot呼吸、失調呼吸）を呈する。

② 血圧・脈拍：意識障害の原因は、a）原発性脳障害（両側性びまん性大脳半球障害、正中構造の変位を伴う片側性大脳半球病変、あるいは脳幹病変）と、b）全身疾患（脳全体の循環や代謝に影響する病態）の2つに大別できる。意識障害の患者において、収縮期血圧≧170mmHgであれば脳病変が原因である可能性が高く、<90mmHgであればその可能性は低い。また、頭蓋内圧が亢進している場合はCushing徴候（血圧↑、脈拍↓）を来す。

③ 瞳孔：代謝性疾患では左右同大で対光反射も認めることが多い。意識障害の患者にピンポイント様の極端な縮瞳をみたときは、a）橋出血、b）農薬中毒（その他のコリン作動薬中毒）、c）麻薬中毒を考える。中脳圧迫の場合は中間位固定を示す。脳ヘルニア、腫瘍、動脈瘤などで第Ⅲ脳神経が圧迫されると患側が散大固定する。

④ 眼球運動：Wernicke脳症では意識障害が軽いうちから眼球運動障害を来すが、チアミンの投与で回復しやすい。肝性脳症では他の代謝障害に比べてoculocephalic reflex（OCR：人形の目現象）が侵されやすい。なお、脳幹の機能残存を確認するには、カロリックテストにてOCRより敏感なoculovestibular reflex

⑤同様に睫毛反射より角膜反射のほうが敏感に脳幹機能を反映する。
⑥意識障害患者が抵抗しない限り、眼底の観察を省いてはならない。乳頭浮腫がみられたら、頭蓋内圧の亢進が考えられるからである。
⑦意識低下があっても四肢を他動的に持ち上げてから離すこと（drop test）でトーヌスがわかり、単麻痺・片麻痺・対麻痺が推定できる。また、患者の上肢を顔面の上に落とすことでヒステリー性意識障害を鑑別できる。
⑧胸骨上の一点を強く圧迫して痛覚刺激を与えたときの上肢の反射姿勢によって、除皮質状態か除脳状態か推定できることがある。
⑨腱反射亢進は超急性期を過ぎた脳卒中、甲状腺クリーゼ、覚醒剤中毒、セロトニン症候群、ミオクローヌスを来すプリオン病（Creutzfeldt-Jakob病〈CJD〉など）による意識障害時に起こり、腱反射低下は電解質異常（高Mg血症）、粘液水腫、低体温症で起こる。
⑩指示に何とか従える患者で羽ばたき振戦をみたら、肝性脳症、CO_2ナルコーシス、尿毒症、抗てんかん薬中毒、低Mg血症を考える。
⑪鼻汁、唾液、気道分泌物、下痢の垂れ流しは、農薬中毒（その他のコリン作動薬中毒）による意識障害に伴う。
⑫患者の呼気から、アルコール臭がすれば酩酊、尿臭がすれば尿毒症、フルーツ臭がすればケトアシドーシスか有機溶剤中毒、かび臭がすれば肝性昏睡、アーモンド臭がすれば青酸中毒、ニンニク臭がすれば黄リン中毒か砒素中毒、腐った卵臭がすれば硫化水素中毒を疑う。

検査のポイント

▶血糖測定（低ければインスリン測定用検体採取後すぐブドウ糖25gをiv）、同時にビタミンB_1定量用検体を採取後すぐチアミン100mgをivする。

- SpO₂と動脈血ガス（ABG）分析（＋COオキシメーター）を行い、pH、PCO₂もみながら必要十分な酸素投与と必要に応じて補助換気を行う。血液化学検査とともにアニオンギャップや浸透圧ギャップを計算する。
- 「AEIOU-TIPS」を想起しながら、必要な検体検査をオーダーする。
- 採血した静脈血がやけに赤いときは一酸化炭素（CO）中毒かシアン（CN）中毒を疑う。
- 発熱を伴っていれば、血液培養とともに、髄膜炎・脳炎を疑って早急に髄液採取を行う（📁11章「頭痛」〈143頁〉参照）。
- 脳卒中、その他の頭蓋内病変を疑えば、CT（くも膜下出血〈SAH〉を含む頭蓋内出血を疑ったとき、脳梗塞急性期のt-PA治療適応決定をするとき）、MRI（その他の場合）をオーダーする。

見逃してはならない疾患・病態の解説

1 ショックあるいは心停止
- 呼びかけて反応がなく、呼吸・脈がなければ心停止であるため、まずCPRを行う（📁「BLS & ALS」〈24頁〉参照）。
- ショックに伴う意識障害はそれぞれの病態に応じた対応を行う（📁1章「ショック」参照）。

2 低血糖
- 意識障害で運ばれて来たら、まず低血糖を否定する。低血糖による昏睡は、5時間以上未治療のままでいると植物状態または死亡する可能性が高いからである。
- 脳卒中を思わせる麻痺を呈する患者や、けいれんで運ばれた患者でも、低血糖（あるいは重度の高血糖）が原因の場合があるため、血糖を迅速に測定する。
- 意識障害に糖尿病の既往があれば、まずSU薬やインスリンによる低血糖、次に高血糖（高浸透圧性昏睡、ケトアシドーシス）を考える。

- 発熱があれば、敗血症や急性副腎不全に伴う低血糖も考える。
- アルコール多飲、肝不全、甲状腺機能低下症、飢餓状態でも意識障害と低血糖が並存し得る。
- 低血糖時に測定したインスリンが高い場合は、①インスリノーマ、②ランゲルハンス島過形成（先天性、消化管バイパス術後）、③詐病（Cペプチドは正常範囲）、④インスリン自己免疫症候群（インスリン値は極端に高い）を考える。
- Naチャネル遮断作用のある抗不整脈薬やサリチル酸中毒も低血糖の原因となり得る。

3 低酸素血症

- 意識障害のある患者で指先のSpO_2が低下しているとき、喘息、肺炎、心不全、肺水腫、肺塞栓の所見が並存していればそれで説明がつくが、心肺に異常所見がない場合には、①末梢循環不全（このとき手指は冷えているかチアノーゼを呈するが、舌の色は正常）、②神経筋疾患などによる純粋なⅡ型呼吸不全（ABGにてA-aDO_2は開大しない）を考える。
- 状況からCO中毒が疑われる場合はSpO_2正常にだまされてはならない（📖11章「頭痛」〈145頁〉参照）。なお、乳酸アシドーシスがあるのに、静脈血が赤くCOオキシメーターでCO中毒が否定されれば、CN中毒を疑う。呼気のアーモンド臭、吐物の還元作用（10円玉がきれいになる）があればさらに強く疑われる。100％酸素吸入のうえ、亜硝酸アミル吸入、3％亜硝酸ナトリウムに続く25％チオ硫酸ナトリウムの静注で対処する。

4 中枢神経感染症 （📖11章「頭痛」〈143頁〉参照）

5 脳血管障害 （📖11章「頭痛」〈142頁〉参照）

- いかなる脳血管障害も軽い意識障害を来し得るが、強い意識障害を来すのは、橋出血、視床出血、下垂体卒中、SAH（どちらかといえば一過性）、脳底動脈閉塞、矢状静脈洞血栓症である。

- ▶ 高齢、高血圧や動脈硬化のリスクファクター以外に、血栓症の家族歴、血液凝固能亢進状態を持っている患者が、頭痛・麻痺や腱反射亢進・病的反射出現を伴って意識障害を来した場合に疑う。
- ▶ 診断は脳画像診断（CT、MRI、動脈相/静脈相MRA）による。

6 高体温症（📂10章「発熱」〈120頁〉MEMO参照）

- ▶ 熱射病、悪性高体温症や抗精神病薬などによる悪性症候群（NMS）では体外からの強制冷却、後2者ではさらにダントロレンの静脈投与を行う。NMSではブロモクリプチンの経管投与も有効である。

7 非痙攣性てんかん重積状態（NCSE）

- ▶ てんかん重積状態は、全身痙攣重積状態（GCSE）と非痙攣性てんかん重積状態（NCSE）に分けられる。NCSEではconvulsionを呈さないため、原因不明の意識障害がありその症状が変容する場合はNCSEを念頭に置く必要がある。
- ▶ NCSEを疑うきっかけには、①共同変視、凝視、②同じ言動の反復、③瞬目、咀嚼、嚥下、④自動症（舌舐めずり、鼻こすり）、⑤過換気後遷延性無呼吸、⑥発作間歇期における顔面や四肢の小さなミオクローヌスの存在などがある。
- ▶ NCSEの診断には脳波検査が推奨される。脳波検査でてんかん波を認めた場合に診断は確定するが、感度が高いわけではないので、治療的診断が必要になることも多い。治療については14章「けいれん発作」〈183頁〉を参照。

Dr. Tierney's Clinical Pearls

First thing first : the patient in the emergency room gets glucose, thiamine, and naloxone in the first five minutes, no matter the history.

最初にやるべきことは最初に。意識障害でERに来た患者には、病歴にかかわらず5分以内にブドウ糖とチアミンとナロキソンを投与すべきである。

[参考文献]

1) Siegenthaler WMD. Differential Diagnosis in Internal Medicine. p986-1011, New York, Thieme Medical, 2007.
2) 岩田　誠．神経症候学を学ぶ人のために．p334-41，東京，医学書院，1994.
3) Levy DE, Bates D, Caronna JJ, et al. Prognosis in nontraumatic coma. Ann Intern Med 1981 ; 94 : 293-301.
4) Jennett B, Teasdale G, Braakman R, et al : Prognosis of patients with severe head injury. Neurosurgery 1979 ; 4 : 283-9.
5) Zandbergen EG, de Haan RJ, Stoutenbeek CP, et al. Systematic review of early prediction of poor outcome in anoxic-ischaemic coma. Lancet 1998 ; 352 : 1808-12.
6) Booth CM, et al. Is this patient dead, vegetative, or severely neurologically impaired? Assessing outcome for comatose survivors of cardiac arrest. JAMA 2004 ; 291 : 870-9.

13章 失神

Syncope

訴えの定義

- 失神とは脳血流減少に基づく短時間（通常は数秒～数分）の可逆的な意識消失とされ、脳血流減少を伴わないけいれん発作（📁 14章「けいれん発作」参照）は失神とは区別される。
- なお、けいれん発作は発作目撃、postictal state、舌咬創、尿失禁、一過性の乳酸・NH_3・CPKなどの上昇などで強く疑うが、けいれん自体は不整脈などの脳血流が低下した状態でも起こり得るので、総合的に判断する。

見逃してはならない疾患・病態

1 心原性失神（不整脈、急性冠症候群、肺塞栓症、大動脈解離、大動脈弁狭窄症、閉塞性肥大型心筋症） **2** 脳血管障害（一過性脳虚血発作、くも膜下出血〈SAH〉） **3** 起立性低血圧（急性失血〈消化管出血、子宮外妊娠など〉）

病歴聴取のポイント

- 失神は短期間で改善する病態であるため、診断には病歴が最も有用である。問診ではリスクファクター、発症状況、失神前後の随伴症状を詳細に聴取する。

1）リスクファクター

- 高齢者や心疾患の既往がある場合は心原性失神の可能性が高いと考える。脳血管障害は、高齢、高血圧などの動脈硬化のリスクファクターや心房細動がある場合はリスクが高いと考えられる。
- 一方、若年者では神経介在性失神の可能性が高くなる。
- また、繰り返す失神発作の場合、最初の発作から4年以上経過していれば、予後の悪くない神経介在性失神である可能性が高くなる。

2）発症状況

- 起立直後の失神であれば起立性低血圧、長期間（5分以上）の立

位保持後の失神では神経介在性失神を考え、仰臥位での失神は心原性失神を強く疑う。
- ▶労作時の発症は大動脈弁狭窄症や閉塞性肥大型心筋症の可能性が高いとされ、まれであるが体位変換時の失神は心房粘液腫を疑う根拠となり得る。
- ▶意識消失後の体位も重要で、起立性低血圧や神経介在性失神であっても、意識消失後も立位や座位が保持されると意識障害は遷延し、けいれんまで来し得る。
- ▶体位以外の発症状況として、神経介在性失神は痛み・情動に一致した発症が多い（座位での採血時あるいは直後の失神はよく経験される）ほか、迷走神経の緊張が高まる排便・排尿・咳・嚥下直後や食後2時間以内にも発症しやすく、後者は状況失神（situational syncope）と呼ばれる。
- ▶それ以外には、首を回したときやネクタイをきつく締めたとき、髭剃り時の失神では頸動脈洞過敏を、上肢の運動と一致していれば鎖骨下動脈盗血症候群を、熱いものを吹き冷ましながら食べているとき（過換気時）ならばもやもや病（Willis動脈輪閉塞症）を想起する。

3）随伴症状

- ▶失神前後に胸痛、背部痛、動悸、呼吸困難があれば心原性失神を考えるが、不整脈ではむしろ前駆症状がなく突然失神するのが典型的であることに注意をする。
- ▶逆に気が遠くなっていく自覚や物につかまる余裕があれば心原性失神の可能性は低くなる。
- ▶また不整脈でけいれんがみられることは少なくないことも覚えておいて損はない。
- ▶一過性脳虚血発作では、脳幹虚血由来の神経学的な異常が一過性に出現しているはずで、病歴上しびれ、嚥下障害、構音障害、複視、回転性めまいがあった場合に疑う。頭痛がある場合はSAHを念頭に置く必要がある。
- ▶一方、意識消失前後の腹部不快感、発汗、嘔気は神経介在性失神

身体診察のポイント

► 診察時にも低血圧が遷延している場合は、心原性失神（心筋梗塞・肺塞栓症・大動脈解離）や急性失血などの循環血液量低下、血液分布異常性ショックを考えなければならない。
► 一方、高血圧は脳血管障害を示唆しているかもしれない。また血圧が正常であっても、起立性血圧変化は必ずチェックする。

MEMO

起立性血圧変化チェック時の注意点

1. 可能な限り立位負荷をかける。立位がとれない患者であれば、せめて下肢をおろした端座位負荷をかける。
2. まず臥位で血圧・心拍数が安定していることを確認し、起立直後と2分後に血圧と心拍数を測定（発症状況に応じて最大10分後まで延長して測定することを検討する）。
3. 起立性低血圧は収縮期血圧が20mmHg以上低下するのを定義とすることが多いが、心拍数が30/分以上増加するほうが循環血液量減少に対しては感度が高い。
4. 健常者では収縮期血圧は4mmHg低下するが拡張期血圧は末梢血管収縮のため5mmHg上昇、心拍数は11/分増加するとされている。もし起立性に収縮期血圧が低下して拡張期血圧まで低下すればよほどの出血・脱水でない限り、血管拡張因子があるものと考えるべきである。また心拍数増加がなければ、自律神経障害もしくは脈拍を修飾する薬剤の影響を考える。
5. 健常者でも収縮期血圧が20mmHg以上低下するのは65歳以下の10%、65歳以上の11〜30%にみられるため、収縮期血圧の絶対値や症状が生じるかどうかも重要なポイントである。

► 心拍数に関しては頻脈や徐脈はいうまでもないが、不整かどうかも重要なポイントである。特に院内発症では失神直後に脈拍を確認することが可能な場合も多く、そのときの脈の性状は診断に非常に役立つ。
► 肺塞栓症や心不全がある場合には呼吸数増多、酸素化低下もみられるため呼吸状態も忘れずにチェックする。

- 発汗は交感神経が緊張する心原性失神を疑うほか神経介在性失神でもみられるが、前者では末梢が冷たくいわゆる冷汗である点が異なる。
- 心原性失神の可能性があるかどうかを考え、頸静脈怒張、心拡大、心雑音、Ⅱ音の強弱、ギャロップ音、肺ラ音、下肢の浮腫をチェックする。
- 脳血管障害の可能性を考え、神経学的所見と頸動脈雑音を確認する。起立時の失神では結膜蒼白や直腸診にて便潜血を確認する。

検査のポイント

- 12誘導心電図検査はときとして確定診断に結びつき、低侵襲なので全例で行ってよい検査であるが、それ以外のホルター心電図、心エコー、頭部CT、脳波、頸動脈エコー、採血などの検査で必須といえるものはなく、疑われた疾患に従って検査を行う。
- 神経介在性失神の検査として、Tilt試験、頸動脈洞マッサージがある。これらは手間がかかる検査で、診断をつけることでペースメーカーの適応が考慮される場合など、マネジメントに影響を与えるときに行われることが多い。特に高齢者では原因不明な失神の30%が頸動脈洞過敏とされるが、頸動脈雑音を聴取する患者では、頸動脈洞マッサージは禁忌であることに注意しなければならない。

MEMO

Tilt試験の方法
1. 仰臥位で5分間（ルート確保後は20分間）安静とする。
2. 足台の付いた傾斜台を用い受動的に60〜70°起立位とし、心拍数と血圧を20〜45分間観察。
3. 負荷試験を行う場合は、立位のままでイソプロテレノールを心拍数が20〜25%増となるように1〜3μg/分投与するか、400μgのニトログリセリンを舌下投与し、15〜20分間観察。
4. 確定的な陽性所見は失神誘発のみとされる。

MEMO

San Francisco Syncope Rule（参考文献12）

C – 心不全の既往（Congestive heart failure）
H – ヘマトクリット値＜30%（Hematocrit）
E – 心電図異常（ECG）
S – 呼吸困難（Shortness of breath）
S – 収縮期血圧＜90mmHg（Systolic blood pressure）

　以上の5つの項目（CHESSと記憶する）で30日以内の重篤なイベントを感度87%、特異度52%で予測可能。最もよく知られたprediction ruleではあるが、感度はさほど高くないことからこのルールだけに囚われてはならない。

見逃してはならない疾患・病態の解説

1 心原性失神（不整脈、急性冠症候群、肺塞栓症、大動脈解離、大動脈弁狭窄症、閉塞性肥大型心筋症）

▶ 心疾患の既往がなければ95%で心原性失神を否定できるが、高齢者では心疾患の疑いは常に強く持つ必要がある。またミオクローヌス様のけいれん、仰臥位失神では心原性失神を積極的に疑うべきとされる。

▶ 心原性疾患のなかでも発症状況や随伴症状から考えるべき疾患を絞ることができ、下表の通りとなる（動悸は必ずしも不整脈の診断に有用ではないことに注意を要する）。

発症状況や随伴状況から考えるべき疾患

	考えるべき疾患
胸痛や呼吸困難あり	急性冠症候群，大動脈解離，肺塞栓症
前駆症状・遅延症状がない場合	不整脈
労作時失神	大動脈弁狭窄症，閉塞性肥大型心筋症

▶ 徐脈は徐脈性不整脈のみならず急性冠症候群や肺塞栓症でもみられる。また血圧の左右差から大動脈解離が疑われることもあり、初診時には左右両方の血圧を測定するべきである。

- 身体診察では頸静脈怒張、心雑音、ギャロップ音、肺ラ音などをチェックするが、診察で見落としやすいものに心拡大の有無、Ⅱ音の強弱（大動脈弁狭窄症で減弱、肺塞栓症でⅡp亢進）、下肢の片側性腫脹（深部静脈血栓症からの肺塞栓症を疑う）があるのでこれらも忘れずに確認する。
- 心原性失神が否定できない場合は12誘導心電図を必ずチェックする。心電図所見としては特に心筋虚血所見（ST-T変化以外に左脚ブロックも所見として考える）と、不整脈所見をチェックする。不整脈所見に関しては不整脈の素因となる二束ブロック、Wolff-Parkinson-White（WPW）症候群、QT延長、Brugada症候群（右脚ブロック様波形＋V_{1-3}でST上昇）、不整脈原性右室異形成症（右胸部誘導で陰性T、ε波）がないかもチェックする。肺塞栓症も考えられる場合はV_{1-3}でST上昇、右脚ブロック、$S_ⅠQ_ⅡT_Ⅲ$といった所見がないかも確認しておく。
- 病歴、身体所見、心電図を併せれば、ほぼ100％で心原性失神を検出することが可能とされており、心電図以外の検査は必要に応じて施行される。

MEMO

> **心原性失神を見落とさないための4項目**
>
> American College of Emergency Physicians（ACEP）Recommendation（2001）では、
> 1. 心不全の既往、PVC（＞10回/時、2連続以上、multifocal）の既往
> 2. 胸痛など急性冠症候群に合致する症状
> 3. 心不全・心臓弁膜症を示唆する身体所見
> 4. 虚血・不整脈・QT延長・脚ブロックといった心電図異常
>
> 以上の4項目のいずれかを伴うことで、心原性失神の検出において感度100（86〜100）％、特異度81（75〜87）％と報告している。

- 胸部X線検査では器質的心疾患を示唆する心拡大や心不全徴候がないか、肺塞栓症を疑わせる肺動脈陰影途絶、大動脈解離を疑う縦隔拡大がないかに注意して読影する。
- 不整脈の可能性がある場合はホルター心電図を行うが、症候性不

整脈の検出は通常24時間の施行でよい。初回ホルター心電図が陰性の場合、それ以上施行時間を延ばしてもホルター心電図の有用性は限られるが、記録時間を長くすることで不整脈の検出感度は高くはなるので入院中であればモニター心電図はつけておくことが多い。不整脈の確定診断には症状が再発したときの心電図波形が必要なことも多いが、ホルター心電図で検出することが難しければ、loop recorderを考慮する。

ホルター心電図で診断的意義があるとされる所見

- 3秒≦洞停止，2秒≦洞停止＜3秒かつ症状あり
- 洞性徐脈≦35/分，35/分＜洞性徐脈≦40/分かつ症状あり
- RR間隔≧3秒の心房細動
- MobitzⅡ型房室ブロック，完全房室ブロック
- 発作性上室頻拍：心拍数≧180/分が30秒以上あるいは収縮期血圧≦90mmHg
- 心室頻拍：30秒以上の持続性心室頻拍もしくは症状あり

▶心エコーは大動脈弁狭窄症と心房粘液腫に関して診断能が高く、不整脈の素因となる心疾患のリスク評価に重要であるが、問診・身体所見・12誘導心電図で心原性失神が疑われなければ診断寄与率は低いため必須ではない。肺塞栓症や大動脈解離が疑われた場合にも重要な情報を追加するが、その場合は造影胸部CTが施行される。

▶ホルター心電図や心エコーによって不整脈のリスクはあるが確定的でない場合は、ペースメーカーや植込み型除細動器（ICD）の適応判断のため、電気生理学的検査を考慮する。

心原性失神を来し得る血流遮断部位（閉塞性ショック〈38頁〉の理解にも有用）

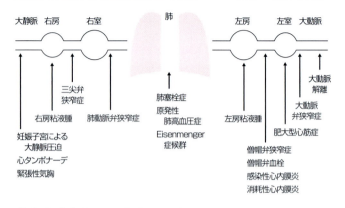

2 脳血管障害（一過性脳虚血発作、くも膜下出血（SAH））

▶ 神経学的所見を伴わない失神発作を一過性脳虚血発作と安易にいってはいけない。疑いが低い場合は頭部CT、頸動脈エコー、脳波などは行わなくてもよいとされている。逆に神経学的所見を伴う場合は、頭部MRI・MRAや頸動脈エコーで病変を探す。

▶ 一方、軽微な意識障害や軽微な頭痛を見落とすとSAHを見落とすことがあるので注意を要する。失神直前に頭を抱える動作が目撃されていると参考になる。疑いがあれば頭部CT（あるいはMRIにてFLAIRやT2*）を撮る。

3 起立性低血圧（急性失血〈消化管出血、子宮外妊娠など〉）

▶ 起立時の眼前暗黒感があればまず疑う。本人は失神の直前に気が遠のく感じや、しゃがみ込みたくなる感じを自覚していることが多い。起立性低血圧には出血などの循環血液量減少、血管拡張、自律神経障害（あるいは抑制）の3つのパターンがある。

▶ 循環血液量減少の場合は、起立時の収縮期血圧が低下するが、循環血液量減少が極度でない限り拡張期血圧は保たれ、心拍数増加がみられる。NSAIDs摂取歴、肝疾患既往がある場合や心窩部痛・嘔気・黒色便があれば消化管出血、下腹部痛・性器出血・月

起立性血行動態変化

	収縮期血圧	拡張期血圧	心拍数
健常者	→	→～↑	↑（20/分未満）
循環血漿量減少	↓	→～↓	↑↑
血管拡張因子の存在	↓	↓	↑↑
自律神経障害	↓	↓	→

経の遅れがあれば子宮外妊娠を考え、便潜血検査や妊娠反応検査を行う。急性の失血では検査上の貧血がみられるまで時間がかかることに注意を要する。出血以外には脱水・利尿薬使用などが原因となり得る。
- ▶ 起立時の収縮期血圧とともに拡張期血圧が低下し、心拍数が増加する場合は血管拡張因子を考える。降圧薬や前立腺肥大治療薬、抗うつ薬・抗精神病薬といった血管拡張を来す薬剤のほかに、食事（食後2時間以内）、発熱、入浴、アルコールなどによる血管拡張も重要な誘発因子である。また、内因性の血管拡張因子として、ヒスタミンやブラジキニンがあるため、アナフィラキシーやアナフィラキシー様反応による血圧低下の際にも同様のパターンをとる。なお、大量の出血の場合も拡張期血圧は低下し得る。
- ▶ 収縮期血圧・拡張期血圧が低下するにもかかわらず心拍数が増加しない場合は、自律神経障害か薬剤の関与を疑う。自律神経障害では便秘、発汗障害、インポテンツなどを伴うことも多く、糖尿病やアルコール症、神経疾患が考えられる。糖尿病やアルコール症による末梢神経障害を検出するために下肢の振動覚やRomberg徴候、パーキンソニズムを検出するために動作緩慢・筋固縮や小脳症状（指鼻試験・回内回外試験など）などを中心に神経学的所見をとる必要がある。薬剤としてはCa拮抗薬やβ遮断薬などの心拍を抑制する薬剤を考える。

その他

神経介在性失神
- ▶ 発症状況が重要（情動失神、食後低血圧、咳嗽失神、嚥下性失神、

嘔吐失神、排便失神、排尿失神）である。首を回したときやネクタイをきつく締めたときであれば頸動脈洞過敏が疑われ、神経介在性失神の亜型とされる。
► 最初と最後のエピソードの間が4年以上、意識消失前後の腹部不快感・悪心・発汗があれば可能性は高い。
► 予後は悪くないので、確固たる診断の必要性がある場合やペースメーカーの適応がある場合のみTilt試験を、中年以降では加えて頸動脈洞マッサージを行う。

心因性
► 反復性の失神で多いと考えられているもののなかには精神的なものが含まれ、過換気症候群からヒステリーまでさまざまである。過換気症候群では呼吸性アルカローシスによる脳血管攣縮により前失神や失神を来すため、臥位となってもすぐには回復しない。四肢末梢や口周囲のしびれや呼吸困難感に続いて発症すれば診断しやすいが、疑わしい場合には過換気負荷試験が確定に有用である。
► 頻度は多くはないが、反復するものではほかにナルコレプシーも考えられる。中学・高校生において、反復する日中の耐えがたい眠気が3カ月以上持続する（居眠りの持続は30分以内で、覚醒するとさっぱりする）ときに鑑別に挙げる。1分以内の情動性脱力発作、入眠時幻覚、睡眠麻痺のいずれかがあればナルコレプシーと考える。

Dr. Tierney's Clinical Pearls

Many patients complaining of syncope do not have it ; look for evidence of injury (e.g. head laceration) to prove it. Patients are not injured in near-syncope and the causes differ greatly.

失神したという多くの患者は実際失神していない。頭部外傷などのけがをしていれば確認できる。一方、前失神では患者はけがをせず、原因は多岐にわたる。

[参考文献]

1) Sheldon R, et al. Historical criteria that distinguish syncope from seizures. J Am Coll Cardiol 2002 ; 40 : 142-8.
2) Oh JH, Hanusa BH, Kapoor WN. Do symptoms predict cardiac arrhythmias and mortality in patients with syncope? Arch Intern Med 1999 ; 159 : 375-80.
3) Del Rosso A, et al. Relation of clinical presentation of syncope to the age of patients. Am J Cardiol 2005 ; 96 : 1431-5.
4) Gibson TC, Heitzman MR. Diagnostic efficacy of 24-hour electrocardiographic monitoring for syncope. Am J Cardiol 1984 ; 53 : 1013-7.
5) Lipsitz LA, et al. Syncope in institutionalized elderly : the impact of multiple pathological conditions and situational stress. J Chronic Dis 1986 ; 39 : 619-30.
6) Sarasin FP, et al. Role of echocardiography in the evaluation of syncope : a prospective study. Heart 2002 ; 88 : 363-7.
7) Soteriades ES, et al. Incidence and prognosis of syncope. N Engl J Med 2002 ; 347 : 878-85.
8) Schnipper JL, et al : Diagnostic yield and utility of neurovascular ultrasonography in the evaluation of patients with syncope. Mayo Clin Proc 2005 ; 80 : 480-8.
9) Gibbons CH, et al. Delayed orthostatic hypotension : a frequent cause of orthostatic intolerance. Neurology 2006 ; 67 : 28-32.
10) Elesber AA, et al. Impact of the application of the American College of Emergency Physicians recommendations for the admission of patients with syncope on a retrospectively studied population presenting to the emergency department. Am Heart J 2005 ; 149 : 826-31.
11) Kapoor WN. Syncope. N Engl J Med 2000 ; 343 : 1856-62.
12) Saccilotto RT, et al. San Francisco Syncope Rule to predict short-term serious outcomes : a systematic review. CMAJ 2011 ; 183 : E1116-26.

14章 けいれん発作

Convulsions

訴えの定義

► 大脳皮質に存在する神経細胞の異常で、過剰な電気的放電が同期して発生することにより突然現れる行動の変化を英語ではseizureと呼ぶが、全身または一部の筋肉が過剰な収縮をするに至った場合をconvulsion（ここではけいれん発作）と呼ぶ。けいれん発作を来さないseizureも存在する。

► けいれん発作は、通常数秒～数分間持続して自然に終息することが多く、その後しばらく脳は休む（postictal stateと呼ばれる）のが特徴である。ときにpostictal stateから回復する以前に次のけいれん発作を来す場合があり、けいれん重積発作と呼ばれ、予後に影響が大きい。

► けいれん発作は、しばしばてんかん（epilepsy）と混同されるが、あくまでてんかんは、特発性にしろ症候性にしろ、けいれん発作を繰り返し起こす疾患の名称であり、けいれん発作は、てんかんの場合のみならずさまざまな病態（代謝性あるいは解剖学的異常）で発生する1つの症候である。

► 本章ではけいれん発作を来すさまざまな疾患・病態を解説する。

見逃してはならない疾患・病態

代謝性異常

1 低血糖 **2** 高血糖 **3** 大脳低酸素状態 **4** 電解質異常（低Na血症、高Na血症、低Ca血症、低Mg血症、低P血症） **5** 肝性脳症 **6** 尿毒症 **7** 薬物中毒 **8** アルコール・抗不安薬の離脱状態 **9** 甲状腺クリーゼ **10** ポルフィリン症

解剖学的異常

1 脳血管障害 **2** 脳腫瘍 **3** 頭部外傷 **4** 中枢神経感染症（髄膜炎・脳炎・脳膿瘍） **5** 膠原病、血管炎（全身性エリテマトーデス〈SLE〉、Sjögren症候群、抗リン脂質抗体症候群） **6** 可逆性

後部白質脳症（RPLS）　7 動静脈奇形（AVM）

▶原因の如何にかかわらず、"けいれん重積発作"はすぐに止めないといけない（けいれん重積発作の初期治療は183頁参照）。

病歴聴取のポイント

1）症状の詳細＋随伴症状

▶けいれん発作は、けいれん後の意識障害のため、本人から病歴聴取を行うことが困難であることがあり、また家人などに明らかなけいれん発作を目撃されていないこともある。その場合でも「けいれんを伴わない意識障害」なのか「けいれん発作」なのかを見極める必要がある。

▶「けいれん発作」があったことを示唆する症候は、口腔内咬傷、尿や便の失禁、チアノーゼのエピソードや、頭痛・不機嫌・眠気・混迷などのpostictal state（通常分～時間単位の持続）である。また同様に一過性の片麻痺（Todd麻痺）を呈することもある。

▶家人などがけいれん発作を目撃した場合は、そのときの様子を詳しく説明してもらう。すなわち、四肢の強直や間代・左右差や、のけぞるような姿勢、眼位である。けいれんの持続時間や、一度停止して再発したかなども聴取する。

2）患者背景

▶原因を知る手がかりとして、家人や過去のカルテから既往歴・薬剤使用歴、嗜好を把握する。

▶また最近、頭痛や発熱がなかったか、薬物中毒を疑うなら発見時に薬物の容器（press through package：PTP）がなかったかも確認する。PTPは何を何錠飲んだか知るために病院に持ってきてもらう。

▶けいれんを起こす原因となり得る既往歴は以下の通りである。
①糖尿病（高血糖やインスリン使用による低血糖）、②肝疾患（肝硬変症、肝不全）、③腎疾患（急性や慢性腎臓病）、④人工透析導入、⑤心不全（低酸素や低Na血症）、⑥COPDや間質性肺炎

(低酸素)、⑦高血圧（心不全や脳血管障害のリスクファクター)、⑧脂質異常症（心不全や脳血管障害のリスクファクター)、⑨甲状腺機能亢進症、⑩ポルフィリン症、⑪膠原病（SLEやSjögren症候群、抗リン脂質抗体症候群、巨細胞性血管炎)、⑫うつ病（抗うつ薬の使用や、飲水・摂食の不良)、⑬統合失調症（抗精神病薬の使用、水中毒)。

▶ 薬剤使用歴は、インスリンや経口血糖降下薬（低血糖)、利尿薬（低Na血症、低Ca血症、低Mg血症)、抗不安薬や抗精神病薬（薬物中毒、離脱症候群)、抗てんかん薬（てんかんの既往や薬物離脱によるけいれん発作を示唆）を確認する。

▶ 嗜好（アルコール摂取の有無や飲酒量・最近の離脱、喫煙の有無と喫煙量、違法薬剤の使用）を確認し、職業や生活習慣、最近の海外渡航歴なども確認できるとさらによい。

身体診察のポイント

▶ まず、バイタルサインを確認する。けいれん発作に限らず、バイタルサインが不安定であれば、その原因検索よりもバイタルサインの安定化が優先される。

▶ けいれん発作と思われる患者が搬送されて来たときは、バイタルサインを確認しつつ、低血糖がないか確認する。このように身体所見をとることと検査や治療が同時進行となることが多い。

▶ けいれんの原因を同定するために身体診察は続く。頻脈、多汗があるならば低血糖や甲状腺クリーゼ、交感神経刺激薬・抗コリン薬の中毒、抗不安薬やアルコールの離脱症候群を疑う。

▶ 栄養状態不良は、低P血症や低Mg血症の可能性を考える。

▶ 臭いも大事で、呼気のアセトン臭は糖尿病性ケトアシドーシス（DKA）を、尿臭は腎不全を示唆する。

▶ チアノーゼは低酸素状態の可能性を示唆するが、四肢のみではなく、舌のチアノーゼもチェックし、末梢性でない中枢性チアノーゼであることを確認する。

▶ 片麻痺や巣症状は脳血管障害をはじめ低血糖・肝性脳症・尿毒症

の可能性を示唆するが、けいれんのフォーカスを示唆するTodd麻痺である可能性もある。
► 高血糖ではたいてい高度の脱水を生じており、眼窩のくぼみ、口腔内・腋窩の乾燥、皮膚のツルゴール低下を確認する。
► 項部硬直は髄膜炎やくも膜下出血（SAH）を疑うが、その際に頸椎損傷を起こす外傷歴がないか確認する。これは単にその後の頸髄損傷による神経原性ショックや四肢麻痺を予防するためだけでなく、頭部外傷の存在の可能性もあることを意味しているからである。一般に、鎖骨から上方の外傷は頭部外傷の可能性が高いとされ、注意が必要である。
► テタニーや、血圧計のマンシェットで上腕を比較的長時間締めているときに起こる前腕・手指の筋収縮（Trousseau徴候）は、低Ca血症や低Mg血症を示唆する重要な所見である。
► 前胸部のクモ状血管腫や手掌紅斑、羽ばたき振戦は肝性脳症を、甲状腺腫大は甲状腺クリーゼを、頬部の紅斑はSLEを示唆する。

検査のポイント

1）検体検査
► 血糖、動脈血ガス（ABG）分析、肝機能（NH$_3$も含む）、腎機能、電解質（Mg、Pも含む）、血糖、甲状腺ホルモン・甲状腺刺激ホルモン、疑わしい薬物血中濃度、抗てんかん薬を内服しているならその血中濃度、血清浸透圧、血液培養最低2セット、尿検査・尿培養、髄液検査（ADA、培養を含む）

2）画像検査など
► 頭部単純CT（撮像に時間のかかるMRIは、けいれん再発の可能性と全身状態の不安定から緊急時に適応になることは少ない）、心エコー、頸部エコー（甲状腺腫大や頸動脈の動脈硬化の検出）、腹部エコー（肝疾患・腎疾患の検出）
► 脳波図（EEG）でてんかん波形が捉えられればその後のけいれん発作の再発の可能性が高まる。

見逃してはならない疾患・病態の解説

代謝性異常

1 低血糖

- 低血糖でけいれんがよくみられる。したがってERでは、たとえインスリンや経口血糖降下薬の使用がなくとも意識障害やけいれん発作の患者が搬入されるとすぐ血糖を測定するようにする。インスリノーマによる低血糖ではけいれんは少ないとされる。
- 低血糖の原因は、薬剤性、腫瘍性、代謝性に分けられる。
  - ①薬剤性：単にインスリンや経口血糖降下薬だけでなく、抗不整脈薬（ジソピラミド、シベンゾリン）、アルコール、サリチル酸、ハロペリドール、キニーネなどでも低血糖を生じることを知っておく。
  - ②腫瘍性：インスリノーマが主であるが、インスリン様ホルモン産生腫瘍もまれではあるが存在する。
  - ③代謝性：下垂体機能不全、甲状腺機能低下症、副腎不全、重症肝障害で生じる。その他、飢餓、神経性食思不振症、敗血症、アルコール性ケトアシドーシス（AKA）で生じる。
- 低血糖では交感神経刺激状態にあるため、BP↑、HR↑、発汗がみられる。

2 高血糖

- DKAと非ケトン性高血糖に大別される。けいれんを起こさず昏睡状態となっていることもあるが、非ケトン性高血糖ではDKAに比べて、けいれんは一般的である。
- DKAでは深い呼吸（Kussmaul呼吸）やアセトン臭がみられるが、非ケトン性高血糖では、通常これらの症状はみられない。双方とも高度の脱水が存在し、脱水の補正がインスリン投与とともに初期治療の要となる。
- 非ケトン性高血糖は、来院時の血糖検査で高血糖を認めるが、ABGにてアニオンギャップ上昇性代謝性アシドーシスが著明でないこと、尿ケトン体が陰性であることからDKAと鑑別される。

好発年齢は、DKAは若年者に非ケトン性高血糖は高齢者に多いとされる。

3 大脳低酸素状態

- ▶ 大脳の低酸素状態は、心不全、肺疾患（COPD、重症肺炎）や心肺停止、溺水による低酸素血症、一酸化炭素中毒で生じる。
- ▶ 失神発作でも一時的に大脳低酸素状態となり、けいれんを生じることがあるが、けいれん後意識障害のないごく短い強直性間代性けいれんである。したがって、突然虚脱して倒れ込んでけいれんを生じたとしても、てんかんと早計に考えないようにしたい。

4 電解質異常（低Na血症、高Na血症、低Ca血症、低Mg血症、低P血症）

- ▶ Kの異常や、高Ca血症ではけいれんはまずみられない。これらの電解質異常を速やかにみつけるために、ERに搬送されたときは、ライン確保する際にABGのシリンジで静脈血をとり測定することで、NaやCaの数値がわかることがある。MgやPは若干時間がかかるが、通常の急性期病院では1時間程度で結果がわかると思われる。
- ▶ 低Na血症は高Na血症よりもけいれんが起こりやすく、電解質異常のなかでも頻度が高い。精神疾患があれば、薬物中毒の可能性だけを考えがちであるが、水中毒による低Na血症や、薬剤性の低Na血症も忘れない。
- ▶ 低Na血症の原因となる抗利尿ホルモン分泌異常症（SIADH）を起こし得る薬剤は、
  ① ADH分泌を促進するもの：パロキセチン、ビンクリスチン、ビンブラスチン、シスプラチン、カルバマゼピン、クロフィブラート、シクロホスファミド、ニコチン
  ② ADH作用を増強するもの：クロルプロパミド、トルブタミド、インドメタシン、フェニルブタゾン、である。
- ▶ **低Na血症**：その原因によって治療が異なり、単にNaを補うこと

はしないこと。例えば、心不全・肝不全・腎不全・低アルブミン血症などでは、二次性アルドステロン症により、かえって体内のNaの総量は増加している。またNa補正を急速に行うと、中心性橋髄鞘融解症（CPM）が起こるので注意する。

- ▶ **高Na血症**：Naの過剰投与や高度の脱水により起こり得るが、通常口渇が生じると人は摂水行動をするので、あまりみられない異常である。脳血管障害などで臥床状態となって自分で自由に動けない患者や、うつ病などで摂水する気にならない患者などでみられる。

- ▶ **低Ca血症**：通常、新生児でみられる。成人では、腎不全、甲状腺や副甲状腺摘出術後、副甲状腺機能低下症、急性膵炎、敗血症、ビタミンD欠乏でみられる。症状は血圧低下、心不全、テタニー、Trousseau徴候、乳頭浮腫、錐体外路徴候、脂肪便である。

- ▶ **低Mg血症**：低Ca血症（重症な低Mg血症では、ほぼ全例）や低K血症（40〜50％）を伴い、これらの電解質が正常であれば、存在している可能性は低い。低Mg血症の原因としては消化管からの消失（頻回の嘔吐・下痢）と腎からの消失（高Ca血症、浸透圧利尿、薬剤〈ループ利尿薬、サイアザイド系利尿薬、アミノグリコシド系薬、アムホテリシンB、シスプラチン、シクロホスファミド〉）であり、急性膵炎でも低下し、アルコール多飲者でもみられる。症状は低Ca血症と同様の筋症状が現れ、テタニー、Trousseau徴候がみられる。また不穏、混迷、失調、振戦、眼振など精神神経症状もみられる。

- ▶ **低P血症**：体内のPの99％が骨のなかに存在していることから、ほとんどみられないか、あっても軽度である。重症な低P血症（通常＜1.0mg/dL）がみられるときは、かなりの飢餓があると想定される。refeeding・呼吸性アルカローシス、ビタミンD欠乏、副甲状腺機能亢進症、脂肪便などで生じる。症状は重症の低P血症でみられ、筋力低下、横紋筋融解症、横隔膜機能障害、呼吸不全、心不全、構音障害、片麻痺、混迷、けいれん、昏睡である。まれに溶血、血小板機能低下、代謝性アシドーシスも生じる。

5 肝性脳症

- ウイルス性肝炎の肝硬変で、非代償性の症状として脳症を呈することが多いためわかりやすいが、肝性脳症の原因は多岐にわたる。
- ①急性肝不全によるもの（薬物中毒、Wilson病、急性B型肝炎での劇症肝炎）、②肝細胞に原疾患のない門脈-全身シャント、③肝硬変や門脈圧亢進症に伴うもの、の3つに分類される。
- ①②による肝性脳症では、肝硬変・肝不全で生じるクモ状血管腫や手掌紅斑などはみられない。さらに②は肝硬変、肝不全を伴わないため、原病歴・検査から肝硬変や肝不全がない場合に疑う。
- 肝性脳症の症状は、脱水、消化管出血、低K血症、代謝性アルカローシス、低酸素状態、抗不安薬の使用、低血糖、敗血症、特発性細菌性腹膜炎（SBP）、肝細胞癌などによる門脈や肝静脈閉塞によって悪化する。
- 肝性脳症のGradeは4段階あり、羽ばたき振戦はGrade 2で、Grade 1（多幸感、抑うつ、不機嫌、昼夜逆転）はあとから振り返って認識されることが多い。Gradeが上がるに従い、精神症状よりも神経症状が前面に出てくる。Grade 3では、混乱・眠気などの精神症状に、反射低下や亢進、眼振の神経症状が出てくる。
- 臨床現場ではNH_3濃度を測定するが、実はその意義は議論のあるところであり、NH_3濃度が上昇していなくても肝性脳症であったり、上昇していても肝性脳症でなかったりする。後者は駆血帯の強い圧迫や圧迫時間が長くなることにより上昇することがある。したがって、スクリーニングへの過信は禁物である。

6 尿毒症

- 尿毒症には急性腎障害（AKI）と慢性腎不全で生じるものがある。
- AKIは腎前性・腎実質性・腎後性に分類される（📁37章「尿量異常」〈427頁〉参照）。
- 全身の痒み（皮疹を伴わない）、全身性のむくみ、尿量減少、呼吸苦、消化器症状（悪心・嘔吐、食欲低下、腹部膨満、便秘）、易疲労感、集中力低下、精神神経症状（せん妄・混迷）を伴って

けいれんを来し得る。
- ▶ 身体所見では、全身性浮腫、高血圧、内頸静脈怒張、SpO_2低下・肺ラ音・胸水貯留（尿毒症肺）、呼気の尿臭、羽ばたき振戦、意識障害がある。
- ▶ 採血上、腎機能・電解質の異常は明らかである。
- ▶ けいれんを含め尿毒症の症状があることだけでも透析の適応があり、心電図異常を来す高K血症があれば、さらに緊急透析が必要である。

7 薬物中毒

- ▶ 原則的には全身性の強直性間代性けいれんを呈する。
- ▶ 作用機序は、①薬物の直接作用により中枢神経系でのけいれん閾値が低下するため、②薬物中毒で意識レベルが低下することにより舌根沈下が起こり低酸素状態となるため、の2つが考えられている。
- ▶ けいれん発作を起こし得る薬剤は以下の通りである。
  ① アドレナリン作動性・交感神経様作動薬：アンフェタミンとその誘導体、カフェイン、フェンシクリジン（PCP）、コカイン、テオフィリン、フェニルプロパノールアミン（PPA）
  ② 抗うつ薬、抗精神病薬：三環系抗うつ薬（アミトリプチリン）、ブチロフェノン系（ハロペリドール）、フェノチアジン系（クロルプロマジン）、モルヒネ
  ③ 農薬：有機リン（マラソン、メタミドホス）、カーバメイト系殺虫剤、ピレスロイド系殺虫剤、グルホシネート
  ④ その他：サリチル酸（アスピリン）、抗ヒスタミン薬、β遮断薬、抗菌薬（βラクタム系、フルオロキノロン系、イミペネム、イソニアジド）、硫化水素、シアン化合物、一酸化炭素
- ▶ 中毒量でなくとも、通常の使用量や薬物間相互作用により生じやすくなることもある。またハーブであるガラナや麻黄でもけいれんを生じることが知られている。

8 アルコール・抗不安薬の離脱状態

- アルコール離脱症候群では、飲酒を中止してから、その時間経過のなかでさまざまな症状が起こってくる。6～36時間で振戦、不安感、頭痛、発汗、食思不振、腹部症状を生じ、6～48時間でけいれんを生じてくる。12～48時間で虫が這ってみえるなどの幻覚、48～96時間で振戦せん妄（delirium tremens）が起こる。アルコール離脱症候群のけいれんは、全身性の強直性間代性けいれんである。
- 抗不安薬の離脱でもアルコールと同様にけいれんを生じ、多彩な臨床像を呈する。短期間の使用での中断ではみられず、長期常用者（通常4カ月以上の使用）の中断でみられる。短時間作用型のベンゾジアゼピン系抗不安薬では、中断の2～3日後から、長時間作用型では7日後くらいまでに生じてくる。不安、抑うつ、不眠、振戦、頻脈、発汗に加え、けいれん、幻覚、せん妄を生じる。

9 甲状腺クリーゼ

- けいれんは通常の甲状腺機能亢進症で起こることはなく、まれに甲状腺クリーゼの脳症として起こる。
- 甲状腺クリーゼは、甲状腺疾患未治療やコントロール不良な甲状腺機能亢進症があり、そこに強いストレスがかかったときに発症する。診断基準はいくつかあるが、2008年1月に作成されたものによると、①中枢神経症状（不穏、せん妄、精神異常、傾眠、けいれん、昏睡）、②発熱（＞38℃）、③頻脈（＞130）、④心不全症状、⑤消化器症状（悪心・嘔吐や下痢、黄疸）のうち、①を含む他の1項目か、①以外の3項目を満たすと診断される。

10 ポルフィリン症

- ポルフィリン症にはいくつかの分類があるが、表現型で分ける方法では、急性ポルフィリン症と皮膚ポルフィリン症がある。前者は日光過敏症、さらに日光を避けなければ将来肝不全に陥るものであり、後者の皮膚ポルフィリン症では間欠的な神経症状の1つ

- としてけいれんを起こす。
- 代表的な急性ポルフィリン症で、最も多いポルフィリン症である急性間欠性ポルフィリン症（AIP）は、90％近くが常染色体優性の遺伝形式をとる遺伝性疾患であるが、普段は症状を呈さず、トリガーとなる事項、すなわち薬物使用（多くはP-450誘導物質）、や食事制限によって症状が誘発される。したがって、使用禁忌である薬剤を把握しておく必要がある。
- AIP患者が発作時に呈する症状は、腹痛（85〜95％）、嘔吐（43〜88％）、便秘（48〜84％）、筋力低下（42〜60％）、精神症状（40〜58％）、頻脈（50％前後）、高血圧（50％前後）がよくみられ、けいれんは10〜20％程度である。

AIP患者に使用禁忌の薬剤

- 抗精神病薬・抗てんかん薬：バルビツール酸系薬，バルプロ酸，フェニトイン，カルバマゼピン
- 抗菌薬：リファンピシン，ST合剤（スルフォンアミド系）
- NSAIDs：ジクロフェナク
- 降圧薬：Ca拮抗薬
- 消化器治療薬：メトクロプラミド
- その他：アルコール，麦角アルカロイド，プロゲステロン，ダナゾール

解剖学的異常

1 脳血管障害

- 脳血管障害の4〜9％でけいれんが発生する。通常、虚血性脳卒中では48時間以内に、SAHでは数時間以内に生じる。
- 脳血管障害後の急性期（脳血管障害発症2〜4週間以内）にけいれんが発症するリスクファクターは、①血腫の存在、②サイズが大きい、③皮質病変、である。この急性期のけいれんの35％が、脳卒中後てんかんに移行する。

2 脳腫瘍

- 原発性でも転移性でもけいれんはよく起こり得るが、転移性より

も原発性のほうが起こりやすい（転移性で10％程度であるのに対し、膠芽腫で50％、低分化神経膠腫で85％）。
▶けいれんの原因は2つあり、1つは、ホルモン産生腫瘍の脳転移により低Na血症（ADH産生の肺小細胞癌、胸腺腫、前立腺癌）や低Ca血症（カルシトニン産生腫瘍〈甲状腺髄様癌、肺小細胞癌、カルチノイド〉）によるもの、2つ目は、脳内の腫瘍が正常な脳の構造物を破壊・圧迫することで生じるてんかんによるものである。後者はときどきてんかん重積発作を呈する。

3 頭部外傷

▶頭部外傷受傷早期（受傷後1週間以内）と、後期（1週間以降。頭部外傷後てんかん）の2種類がある。早期のけいれんの1/4は1時間以内に、1/2は24時間以内に生じている。後期のけいれん、すなわち頭部外傷後てんかんは40％が6カ月以内に、50％が1年以内、80％が2年以内に発症している。早期のけいれんが頭部外傷後てんかんに移行するのは17～33％程度といわれ、頭部外傷後てんかんの最大のリスクファクターである。
▶早期のけいれんのうち24時間以内に生じたけいれんの90％程度は強直性間代性けいれんである。また、早期のけいれんを起こすリスクファクターは①年齢（若年者；16歳未満で20％、16歳以上で8.4％にみられたという報告がある）、②硬膜下血腫の存在、③穿通性頭部外傷である。しかし、軽微なものや頭部CTで異常を呈さない例でもけいれんを起こすことがあるので注意する。
▶外傷後の気道閉塞や胸部外傷を伴うことなどにより脳の低酸素が起こったり、電解質のバランス異常で生じるものもあるので、それらの因子を見落とさず、速やかに改善させる必要がある。頭部外傷後てんかんのリスクファクターは、早期のけいれんの存在に加え、年齢（＞65歳）である。
▶早期のけいれんに対する治療での適切な抗てんかん薬がどれかは不明であるが、フェニトインがよく使用される。早期のけいれんから頭部外傷後てんかんへの移行は、抗てんかん薬で治療するこ

とによって減少することはない。頭部外傷後てんかんは、治療により25〜40％しか寛解しない。また13％は治療抵抗性である。
► 早期のけいれんは、抗てんかん薬投与で発症を予防させ得るが、頭部外傷後てんかんは予防できない。したがって、早期のけいれんの予防目的で１〜数週間程度の抗てんかん薬の投与はよいとされるが、そのまま漫然と投与し頭部外傷後てんかんの予防のために使うのはやめるべきである。しかし、一度でも頭部外傷後てんかんを起こしたなら、再発率は高いので、抗てんかん薬を開始し、投与を継続させる。

4 中枢神経感染症（髄膜炎・脳炎・脳膿瘍）（📁11章「頭痛」〈143頁〉参照）

5 膠原病、血管炎（全身性エリテマトーデス〈SLE〉、Sjögren症候群、抗リン脂質抗体症候群）

► SLEの症状として神経精神症状は一般的である。脱髄性疾患、無菌性髄膜炎、脳血管障害、認知障害とともに、けいれんも起こり得る。無菌性髄膜炎はNSAIDsやアザチオプリン使用例ではその副作用の可能性、シクロホスファミド使用例ではRPLS（次項）を起こすこともあり、必ずしもSLEの症状でないこともある。またこれらの免疫抑制薬による易感染性のため中枢神経感染症を生じている可能性も考える。
► Sjögren症候群でも、20〜25％中枢神経症状を呈するとされる。亜急性無菌性髄膜炎、けいれん、小脳失調、認知障害、認知症様症状、舞踏病様症状などがある。
► 抗リン脂質抗体症候群では20％に脳卒中（虚血性、まれに出血性）や一過性脳虚血発作（TIA）を起こす。それに伴いけいれんを生じ得る。

6 可逆性後部白質脳症（RPLS）

► いろいろな名称で呼ばれてきたが、現在はreversible posterior

leukoencephalopathy syndromeが正式名称である。頭痛、意識障害（せん妄程度から昏睡まである）、視覚異常を生じる、基本的にはreversibleな疾患である。reversibleでも、posterior lobe（後頭葉）だけでも、leukoencephalopathy（白質に限局）でもない例外も存在する。
- この疾患は、あまり一般医家に認識されておらず、また発症当初はCTやMRIの画像からも虚血性脳卒中と間違われたりする。好発年齢もない。
- 原因は、脳血流自律調節異常や、内皮細胞機能異常による部分的な低灌流や浮腫といわれているが、不明である。高血圧性脳症、子癇発作、血栓性血小板減少性紫斑病（TTP）/溶血性尿毒症症候群（HUS）、急性や慢性腎臓病、血管炎、薬剤（免疫抑制薬、IVIg、造影剤）、輸血、ポルフィリン症、高Ca血症、低Mg血症などと関連している。

7 動静脈奇形（AVM）
- 10～40歳に発症する、最も危険な血管奇形の1つである。
- 孤発性よりも、Osler-Weber-Rendu病という遺伝性出血性末梢血管拡張症の合併症としてもみられ、脊髄血管拡張、脳動脈瘤、肺AVMを伴うことがある。
- 症状は、頭蓋内出血（41～79％）、けいれん（11～33％）、頭痛、神経巣症状である。
- 脳CT・MRIで捉えることが容易である。

けいれん重積発作の初期治療

1）けいれん重積発作とは
①けいれんが10～15分以上継続するもの。
②一度けいれんが治まっても、意識が回復する前に再びけいれんの始まるもの。

2）けいれん重積発作の治療
①まずは、全身状態の把握と安定化（いわゆる"ABC-OMI"〈A：

気道開存確認と気道確保、B：呼吸の確認と補助呼吸、C：循環の確認と安定化、O：O₂投与、M：ECGモニター装着、I：輸液路確保））。疾患特異的な治療として、次のように投薬する。

②ジアゼパム0.1mg/kg（一般成人で約5mg。セルシン®のアンプルには、5mg/1mLと10mg/2mLの2種類がある）を静注する。同時にフェニトイン20mg/kg（一般成人で1g、高齢者では減量）を25～50mg/分を超えない速度で点滴静注する（initial loading）。フェニトインはブドウ糖含有液には混ぜないこと。フェニトインは効果発現まで時間がかかるので、同時に投与する。治療初期にけいれんを再発するときは、ジアゼパムを再投与する。

3）けいれん重積発作の患者が来院したときの対応

①"ABC-OMI"

②点滴ラインをとるときに、そこから電解質・肝機能・腎機能などの採血を行い、必ずデキスターで血糖をチェックする。ABGも行う。低血糖なら、50％ブドウ糖を2A（40mL）ivする。重積発作と判断したら、上記の治療開始。

③家族に精神科受診歴や睡眠薬・抗不安薬・抗うつ薬の服薬歴がないか聴取。また、これらの薬剤のPTPが部屋に散在していなかったか確認。なるべく家族の承諾を得たうえで、尿を採取してTriage®という薬物検出診断キットを用いる。

④頭部CTを撮影。

⑤発熱や髄膜炎、脳炎を疑わせる所見があれば腰椎穿刺。その後、速やかに抗菌薬を投与開始（セフトリアキソン2g。必要に応じて、アンピシリンやアシクロビルも投与する）。

Dr. Tierney's Clinical Pearls

For a seizure to be diagnosed, it must be witnessed ; many patients stating they have a seizure do not. Likewise many who say they did not have a seizure had one, as there is retrograde amnesia for the event.

けいれん発作を診断するには、目撃されていなくてはならない。けいれんを起こしたという患者の多くは実際にはけいれんを起こしていない。一方、けいれんは起こしていないという患者の多くに実際はけいれんを起こした者がいる。なぜならば、逆行性健忘のためにその出来事を覚えていないからである。

[参考文献]

1) Stecker MM. Status epilepticus in adults. UpToDate 17.1.
2) Marx JA, Hockberger RS, Walls RM. Rosen's Emergency Medicine : Concepts and Clinical Practice, 6th ed. Philadelphia, Mosby, 2006.
3) American Heart Association. ACLS provider manual : Guideline 2005.
4) 日本外傷学会外傷初期診療ガイドライン改訂第5版編集委員会 編. 外傷初期診療ガイドライン JATEC 改訂第5版. 日本外傷学会/日本救急医学会監修, 東京, へるす出版, 2016.

15章 めまい

Vertigo, Dysequilibrium, and Presyncope

訴えの定義

- ▶「めまい」という訴えほど、その意味するところを医学的にはっきり分類しておかないと、鑑別診断を誤るものはないかもしれない。dizzinessやgiddinessという英語や「分類不能のめまい」に「分類」するのは極力避け、患者から次のいずれに当てはまるかを丁寧に聞き出すべきである。
- ▶ **回転性（vertigo）**：ぐるぐる回る、周囲が動く、自分が動く、遊園地の回転遊具から降りたときのよう、船酔いみたい。
- ▶ **不安定性（dysequilibrium）**：ふわふわする、雲の上を歩いているよう、足元がふらつく、バランスが悪い。
- ▶ **前失神（presyncope）**：目の前が暗くなる（灰色になる、白くなる、みている物が消えていく）、しゃがみたくなる・しゃがみ込む、頭から血の気が引く、どこかへ引き込まれる（吸い込まれる）よう。
- ▶ ただし、いくら丁寧に聞いてもvertigoの軽いものと、dysequilibriumの判別が困難なことがあることは知っておく。
- ▶ どんなときにめまいが起こるかを尋ねるのは、上記分類に役立つことが多いのでたいへん重要であるが、「臥位→座位で起こる」といった場合は2つ以上のメカニズム——起立性（座位性）の血圧低下、内耳（特に前後半規管）、頸部筋肉の過緊張——が働き得るので注意を要する。

見逃してはならない疾患・病態

回転性（vertigo）
1 急性内耳障害　**2** 椎骨脳底動脈循環障害（小脳・脳幹卒中）
3 耳毒性薬物

不安定性（dysequilibrium）

1 小脳・脳幹・前頭葉障害　**2 薬剤性**　**3 脊髄後索・末梢神経（特に深部知覚）障害**

前失神（presyncope）

①急性失血・脱水、②心原性（心筋障害、不整脈、血流閉塞）、③血管拡張（アナフィラキシー、脊髄損傷、薬剤性）、④低血糖・低酸素血症。これらについては13章「失神」を参照。

病歴聴取のポイント

1）回転性（vertigo）

①耳症状（聴力↓、耳鳴）、②2週間以内の脳幹症状（4D's）、③頭痛、④誘発動作、⑤始まり方、持続時間、⑥感冒の先行、動脈硬化のリスク、⑦薬剤使用（アミノグリコシド系薬、バンコマイシン〈VCM〉、利尿薬）

MEMO

脳幹症状の4D's

Diplopia（複視）、Dysesthesia（顔面の知覚異常）、Dysphagia（嚥下障害）、Dysarthria（構語障害）。"Dizziness"（めまい）を加えれば5D'sとなるが、ここではvertigoがある場合に尋ねるべき脳幹症状として4D'sを挙げた。

2）不安定性（dysequilibrium）

①眼症状、②頸症状、ストレス、③糖尿病、パーキンソン症候群、④アルコール歴（CAGE質問）、⑤薬剤使用（抗てんかん薬、NSAIDs、ミノサイクリン）

3）前失神（presyncope）

①経口摂取↓、嘔吐・下痢、②薬剤使用（降圧薬、抗不安薬、抗うつ薬）、③アルコール摂取、④誘発体位・シチュエーション、⑤心臓症状（動悸、息切れ、胸痛）、warningの有無、⑥神経症状（しびれ、けいれん）、⑦冷汗、蕁麻疹

身体診察のポイント

1) 回転性（vertigo）

①簡易聴力＋Weber試験、Rinne試験、②loudness recruitment現象、tone decay現象（📁18章「聴覚障害」〈212頁〉MEMO参照）、③眼振、とりたがる体位、④回転椅子・頭振り試験（再現性・誘発をみる）、⑤閉眼足踏み試験、⑥Dix-Hallpike試験、⑦脳神経・小脳徴候

2) 不安定性（dysequilibrium）

①簡易視力検査、②頸部神経根圧迫試験（JacksonあるいはSpurling試験）、③Romberg試験、④振動覚・位置覚

3) 前失神（presyncope）

①起立性BP・PR変化、②頸動脈拍動±雑音、③頸静脈充満度、④心拍、心音・心雑音、⑤ため息負荷（30～180秒）試験、⑥頸部伸展（頸動脈洞刺激）試験

MEMO

vertigoを訴える患者の眼振

- 側方注視は30°までにすること。
- 頭位を変えたり、Frenzel眼鏡着用で増強可能。
- 一側内耳・前庭神経の機能低下性病変があると患側に緩徐相が向くため、急速相すなわち眼振の向きは健側となる（ただし、病初期に刺激性病変を生じたら一過性に逆となり得る）。
- 同様の病変ではさらにhead thrust（またはimpulse）test陽性、すなわち前方固視させつつ機能低下側に頭を振ると前方固視不能（＝doll's eye現象の消失）が一瞬起こる。
- 内リンパ水腫を病態とするメニエール病では、健側を下にしたときにめまいと眼振が軽減することがある。

閉眼足踏み試験

- 両上肢を前方水平挙上（「前にならえ」の姿勢）で、閉眼し、その場で30秒間足踏みする。30°以上回転した場合、回転した側の前庭機能障害が考えられる。

Dix-Hallpike試験

- Nylen-Barany試験と呼ばれることもある。
- 患者はベッドの上座位で、右ないし左斜め前45°を向く（A）。
- 頭部の向きをそのままとし、仰臥位になり、頭部が水平面から垂れるように懸垂頭位とする（B）。
- めまいと眼振がみられたら、めまいの潜時・持続時間、眼振の潜時・持続時間・急速相の向きを記録する。

A
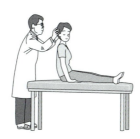

B
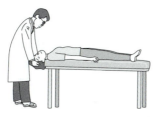

検査のポイント

1）回転性（vertigo）
①オージオグラム、②カロリックテスト、③脳CT・MRI、④聴性脳幹反応（ABR）

2）不安定性（dysequilibrium）
①細隙灯（白内障を疑うとき）、②頸椎X線検査、③尿・血液検査、④脳MRI

3）前失神（presyncope）
①心電図、②ホルター心電図、③心エコー、④動脈血ガス分析

見逃してはならない疾患・病態の解説

▶ 診断名にかかわらず、一般に次のような場合に入院や専門科へコンサルトする。
めまいの性質：数分以上じっとしても治まらない、急性発症かつ激しい「めまい」
随伴症候：強い嘔吐（＋）、後頭痛（＋）、神経学的症候（＋）、呼吸循環不全（＋）

回転性（vertigo）
1 急性内耳障害

▶ 良性発作性頭位性めまい（BPPV）、メニエール病、急性迷路炎・突発性難聴、外リンパ瘻（外傷後、真珠腫に続発性など）、前庭神経炎が含まれる。

▶ Head impulse test（head thrust test）で異常が出ることが内耳性であることを示唆する。

▶ BPPVの最も大きな特徴は、頭位変換時（最も多い後半規管型では床から体を起こしたときか逆に床に横たわったとき、次に多い外半規管型では寝返りを打ったとき）に発症し、じっとしていれば2〜3分以内にいったん治まることである。病初期にはDix-Hallpike試験で誘発できることがあり、その際は続いてEpley法で治療を試みる価値がある。

▶ めまいがvertigoであり、片側性に何らかの蝸牛症状（耳鳴、難聴）を伴えば、急性迷路炎、メニエール病、外リンパ瘻を考える。

▶ ①外耳・中耳の加圧・減圧、②髄液圧・鼓室圧の急激な変動を起こすような誘因（くしゃみ・鼻かみ・強いいきみ）、③pop音（何かがはじけるような音）、に引き続いてめまいを訴える場合には外リンパ瘻を疑う。

▶ 前庭神経炎は蝸牛症状を伴わない急性発症のvertigoで、次の項に述べる小脳・脳幹卒中が否定された場合に疑う。動脈硬化のリスクを持つ者では前庭器官への血流障害が、そうでない者では上気道炎後（ウイルス感染や免疫反応による炎症）が考えられる。

聴力検査は正常でカロリックテストは片側で半規管機能低下を示すが、ほかが除外できていれば必ずしもいらない。通常、数日〜数週間で回復する。

MEMO

Epley法

- A→BはDix-Hallpike試験と同じ。
- めまいが治ってからゆっくりCへ。
- 1分ほど待ってからDへ（頭の位置を変えずに体だけ）。
- ややうつむき加減に静かに体全体を起こしてEで1分ほど待つ。
- 以後A→Bでめまいが誘発されなければ成功。
  （誘発されればもう一度だけ試みてよいが、患者の同意を得ること）。

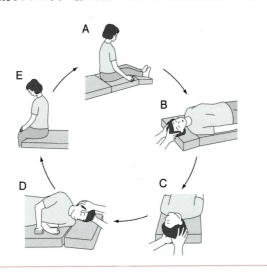

▶ メニエール病は急性のvertigo発作（悪心を伴って数時間持続することが多い）を繰り返しながら、患側の感音性聴力低下（低音域から低下するのが特徴）が進行していくもので、巷では過剰に「診断」されていることが多い。治療には減塩食、利尿薬・抗ヒスタミン薬を用いるが、耳鼻科医にフォローしてもらう。

2 椎骨脳底動脈循環障害（小脳・脳幹卒中）

- 生命予後・機能予後の観点から真っ先に除外されなければならない疾患群である。
- 急性発症のめまいが、高齢者や心血管疾患リスクを持つ者に起こった場合には、たとえ次に述べる神経学的症候がはっきりしなくても、椎骨脳底動脈循環障害を強く疑い、発症48〜72時間後に冠状断を加えた脳幹小脳MRIを撮るのが無難である。蝸牛症状がなく、MRIが陰性であれば、内耳動脈の枝である前庭動脈の虚血であるという解釈もできる。
- 脳幹症状の4D'sのいずれか、またはHorner徴候、顔面神経麻痺あるいは錐体路症候を伴った場合は早急にMRIを撮る。
- 後頭痛を伴った場合、小脳出血を除外するために後頭蓋窩を狙ったCTを至急撮り、小脳出血が判明すれば、速やかに脳外科医に知らせる。

3 耳毒性薬物

- アミノグリコシド系薬、VCM、シスプラチンには腎毒性および耳毒性がある。聴力障害のみのこともあるが、前庭機能障害も起こり得る。腎障害が先にあると耳障害も来しやすい。
- ループ利尿薬では大量投与あるいは急速静注時に可逆性の急性障害が起こり得る。

不安定性（dysequilibrium）

1 小脳・脳幹・前頭葉障害

- 緩徐に進行するふらつき・不安定性・平衡機能障害（すなわちdysequilibrium）や歩行障害をみたら、小脳・脳幹・前頭葉の腫瘍・変性疾患・慢性虚血あるいは炎症を疑い、神経学的所見をとりMRIを撮る。
- 小脳橋角部の腫瘍は片側の感音性難聴（特に蝸牛後性）とdysequilibriumを来すことが多く、急性のvertigoを起こすことはまれである。

2 薬剤性
- 抗てんかん薬、インドメタシン、ミノサイクリンがふらつきを来すことがある。
- 抗てんかん薬投与中のふらつきは過剰投与の可能性があるので、血中濃度を測定する。
- 高齢者ではインドメタシン投与は避けたほうがよい。
- ミノサイクリンによるふらつきは中年女性に多い傾向がある。

3 脊髄後索・末梢神経（特に深部知覚）障害
- 神経梅毒、糖尿病、ビタミン欠乏症、銅欠乏症、アルコール性神経障害、アミロイドーシスなどによる脊髄後索や末梢神経障害のせいで深部知覚・固有知覚の障害があると、加重の掛かり方、関節の角度や筋肉の収縮・伸展情報が小脳や大脳に正しく伝わらずdysequilibriumを来すことになる。

その他

不安定性（dysequilibrium）
- 随伴症状によって、
  ①視力左右差・白内障による視覚情報の撹乱
  ②頸椎症・頸筋過緊張（Barré-Lieou症候群：頸部外傷後の頸部交感神経過敏症、を含む）による頸部からの固有知覚の乱れ
  ③パーキンソン症候群による姿勢反射障害
  ④神経症・うつ病による不定愁訴
  などを鑑別する必要が出てくる。

前失神（presyncope）（📁13章「失神」参照）
- 迷走神経反射、長期臥床によるdeconditioning（身体調節機能異常）、過換気症候群も一般的な鑑別疾患である。

Dr. Tierney's Clinical Pearls

With dizziness, a cause is usually not found ; in vertigo it usually is.

浮動性めまいでは原因がわからないことが多いが、回転性めまいではみつかることが多い。

[参考文献]
1) Daloff RB. Dizziness and Vertigo. Harrison's Principles of Internal Medicine, 17th ed. New York, McGraw-Hill, 2008.
2) Evaluation of Dizziness. Primary Care Medicine, 6th ed. Philadelphia, Lippincott Williams & Wilkins, 2009.
3) Chawla N, Olshaker JS. Diagnosis and management of dizziness and vertigo. Med Clin North Am 2006 ; 90 : 291-304.
4) Ponka D, Kirlew M. Top 10 differential diagnoses in family medicine: vertigo and dizziness. Can Fam Physician 2007 ; 53 : 1959.
5) Willis GC. Dr.ウィリス ベッドサイド診断. 東京, 医学書院, 2008.

16章 視力障害

Impaired Vision

訴えの定義

- 「眼がみえにくい」「眼がぼやける」「眼がかすむ」という訴えで受診する患者は、視力障害を意味していることが多いが、視野欠損、複視、羞明、閃輝性暗点、飛蚊症、色覚変化を意味していることもあるので、どうみえにくいか詳しく聞き出す。
- 本章では無痛性に視力障害を来す疾患を取り上げる。角膜疾患や急性緑内障発作など痛みを伴った視力障害は赤い眼を伴うことがほとんどのため、17章「結膜充血」に譲る。

見逃してはならない疾患・病態

血管（閉塞）

1 網膜中心動脈閉塞症（CRAO） **2 巨細胞性動脈炎（側頭動脈炎）** **3 虚血性視神経炎** **4 網膜中心静脈閉塞症（CRVO）、網膜静脈分枝閉塞症（BRVO）**

網膜・ぶどう膜

1 網膜剥離 糖尿病性網膜症 高血圧性網膜症 後部ぶどう膜炎

硝子体

1 硝子体出血

視神経

1 球後視神経炎 虚血性視神経症 薬剤性・化学性障害（エタンブトール、メタノール） ビタミン欠乏症 緑内障 腫瘍の浸潤 外部からの圧迫

頭蓋内

1 頭蓋内病変（視交叉〜後頭葉視中枢までの病変）

- 近視自体に緊急性はないが、成人してからの近視の進行をみた場合、白内障の発症や糖尿病による急な血糖の変動を一度は除外すべきである。
- 一般に急激に視力低下を来す疾患はすべて緊急を要するものと考

えるべきであるが、それらの鑑別には局所解剖学的なアプローチを行い疾患を想起すればよい。

急性および慢性視力障害を来す疾患

	急性視力障害を来す疾患	慢性視力障害を来す疾患
屈折・調節異常		近視・遠視・乱視, 老視
眼圧異常	急性狭隅角緑内障発作	(視野欠損) 開放隅角緑内障
角膜疾患	角膜炎, 角膜潰瘍	角膜瘢痕, 円錐角膜
虹彩毛様体疾患	虹彩毛様体炎 (前部ぶどう膜炎)	
水晶体疾患	(単眼複視) 水晶体脱臼	白内障
硝子体疾患	硝子体出血	硝子体剝離
ぶどう膜疾患	後部ぶどう膜炎	
網膜疾患	網膜剝離, 黄斑出血	黄斑変性, 網膜色素変性症
循環障害	巨細胞性動脈炎, 網膜中心動 (静) 脈閉塞症	
視神経疾患	視神経炎, 虚血性視神経症	視神経萎縮
頭蓋内疾患 (複視, 視野欠損)	脳動脈瘤, 脳出血・脳梗塞, 一過性皮質盲	頭蓋内腫瘍, 弱視, 心因性

病歴聴取のポイント

1) 眼症状の詳細＋随伴症状

▶次の点を明らかにする。
①急性か、慢性（緩徐進行性）か
②両眼か、片眼か
③視野のどこか
④どの程度の視力低下か
⑤眼痛・頭痛を伴うか
⑥神経症状を伴うか
⑦発熱、寝汗、体重減少を伴うか
⑧眼の充血、眼脂の増加を伴うか
⑨外傷（物理的・化学的）があったか

2) 患者背景

▶次の点を確認する。
①高血圧、糖尿病、脂質異常症、喫煙の有無

②心血管疾患の既往
③一過性黒内障の既往
④血液疾患、血栓症の既往
⑤眼科疾患の既往
⑥視覚障害の家族歴
⑦職業歴

身体診察のポイント

▶ 次の点に注意して診察を行う。

[バイタルサイン] 高血圧、心房細動の有無
[頭頸部ほか] 側頭動脈の視・触診、眼周囲・眼瞼の観察
① 頸動脈bruit、心雑音の有無
② 視力検査（痛みがあるときは局所麻酔薬点眼をしてでも行う。眼鏡はあればかけて）
　　簡易視力検査：ピンホールのぞきで改善すれば近視
　　　　　　　　0.1未満なら、指数弁＞手動弁＞光覚弁
③ 結膜・強膜・角膜の観察
④ 前眼房・瞳孔の観察：左右不同、Marcus-Gunn瞳孔の有無
⑤ 直像眼底鏡検査
⑥ 神経学的所見：瞳孔反射、EOM、対座視野検査
▶ なお、眼圧測定・細隙灯・倒像眼底鏡検査は原則として眼科医に委ねる。

MEMO

Marcus-Gunn瞳孔

relative afferent pupillary defect（RAPD）とも呼ばれ、片側に視神経病変がある際、健側の眼に光を入れたときに縮小していた瞳孔が直後に患側の眼に光を入れた際に拡大してくる現象を指す。

MEMO

眼底検査
- 無散瞳でも直像鏡で視神経乳頭とその周囲（＋乳頭径の2倍まで）は観察できるよう練習を重ねる必要がある。
- 散瞳薬を用いる際、50歳以上で遠視であったり高眼圧の既往があれば、眼圧上昇を招くかもしれないので要注意。
- 眼底鏡でまずred reflection確認→水晶体・硝子体の透光性がわかる。
- 次の各病変の有無に注意を払う。

    乳頭：乳頭浮腫→脳圧亢進、乳頭炎、虚血性視神経症、血液疾患
    （静脈拍動消失、乳頭の生理的陥凹〈cup〉消失が先行する）
    乳頭萎縮→進行した視神経病変
    cup/disc比が①≧0.6、②≧0.5で縦長、または③左右差≧0.2
    　→緑内障を疑って眼圧測定・精密視野検査を行う

    血管：Scheie H1～4 S1～4→高血圧性眼底
    微小動脈瘤、血管新生→糖尿病性網膜症など
    Hollenhorst plaque→アテローム塞栓

    網膜：出血（火炎状＝浅層、丸いしみ状＝深層）、白斑（軟性、硬性）
    　→高血圧性眼底、糖尿病性網膜症、血液疾患、血管炎
    Roth斑→感染性心内膜炎（IE）、血液疾患、血管炎
    結節・偽白斑→腫瘍、肉芽腫、感染症

検査のポイント

▶ 眼科的検査（倒像眼底鏡、隅角鏡、蛍光眼底検査など）は専門的であるため、眼科コンサルトにて必要に応じて行われる。

▶ 神経学的画像検査（眼窩・脳CT/MRI）は、外傷・異物、腫瘍・炎症などの占拠性病変、脳血管障害を疑う場合にオーダーする。

▶ 内科的検査：①ESR、側頭動脈生検、②凝固亢進状態・過粘度症候群の精査、③動脈硬化リスクの精査

見逃してはならない疾患・病態の解説

▶ 一般に、急性視力障害と眼外傷は、至急、眼科コンサルトを行う。

▶ 飛蚊症は硝子体剥離・収縮によるものが多いが、一部は網膜剥離であったり硝子体出血であったり、眼内炎であったりするため、遅くとも初診翌日には眼科コンサルトを行う。

- 黄斑変性、広隅角緑内障が疑われたり、視力左右差が強い場合、高齢者・糖尿病患者は近日中に眼科受診すべきである。

血管（閉塞）

1 網膜中心動脈閉塞症（CRAO）
- 高齢者で片眼性・無痛性の視力低下が突然発症したときに疑う。
- 心原性あるいは大動脈・頸動脈原性の網膜中心動脈塞栓による。一過性黒内障が前駆する場合がある。
- 眼底鏡にて網膜全体が薄黄色にみえ、黄斑部のみが赤橙色に目立つcherry red spotとなる。
- 患側はMarcus-Gunn瞳孔となる。
- 疑った場合、①眼球マッサージ（5秒圧迫、5秒解除を繰り返す）、②95% O_2 + 5% CO_2吸入または紙袋再呼吸、③ダイアモックス®500mg ivを開始し、至急眼科コンサルトを行う。

2 巨細胞性動脈炎（側頭動脈炎） （11章「頭痛」〈146頁〉参照）
- 比較的高齢者の慢性頭痛の重要な鑑別疾患である。治療開始が遅れると、一過性黒内障からCRAOや虚血性視神経症を来して失明に至ることがある。
- 患側はMarcus-Gunn瞳孔となるのもCRAOと同様である。

3 虚血性視神経症
- 視神経を養う動脈の循環障害による視神経の梗塞で、炎症型は巨細胞性動脈炎や大動脈炎に続発し、非炎症型は高血圧、糖尿病、脂質異常症など動脈硬化のリスクファクターがある患者に発生する。
- 梗塞であるので、症状は3〜4日以内に完成する。
- 一般に非炎症型のほうが軽く、上半分あるいは下半分の水平半盲の形をとることがある。
- 視神経乳頭部近くで梗塞が起こると（前部虚血型）眼底鏡で乳頭浮腫が観察されるが、後部虚血型であると初期には眼底は正常にみえる。

4 網膜中心静脈閉塞症（CRVO）、網膜静脈分枝閉塞症（BRVO）

- 高血圧の中高年者で、急速な無痛性の視力低下を来し、眼底鏡にて網膜静脈の怒張や視神経乳頭から放射状に広がる広範な火炎状出血をみたらCRVOを考える。
- CRVOではベースに凝固亢進状態・過粘度症候群があり得るので精査する。
- 高血圧の中高年者で、急速な無痛性の視野欠損を来し、眼底鏡にて細動脈硬化所見と部分的な火炎状出血をみたらBRVOを考える。

網膜・ぶどう膜
1 網膜剥離

- 強度近視、眼の手術後、頭部外傷後の患者に、急性の飛蚊症、光視症が起こり、視野欠損や視力低下を来したときに疑う。
- 病変が黄斑部に近ければ、直像眼底鏡で網膜の挙上・波うち・弁状裂孔がみえる。

硝子体
1 硝子体出血

- 突然「墨を流したような影」による飛蚊症を来した場合に疑う。量が多いか黄斑部の近傍なら霧視や視力低下を訴えることもある。
- 糖尿病性網膜症などで網膜新生血管が破綻して起こることが多いが、くも膜下出血や強いいきみによる急激な静脈圧上昇がきっかけになることもある。
- 網膜剥離を合併していることもある。

視神経
1 球後視神経炎

- 比較的若い患者が動眼痛（眼球を動かすと眼の奥が痛む）を伴い、1週間ほどで進行する片眼の視力低下を訴えた場合に疑う。
- 視神経脊髄炎（NMOあるいはDevic病）の初発症状として現れることもしばしばある。

- 進行すれば、患側はMarcus-Gunn瞳孔となる。
- 脱髄の特徴として、入浴や運動など体温が上昇した際に視力障害が悪化することもある。
- 虚血性視神経症と同様、病変が比較的前方にあると視神経乳頭浮腫を来すことがあるが、後方だと初期には眼底はまったく正常にみえる。
- MRIによって腫大して造影を強く受ける視神経が描出される。
- ステロイドパルス療法は短期予後を改善することが示されている。

頭蓋内
1 頭蓋内病変(視交叉〜後頭葉視中枢までの病変)
- 視力低下というより半盲(視交叉では両耳側半盲、視索以降では同名半盲あるいは四半盲)という形で現れる。
- 急性なら脳卒中、緩徐進行性なら脳腫瘍などの占拠性病変を考える。
- 妊娠子癇・心血管造影後・頭部外傷後に一過性の後頭葉血流障害としての皮質盲を来すことあるが、心因性とは異なりMRIでも一過性の後頭葉病変が描出される(可逆性後部白質脳症〈RPLS〉📁14章「けいれん発作」〈182頁〉参照)。

その他

加齢黄斑変性
- 高齢者で中心視野に暗点や歪み(変視症)を来した場合に疑う。
- Amsler grid(方眼紙の中心の格子に点を打ってあるもの)を用いると患者には格子が中心近くで歪んでみえる。
- 眼底検査では黄斑部に浮腫や出血がみられる。

白内障
- 程度の差こそあれ、加齢に伴いほぼ必発といえ、初老期以降に霧視やグレア(光の散乱による眩しさ)が起こってきた場合に疑うが、中年以降に近視が進行するときも疑うきっかけとなる。
- 加齢以外のリスクファクターとして、糖尿病、ステロイド使用、

紫外線曝露などがある。
- 若年者ではアトピー性皮膚炎、筋緊張性ジストロフィー、ダウン症、Alport症候群に伴う白内障に注意する。

Dr. Tierney's Clinical Pearls

Visual loss is an emergency when it is : 1) transient, 2) unilateral, 3) associated with risk factors for atherosclerosis, and 4) if polymyalgia proceeds it.

視力障害は、①一過性である、②片側性である、③動脈硬化のリスクを持っている、④多発筋痛症が先行している、ときに緊急性がある。

A complaint of bilateral blindness of abrupt onset with preserved pupillary responses is likely hysterical in origin.

急に両眼がみえなくなったという訴えに際し瞳孔反射が保たれている場合は、ヒステリーが疑わしい。

[参考文献]
1) D Horton JC. Disorders of the Eye. Harrison's Principles of Internal Medicine, 17th ed. New York, McGraw-Hill, 2008.
2) Evaluation of Impaired Vision. Primary Care Medicine, 6th ed. Philadelphia, Lippincott Williams & Wilkins, 2009.
3) 阿部春樹. 視力障害. メディカルノート 症候がわかる. 新潟, 西村書店, 2007.
4) 沖波 聡. 視力障害, 視野異常. 必修化対応 臨床研修マニュアル. 東京, 羊土社, 2003.
5) Willis GC. Dr.ウィリス ベッドサイド診断. 東京, 医学書院, 2008.

17章 結膜充血

Red Eye

訴えの定義

- 「眼が赤い」という訴えはプライマリケアのセッティングで最もよく遭遇する眼科的問題である。
- 通常は眼科を受診するが、夜間救急外来で遭遇することも少なくない。なかには失明のリスクがある疾患が隠れている。視力障害、眼痛を伴う場合は緊急に眼科コンサルトが必要になることが多い。

見逃してはならない疾患・病態

1 急性閉塞隅角緑内障 **2** 結膜炎 **3** 角膜炎 **4** 強膜炎・上強膜炎 **5** ぶどう膜炎 **6** 眼窩蜂窩織炎 **7** ムコール症 **8** レプトスピラ症

病歴聴取のポイント

- 「眼が赤い」患者で念頭に置くことは、第一に「失明させない」こと、そして「他人にうつさない」ことである。
- 前者で重要なのは視力障害や眼痛の有無である。これらがある場合は早急に眼科コンサルトを行う。後者では同様の症状を有する人との接触の有無が重要となる。

身体診察のポイント

- 最も重要なのは視診である。瞳孔の異常や充血の分布などを詳細にチェックする。以下に結膜充血と毛様充血の鑑別点を示す。

結膜充血と毛様充血の鑑別

	結膜充血	毛様充血
充血の部位	円蓋部から球結膜周辺部	輪部中心
色調	鮮紅色	紫紅色
眼脂	伴うことが多い	伴わないことが多い
血管収縮薬への反応	充血の軽減・消失	変化なし

- また、眼瞼結膜の充血で濾胞が目立ち、耳介前部リンパ節腫脹がある場合はウイルス性結膜炎を強く疑う。
- ほかに眼脂が多く濾胞が目立つ場合にはクラミジア感染を考える。クラミジア感染でも耳介前部リンパ節腫脹は来し得る。

検査のポイント

- 細隙灯検査や眼圧測定など、眼科に特有の検査が有用である。
- 眼脂のグラム染色、細菌・ウイルス培養、クラミジアやアデノウイルスの抗原検査で病原体を同定できることがある。
- 眼窩蜂窩織炎やムコール症などを疑う場合には頭部CTやMRIを撮る必要がある。

red eyeを来す疾患の特徴 (参考文献1より改変)

	結膜炎	表層性角膜炎	強膜炎	閉塞隅角緑内障	ぶどう膜炎
充血	結膜充血	結膜充血	局所性orびまん性	毛様充血	毛様充血
分泌物	あり	あり(感染性の場合)	なし	なし	あっても少量
瞳孔	変化なし	二次性のぶどう膜炎を起こせば縮瞳	二次性のぶどう膜炎を起こせば縮瞳	中等度の散瞳。対光反射は鈍or消失	縮瞳し対光反射は鈍化
眼痛	なし	中等度〜高度	中等度〜高度	中等度〜高度	中等度
視力	変化なし	中等度〜重度の低下	低下することもある	重度の低下	軽度〜中等度の低下
角膜	透明	混濁	まれに辺縁不明瞭	混濁	混濁することもある

見逃してはならない疾患・病態の解説

1 急性閉塞隅角緑内障

- 中高年の女性に多く、頭痛、眼痛、視力障害、悪心・嘔吐、腹痛などを伴う。
- 眼症状よりも頭痛や悪心・嘔吐を主訴に来院する場合も多い。瞳孔は軽度散大し、対光反射は鈍あるいは消失する。しばしば角膜混濁もみられる。
- 疑えば眼科コンサルトを行い、可能であれば眼圧(多くの場合で発作時は40mmHg以上となる)を測定し、細隙灯で隅角を評価する。
- 眼科コンサルトまでに時間がかかる場合は以下のように対応する。

急性閉塞隅角緑内障の初期対応

- 点眼薬：コリン作動薬（2%ピロカルピン）15分ごと
- 浸透圧利尿薬：20%マンニトール（2.5～10mL/kg）30～60分かけて
- 炭酸脱水酵素阻害薬：アセタゾラミド（500mg）内服もしくは静注

  上記を行いつつ、眼科医をコールする。

2 結膜炎

- 機序より細菌性、ウイルス性、アレルギー性に分類できる。
- 注意すべきはウイルス性結膜炎、なかでもアデノウイルスによる流行性角結膜炎（EKC）は非常に感染力が強いため、常に念頭に置く必要がある。病歴では接触歴の有無が重要であり、結膜充血のほか眼脂の増量、鼻汁などの上気道症状、眼の違和感を訴える。アデノウイルス迅速検査の結果にかかわらず、疑われる場合は感染拡大防止に留意する。
- 細菌性結膜炎では膿性の眼脂が特徴であり、特に起床時には開眼が困難になることもある。眼脂のグラム染色が有用である（特に淋菌性結膜炎）。いずれも眼脂は濃いが、細菌性結膜炎では結膜の濾胞は目立たず、クラミジア感染では目立つ。
- 鼻汁やくしゃみ、眼瘙痒感などを伴う両側性の結膜充血で、瞼板結膜に濾胞があればアレルギー性と判断できる。EKCでは片側の充血発症後24～48時間で対側に広がるが、アレルギー性では初期から両側の充血を呈する。

3 角膜炎

- 感染、ドライアイ、外傷、紫外線、コンタクトレンズ使用、点眼薬の副作用などさまざまな原因で表層性角膜炎が起きる。
- 眼痛、流涙、異物感、羞明、視力障害、薄い眼脂などを伴う。角膜は混濁し、フルオレセイン染色で角膜の障害を検出することで診断できる。
- 細菌性・真菌性・アメーバ性、単純ヘルペスや帯状疱疹などでは、

放置すれば角膜潰瘍・穿孔となり失明する危険もあるため、眼科コンサルトが必要となる。

4 強膜炎・上強膜炎

► 背景に関節リウマチなどの結合織疾患があり、眼痛を伴う場合に疑う。重症の場合、視力障害を伴うこともある。
► 充血は局所的もしくはびまん性となる。多くの場合で瞳孔所見に異常はないが、二次性のぶどう膜炎を合併している場合は縮瞳する。
► ステロイドの全身投与が必要であり、眼科コンサルトを行う。

5 ぶどう膜炎

► 膠原病や感染症などの全身疾患を背景とし、片側性の眼痛や羞明、視力障害を伴う場合に疑う。
► 眼所見は毛様充血に加え前房蓄膿、縮瞳、対光反射の鈍化がみられる。肉眼あるいは細隙灯検査で前房蓄膿を検出することで診断できる。
► ぶどう膜炎の原因は多岐にわたる。以下に原因疾患を示す。

ぶどう膜炎を起こす疾患

- 感染症
    細菌性:梅毒,結核,ブルセラ症,Lyme病,ネコひっかき病,レプトスピラ症など
    ウイルス性:CMV,EBV,HSV,HIVなど
    真菌性:アスペルギルス,カンジダ,ヒストプラズマ,クリプトコッカスなど
    寄生虫・原虫:アカントアメーバ,トキソプラズマなど
- 膠原病・全身性疾患
    Behçet病,サルコイドーシス,SLE,反応性関節炎,強直性脊椎炎,潰瘍性大腸炎,Crohn病,原田病など
- 悪性腫瘍
    悪性リンパ腫,白血病など

6 眼窩蜂窩織炎

► 先行する副鼻腔炎、眼外傷、眼部の手術歴があり、発熱、眼痛、

- 視力低下、複視、頭痛などを伴う場合に疑う。
- 多くの場合で発熱があり、眼窩周囲の発赤・腫脹・熱感、眼瞼腫脹、眼球突出、眼球運動制限を来す。
- 疑えば画像検査（頭部CT、MRI）を行う。詳細な評価のために冠状断や矢状断が有用である。放置すれば髄膜炎や海綿静脈洞血栓症を来し得るので、血液培養検体採取後に髄液移行のよい抗菌薬（セフトリアキソン、セフォタキシムなど）を投与し、速やかに感染症専門科にコンサルトを行う。

7 ムコール症

- 背景にコントロール不良の糖尿病、HIVなどの免疫不全状態があり、黒色鼻汁、鼻閉感、頭痛、頬部の感覚低下、視力障害を伴う。頭蓋内に波及すれば意識障害を伴うこともある。
- 身体診察では眼瞼浮腫、眼球運動障害、鼻腔・口蓋の黒色痂皮、眼球突出を認める。
- 急速に進行するため、疑った場合は頭部CTもしくはMRI撮影し感染症専門科にコンサルトを行う。

8 レプトスピラ症

- げっ歯類や家畜の尿で汚染された可能性のある淡水への暴露（水泳、ラフティングや洪水）があってから1〜2週間の後に、レプトスピラ血症相として、3〜7日持続する発熱、強い頭痛、筋肉痛と眼脂を伴わない結膜充血suffusionを来す。結膜下出血になることもしばしばある。
- このときには、腹痛、嘔吐、下痢などの消化器症状、咳、呼吸困難などの呼吸器症状、一過性皮疹も来し得る。
- 1〜3日の無症状期間の後に、レプトスピラ尿症相（免疫相）として、臨床的には軽いが、微熱や無菌性髄膜炎やぶどう膜炎を来すこともある。
- 約10％では重症化し、発症4〜9日後に黄疸、肝脾腫、腎不全、血管炎による出血を来す（Weil病）。

その他

結膜下出血
- 軽微な外傷の自覚の有無にかかわらず、微小血管が破綻することで生じる。
- ほとんどが無症状であり、鏡をみたとき、あるいは他人に指摘されてはじめて斑状の出血に気づくことが多い。通常2週間以内に自然に消失する。

Dr. Tierney's Clinical Pearls

The red eye is usually innocent ; it is not when gastrointestinal or articular symptoms are also present, as uveitis rather than conjunctivitis may be the cause.

眼の充血はたいてい無害であるが、消化器症状や関節症状を伴っていたらそうではない。なぜなら、結膜炎ではなくぶどう膜炎かもしれないからである。

[参考文献]
1) Leibowitz HM. The red eye. N Engl J Med 2000 ; 343 : 345-51.
2) Deborah SJ. Evaluation of the red eye. UpToDate.
3) Ansdell VE. Leptospirosis. The travel and Tropical Medicine Manual. 4th Ed. 2008.

18章 聴覚障害

Hearing Loss

訴えの定義

► 患者本人の自覚による「聞こえにくい」「耳が塞がった感じ」「耳鳴り」のみならず、家族など周囲の人から、高齢者なら「耳が遠い」「声が大きい」「テレビの音を大きくする」「反応が鈍い」から「ぼけてきた」まで、また幼児なら「言葉が遅い」「言語が不明瞭」との訴えで聴覚障害が疑われることがある。

見逃してはならない疾患・病態

► 聴力障害をまず伝音性〈conductive〉(外耳の閉塞機転、あるいは中耳の閉塞・破壊機転)か、感音性〈sensorineural〉(蝸牛の破壊・機能不全〈cochlear〉、あるいは聴神経～聴神経核～聴覚中枢の破壊・機能不全〈neural/post-cochlear〉)かに分類することから鑑別が始まる。またそれぞれに急性発症か緩徐進行性かで鑑別が異なる。

伝音性難聴
[急性] **1** 悪性外耳道炎　**2** 合併症を伴う中耳炎
[慢性] **3** 上咽頭腫瘍(癌・リンパ腫)

感音性難聴
[急性] **1** 急性迷路炎・突発性難聴　**2** 外傷　**3** 脳幹血管障害
[亜急性・再発性] **4** メニエール病　**5** 多発性硬化症　**6** Cogan症候群
[慢性] **7** 小脳橋角部腫瘍(聴神経鞘腫など)・脳幹腫瘍

病歴聴取のポイント

1) 症状の詳細
   ①急性か、再発進行性か、慢性(緩徐進行性)か
   ②両耳か、片耳か

③どの程度の聴力低下か
④耳鳴、めまいを伴うか
⑤耳痛・耳漏、発熱・頭痛・頸部痛を伴うか
⑥顔面の神経症状を伴うか
⑦外傷(音圧外傷も含む)があったか

2) 随伴症状

①迷路症状(回転性めまい〈vertigo〉、悪心・嘔吐)、②頭痛、③発熱、④耳痛、耳漏、⑤神経学的欠落症状、⑥眼症状

3) 患者背景

①高血圧、糖尿病、脂質異常症、喫煙、不整脈の有無
②先行する感染症の有無
③薬剤使用歴(アミノグリコシド系、シスプラチン)
④耳疾患・髄膜炎の既往
⑤大音量曝露歴(事故、職業、趣味)
⑥聴覚障害の家族歴
⑦出生時の異常(低体重、仮死、核黄疸、奇形)

MEMO

耳鳴について

7割に感音性難聴、2割に伝音性難聴を伴う。耳鳴の性質によって次のように原因や病態が推定できることがある。

・自覚的 vs 他覚的(聴診器を当てるなどして観察者にも聴取可能なものに血管由来、筋由来、関節由来の「耳鳴」がある)
・高音性(「キーン」「シャー」など;感音性難聴を伴うことがある) vs 低音性(「ブーン」など;伝音性・感音性いずれの難聴も伴い得る)
・持続性 vs 拍動性*(「ザッ、ザッ」など;血管性を疑える) vs クリック音(「カチッ」「コリッ」など;関節由来、筋由来を疑える)

*拍動性耳鳴(pulsatile tinnitus)なら、glomus腫瘍、動静脈奇形、動脈瘤、頭蓋内圧亢進を疑う。

身体診察のポイント

1）バイタルサインほか
▶ 高血圧、心房細動、血管雑音の有無

2）頭部
▶ 耳介・乳様突起の視診、耳介牽引痛の有無、耳鏡検査（後述）。
　注意：成人で片側慢性の中耳炎や耳管狭窄が疑われたら→上咽頭の視診を加える。

3）神経学的所見
▶ 第Ⅴ・第Ⅶ脳神経もチェックする。

4）簡易聴力検査
▶ 話しかけてもきょとんとしていたり、いい加減に返事する場合、難聴の存在を予測する。その際、本人が大声で話しがちだと感音性難聴を、反対に（自分の声が響かないように）静かに話していると伝音性難聴の存在を疑う。会話のできない乳幼児ではBOAでチェックする。

① (背部の診察時などに) 後ろから「右手を挙げて」と囁くと反応しない→両側難聴あり

② 静かな部屋で6m離れて囁き声が聞き取れない（片耳ずつ）→その耳に難聴あり

③ 半定量：
　30cmで囁き声が聞き取れない→30dB以上の難聴あり
　30cmで話し声が聞き取れない→60dB以上の難聴あり（これ以上は感音性）
　耳介に接して大声がいる→80dB以上の難聴あり

④ 左右差→音叉（低音）、指の擦り合わせや時計のクリック音（高音）を用いて
　注意：微妙な低下は自分の耳と比較して

⑤ Weber試験、Rinne試験→伝音性 vs 感音性

⑥ Loudness recruitment現象、tone decay現象→蝸牛性 vs 後蝸牛性

> M E M O
>
> ### 乳幼児に対するbehavioral observation audiometry（BOA）
> ・30cm離れてコピー用紙を揉んで（1～4kHz/30～40dB）で振り向くか
> ・1m離れて鈴を鳴らして（4kHz～/60dB）で振り向くか

> M E M O
>
> ### loudness recruitment現象、tone decay現象
> ・音が小さいときは聞こえないが、聴力閾値を超えたとたんに急激に大きな音を感じることを（音量）補充現象（loudness recruitment）といい、感音性難聴でも蝸牛障害を示唆する。
> ・電気髭剃り器のような一定の音をようやく聞こえる程度で聞かせていると、1分以内に聞こえなくなる現象をtone decayといい、感音性難聴でも蝸牛より奥、すなわち聴神経や脳幹の病変（acoustic neuromaなど）を示唆する。

5）耳鏡検査

①外耳道
- 耳垢、異物、外骨腫、浮腫の有無をチェックする。
- 外耳道炎：swimmer's/surfer's ear、真菌症、悪性外耳道炎（緑膿菌）

②鼓膜
- 発赤・膨隆→急性中耳炎
- 液面・水疱→滲出性中耳炎
- 出血性水疱→ウイルス、マイコプラズマ
- 陥凹→耳管機能↓
- 灰白色→瘢痕
- 穿孔（中心性→小さければ予後良、周辺性→真珠腫に注意）
- 中耳側に赤い結節→glomus腫瘍

検査のポイント

1）オージオメトリー
- 診察で難聴の存在を疑った場合、これで定量的に記録することができる。気導と骨導との比較から伝音性か感覚性かの区別や、難聴のパターンから疾患や病態の推定ができる。

2）ティンパノメトリー
- 鼓膜や中耳の状態を調べることができる。

3）画像検査
- 耳CT：耳小骨、迷路、骨侵食の有無をみる。
- 脳MRI：聴神経腫、脳幹脳血管障害、血管異常、多発性硬化症病変の有無をみる。

4）神経学的検査
- 聴性脳幹反応（ABR）：蝸牛から大脳聴覚野に至るどのレベルに異常があるかがわかる。脳波を用いた客観的検査で、乳幼児の難聴の確認や脳死の判定にも用いられる。

見逃してはならない疾患・病態の解説

伝音性難聴

1 悪性外耳道炎
- 糖尿病を持つ比較的高齢者に起こる外耳道炎で、頭蓋底の骨髄炎を合併するため、痛みは激しく、進行すれば患側の脳神経麻痺（おもに末梢性顔面神経麻痺）を伴う。
- 外耳道炎一般にいえることだが、中耳炎とは異なり、耳介の明らかな牽引痛を伴う。
- 起因菌はほとんどの場合、緑膿菌である。

2 合併症を伴う中耳炎
- 乳様突起炎、Bezold膿瘍、S状静脈洞血栓症、細菌性髄膜炎、脳膿瘍が合併症として起こり得る。
- 鼓膜の発赤・膨隆、耳漏、発熱といった通常の急性中耳炎の症候以外に、耳介後方の膨隆、頭痛、意識障害、脳神経麻痺といった

症候や重症感がある場合に疑い、眼底鏡にてうっ血乳頭のチェックに続き、頭部画像検査や髄液検査を行う。
► 強力な抗菌薬治療を中心とした厳重な管理を行う。

3 上咽頭腫瘍（癌・リンパ腫）
► 成人発症の片側伝音性難聴で、耳鏡にて滲出性中耳炎所見や鼓膜の陥凹をみたら、一度は間接喉頭鏡あるいは内視鏡で上咽頭の観察を行う。
► 喫煙や大量飲酒といった咽頭癌のリスクを持った患者ではなおのことである。

感音性難聴
1 急性迷路炎・突発性難聴
► 特にきっかけなく3日以内に完成する片側の急な感音性難聴を来した場合、突発性難聴と考える。迷路症状（回転性めまいなど）を伴った場合、急性迷路炎と呼ばれることもある。
► 片耳が塞がったような感じから始まる場合も、ある朝起きたら聞こえなくなっていたという場合もある。蝸牛症状として同時に耳鳴を伴うことは多い。
► 梅毒のような感染症やCogan症候群のような自己免疫疾患がごく一部に同定されることもあるが、ほとんどの場合「特発性」であり、ウイルス感染や免疫反応、内耳（特に蝸牛部分）への急性血流障害が想定されているのは、めまいが主訴となった場合の前庭神経炎の説明と似ている。
► 治療は2週間以内に終了する経口ステロイドの投与である。

2 外傷
► 頭蓋底骨折その他の頭部外傷が聴力障害を合併することがある。
► 聴力障害に関しては、頭部外傷以外に、すぐ近くでの爆発音などによる音圧外傷も想起すべきである。

3 脳幹血管障害

- 血管障害であるため急性発症であり、心血管障害のリスクを持った患者に発生しやすい。
- 聴力障害のみで発症することはほとんどなく、第Ⅷ脳神経核は橋最下部背外側に位置するため、他の神経症候（構語障害、嚥下障害、小脳失調など）を伴う場合に疑う。

4 メニエール病 （📂15章「めまい」〈190頁〉参照）

5 多発性硬化症

- 15～50歳で発症し、視神経炎など多彩な神経学的巣症候が多相性に増悪と寛解を繰り返す場合に多発性硬化症を考えるが、神経症状の1つとして感音性（後蝸牛性）難聴が起こることがある。

6 Cogan症候群

- 比較的若い成人が、眼症状（間質性角膜炎、結膜炎、上強膜炎・強膜炎、ぶどう膜炎による）を伴って、感音性難聴（大半は両側性）を来したときに疑う。
- 自己免疫による血管炎とされ、大動脈の炎症を伴うこともある。
- 早期に十分量のステロイドで治療を開始しないと、感音性難聴は高度で不可逆となってしまう。

7 小脳橋角部腫瘍（聴神経鞘腫など）・脳幹腫瘍

- 緩徐に発症した感音性難聴が、老人性難聴のように両側性でなく片側性に起こっているときに疑う。顔面神経など他の脳神経障害や小脳失調を伴えばなおのことである。
- 聴神経鞘腫は緩徐に増大するため、感音性（後蝸牛性）難聴に加えて、vertigoよりはむしろ小脳失調による不安定性dysequilibriumを来しやすい。
- まれながら両側に聴神経鞘腫をみた場合はvon Recklinghausen病の2型を疑う。

その他

真珠腫（cholesteatoma）
▶ 慢性中耳炎の一種で、鼓膜の上皮が鼓室に入り込み骨を侵食しながら増殖するため、患側に伝音性難聴を来す。進行すれば顔面神経麻痺を来すこともある。
▶ 耳鏡検査でオカラのような肉芽組織を認める。治療は手術しかない。

職業性難聴
▶ 騒音性難聴の1つで、C5-dipと呼ばれる4,000Hzを中心とした障害に始まるが、進行するとさらに高音域でも聴力が落ちてくる両側性感音性難聴であり、予防が大切である。

加齢変化
▶ 高齢者に緩徐に進行する両側性感音性難聴をみた場合、大多数はこれである。高音域を中心とした聴力が低下し、会話識別能が落ちる。高音性の耳鳴を同時に訴えることも多い。

Dr. Tierney's Clinical Pearls

One third of the population has tinnitus ; one worries only if it is associated with hearing loss, and especially vertigo.

人口の1／3は耳鳴を経験している。心配なのは聴力低下や特に回転性めまいを伴っている場合である。

With "abrupt" unilateral hearing loss, look in the ear canals before embarking on an expensive evaluation ; the cause may be cerumen impaction !

急に片耳が聞こえなくなったと訴えられても、高価な検査に乗り出す前に外耳道を覗いてみること。耳垢が詰まっているだけかもしれない！

[参考文献]

1) Lalwani AK. Disorders of Smell, Taste and Hearing. Harrison's Principles of Internal Medicine, 17th ed. New York, McGraw-Hill, 2008.
2) Evaluation of Hearing Loss. Primary Care Medicine, 6th ed. Philadelphia, Lippincott Williams & Wilkins, 2009.
3) Rauch SD. Idiopathic sudden sensorineural hearing loss. N Engl J Med 2008 ; 359 : 833-40.
4) Willis GC. Dr.ウィリス ベッドサイド診断. 東京, 医学書院, 2008.

19章 鼻出血

Epistaxis

訴えの定義

- 鼻出血のうち前方出血は間違うことがないが、後鼻孔に流れると、吐血・喀血、黒色便と紛らわしくなり得る。後方出血は「血の味がする」「血のにおいがする」と表現されることもある。

見逃してはならない疾患・病態

1 血液疾患（白血病、血小板異常、凝固因子異常）　**2** 血管異常　**3** 肉芽腫性疾患　**4** 耳鼻咽喉科領域の悪性腫瘍　**5** 若年性鼻咽頭血管線維腫　**6** 鼻中隔穿孔　**7** 薬剤性（アスピリン、ワルファリンなど）

- 全身性出血傾向の一症状としての鼻出血である場合と、局所要因による鼻出血のうちで重症化しやすいものを覚えておく。

鼻出血の原因

局所性原因	全身性原因
・鼻粘膜乾燥	・高血圧
・外傷（鼻いじり，鼻かみ，異物を含む）	・出血傾向
・副鼻腔炎	血小板異常（数，機能）
・刺激物吸引，コカイン乱用	凝固因子異常（先天性，後天性）
・吸入ステロイド頻用	血管異常（HHT/OWR，EDS，壊血病）
・異常血管，若年性鼻咽頭血管線維腫	薬剤性（アスピリン，ワルファリンなど）
・鼻中隔彎曲＋びらん	
・鼻中隔穿孔	
・肉芽腫（症）	
・腫瘍（ポリープ，悪性腫瘍）	

HHT：遺伝性出血性末梢血管拡張症
OWR：Osler-Weber-Rendu病（＝HHT）
EDS：Ehlers-Danlos症候群

病歴聴取のポイント

1）症状の詳細＋随伴症状
①頻度、量、持続時間、発症年齢、季節
②きっかけ（鼻いじり、強い鼻かみ、いきみ）
③他の鼻咽喉症状の有無
④他の出血傾向の有無、すなわち歯肉出血、皮下出血（点状なら血小板、斑状なら凝固因子の異常をまず考える）、喀血、血尿、血便、月経過多

2）患者背景
①外傷歴・鼻の手術歴、②薬剤使用歴（点鼻・吸入薬も）あるいは乱用歴、③喫煙歴・飲酒歴、④慢性肝疾患・慢性腎疾患・高血圧の既往歴、⑤アレルギー歴、⑥職業・趣味（特に化学物質・粉塵への曝露歴）、⑦出血性疾患の家族歴

身体診察のポイント

1）バイタルサイン
▶ 起立性低血圧あるいは頻脈、高血圧の有無をチェックする。

2）頭頸部
▶ 患者には座位＋前かがみ姿勢をとらせ、自分は血を浴びないよう標準予防策をとって診察すること。
▶ 特に次の点に気をつけて診察する。
　①貧血の有無、粘膜出血の有無
　②鼻鏡検査（止血処置後）→鼻汁・粘膜の観察、出血源の同定
　③血性の後鼻漏の有無
　④副鼻腔炎症候の有無
　⑤頸部リンパ節腫脹の有無

3）全身の皮膚
▶ 出血斑、血管拡張の有無をチェックする。

4）直腸診
▶ 便潜血の有無を確認する。

5）その他

▶ 黄疸、クモ状血管腫、手掌紅斑、女性化乳房、腹壁静脈怒張、肝脾腫、腹水、精巣萎縮などの肝硬変症を示唆する身体所見にも気を配る。

検査のポイント

▶ 鼻出血の量・頻度が著しいとき、広範囲のoozingや複数の出血点があるとき、全身性の出血傾向があるとき、血液疾患の存在を疑うときに次をオーダーする。
①CBC・末梢血スメア、出血凝固系
②輸血に備えた血液型判定と交差試験（Type & Cross）
③画像検査（副鼻腔炎、腫瘍）

見逃してはならない疾患・病態の解説

1 血液疾患（白血病、血小板異常、凝固因子異常）

▶ 皮下出血（点状、斑状）、歯肉出血、消化管出血、月経過多、筋肉内出血、関節内出血など、他の部位の出血傾向を伴っている場合に、これらの全身性疾患を考える。

▶ 現疾患は何であれ、播種性血管内凝固症候群（DIC）を起こしていても同様のことが起こり得る。

▶ 貧血や発熱を伴う場合は白血病を疑うが、鼻出血が初発症状となることはまれである。

▶ 血小板数も大切であるが、数が正常でも先天性（von Willebrand病を含む）や後天性（腎不全や抗血小板薬による薬剤性）に血小板機能が低下して出血傾向を来すことがある。

▶ von Willebrand病では、幼少時から繰り返す鼻出血が初発症状となることが多い。

▶ 凝固因子異常にも、先天性（血友病やフィブリノゲン異常症など）と後天性（肝硬変症、凝固因子インヒビターによる後天性血友病、ワルファリンによる薬剤性）があることに注意する。

- 肝硬変患者の「吐血」で、上部消化管内視鏡で出血源が認められなければ、嚥下した鼻出血も疑う。

2 血管異常
- 血管の拡張や脆弱性から、やはりこれも全身性の出血傾向の一症状としての鼻出血を来すものに、先天性ではHHT（Osler-Weber-Rendu病）とEhlers-Danlos症候群があり、後天性では壊血病（ビタミンC欠乏症）がある。
- 先天性血管異常の場合も、幼少時から繰り返す鼻出血が初発症状となることが多い。
- 血小板数が正常であるのに、毛細血管脆弱性試験（Rumpel-Leede試験）が陽性なら、血小板機能異常か血管異常を考える。

3 肉芽腫性疾患
- 副鼻腔炎が鼻出血あるいは血性鼻汁を来すことは珍しくないが、上強膜炎、結節性肺陰影、糸球体性血尿・蛋白尿、丘疹性出血斑のいずれかを伴った場合は多発血管炎性肉芽腫症（GPA）を疑って、C-ANCA（PR3-ANCA）を測定する。
- 他に鼻出血を来し得る肉芽腫性疾患として、結核、梅毒、侵襲性真菌症、サルコイドーシスがあるが、まれである。

4 耳鼻咽喉科領域の悪性腫瘍
- 慢性副鼻腔炎を持つ中高年者に、片側性の悪臭を伴う鼻漏や鼻出血が続くときに上顎癌の発生を疑う。骨を破壊して前方に進展すると頬部が腫脹し、上方に伸展すると複視や眼球突出が起こる。
- 中高年男性で、片側の滲出性中耳炎とともに反復する鼻出血をみたら上咽頭癌を疑う。EBVの関与（VCA-IgA高値）が示唆され、特に中国人に好発する。無痛性の硬めの頸部リンパ節腫脹を伴えば転移の可能性が高い。海綿静脈洞に浸潤すると三叉神経や外転神経の麻痺を来す。
- 上顎癌、上咽頭癌ともに扁平上皮癌で、喫煙が発生リスクを上げる。

- ▶ 悪性リンパ腫（鼻型NK/T細胞リンパ腫）はアジア人に多いとされ、これもEBVの関与が示唆されている。血管壁を侵して壊死や潰瘍を伴いやすいため、発熱とともに鼻出血を伴うことが多い。

5 若年性鼻咽頭血管線維腫

- ▶ 思春期の男性で、片側の反復する鼻出血と進行性の鼻閉があるときに疑う。
- ▶ 中高年の上咽頭癌と同じく、耳管開口部閉塞による患側の滲出性中耳炎を合併することもある。
- ▶ まれな良性腫瘍であるが、眼窩や海綿静脈洞に進展したり、大出血を来すこともある。
- ▶ 間接喉頭鏡や内視鏡で上咽頭に充血した表面平滑な腫瘍を認める。
- ▶ 腫瘍血管塞栓術＋手術が必要である。

6 鼻中隔穿孔

- ▶ 鼻腔の診察時に鼻中隔穿孔を認めた場合、鼻出血の特殊な原因として表のような疾患を鑑別する。
- ▶ 血痂などで貫通した中隔が直接観察できなくても、反対側の鼻腔から光を入れると徹照されることで穿孔の存在が明らかになることがある。

鼻中隔穿孔の鑑別

- ・外傷：顔面外傷，手術
- ・膠原病・血管炎：SLE，リン脂質抗体症候群，クリオグロブリン血症，全身性硬化症，混合性結合組織病，悪性関節リウマチ，乾癬性関節炎，再発性多軟骨炎
- ・肉芽腫症：多発血管炎性肉芽腫症，サルコイドーシス
- ・感染症：結核，梅毒，感染した血腫
- ・腫瘍：非ホジキンリンパ腫，癌
- ・化学物質誘発性：コカイン吸入乱用，ステロイド噴霧頻用，ボタン電池迷入，クロム中毒

7 薬剤性（アスピリン、ワルファリンなど）

► アスピリン、オザグレル、トラピジル、プロスタグランジン製剤、チクロピジン、クロピドグレル、ジピリダモール、シロスタゾール、サルポグレラートなどの抗血小板薬や、ヘパリン、ワルファリン、合成Xa阻害薬、抗トロンビン薬などの抗凝固薬使用は、いずれも鼻出血のリスクを高める。

処置

1）前方鼻出血の場合

► 座位・多少うつむきで、
　①軽く鼻をかんでもらう
　②ボスミン0.1%・キシロカイン4%ガーゼ挿入
　③10〜15分軟骨部を圧迫
　④ガーゼをそっと取り除き、止血していれば軟膏塗布
　⑤止血していなければ、鼻鏡で出血源確認
　　（②を再挿入してさらに5分圧迫してからのことも）
　⑥硝酸銀10%を綿棒につけて出血源を注意深く焼灼（〜30秒）後、軟膏塗布。あるいはサージセル®使用
　⑦これでもだめなら、packing（耳鼻科医に登場願ってでも）

2）後方鼻出血の場合

► 大量出血になりやすく、止めにくいため、耳鼻科医をコールする。
　①患者は座位でうつむきに
　②静脈ライン確保、トランサミン®投与可
　③採血、Type & Cross
　④入院手続きを進めつつ、
　⑤Foleyカテーテル（10〜14Fr）を用いた後方balloon（生理的食塩水10ml）packingまたは、耳鼻科医による内視鏡下直接焼灼

患者指導

1）予防

　①鼻をさわらない、強くかまない、いきまない

②乾燥させない（加湿、軟膏）
③爪は短く切る
2）**再び出血したときは**
①慌てず、頭を高くしてややうつむいて圧迫
②ワセリンベースの軟膏ガーゼ・綿球を詰める
③アスピリンやワルファリンはとりあえずやめる
④1時間しても止まらなければ受診を

Dr. Tierney's Clinical Pearls

Epistaxis is never the solitary manifestation of a bleeding disorder.

出血傾向が鼻出血だけということは決してない。

Epistaxis may be seen during emotional arousal including sexual activity : there is erectile tissue in nasal mucosa.

性交などで情動的に興奮しているときに鼻血が出ることがあるが、これは鼻粘膜に海綿性の組織があるからである。

［参考文献］

1) Kucik CJ, Clenney T. Management of epistaxis. Am Fam Physician 2005 ; 71 : 305-11.
2) Approach to Epistaxis. Primary Care Medicine, 6th ed. Philadelphia, Lippincott Williams & Wilkins, 2009.

20章 嗄声

Hoarseness

訴えの定義

▶ 嗄声は声の音質の病的変化で喉頭の障害によって出現する。「声がかれる」「声がかすれる」「声が低くなった」「声が出にくい」の訴えには、まず失語や構音障害でないことを確認しておく必要がある。

見逃してはならない疾患・病態

緊急性

1 喉頭蓋炎・深頸部感染症（扁桃周囲膿瘍、後咽頭膿瘍、Ludwig angina、Lemierre症候群〈敗血症性頸静脈血栓性静脈炎〉など） **2** 喉頭異物・異物誤嚥 **3** 血管浮腫・アナフィラキシー、熱傷・化学損傷 **4** 喉頭外傷（挫傷、脱臼、骨折、神経損傷） **5** 大動脈解離

非緊急性

1 咽喉頭頸部の腫瘍（咽喉頭癌、甲状腺腫瘍） **2** 胸腔内腫瘍（肺癌、食道癌、縦隔腫瘍）、心血管病変（大動脈瘤、Botallo管開存、肺高血圧症） **3** 粘液水腫、末端肥大症 **4** 慢性喉頭炎・喉頭潰瘍（結核、梅毒、ジフテリア、真菌症、サルコイドーシス、多発血管炎性肉芽腫症〈GPA〉、関節リウマチなど） **5** 喉頭アミロイドーシス **6** 薬剤性嗄声（吸入ステロイド、抗コリン薬、抗凝固薬など）

▶ 緊急を要する疾患・病態は急性かつ突然発症のもので、気道閉塞を来す可能性があり注意が必要である。
▶ ただし、緊急度は疾患名よりも咽喉頭痛、呼吸困難、嚥下困難の重症度、身体所見上の全般的印象（重症感）、意識変容、急迫状態（呼吸・苦痛）、冷汗、stridor（吸気時喘鳴）、流涎の有無とバイタルサインの異常で決まる。

- 日常診療で最も多いのは、急性ウイルス性上気道炎や声の使いすぎによる一過性の嗄声であり、これは声帯の安静を保てれば通常2週間以内で自然軽快する。
- したがって、緊急を要する疾患以外で見逃してはならない疾患の嗄声は、2週間を超えて持続するものと考えればよい。

病歴聴取のポイント

- 嗄声は、通常喉頭局所の疾患をまず疑うが、これが否定されれば胸郭内疾患を含む反回神経麻痺を疑う。
- 喉頭局所の疾患では炎症性か腫瘍性（良性か悪性）かを鑑別する。

1）症状の詳細＋随伴症状

- 症状持続期間、発症パターン（急性、緩徐）、発症の誘因（感冒や上気道炎、咳嗽発作、誤嚥、声音酷使、薬剤変更、有害物質やアレルゲンへの曝露、外傷）、増悪や軽快因子（声帯の安静による軽快）、嗄声以外の随伴症状（鼻汁、鼻閉、胸やけ、呼吸苦、嚥下困難、発熱、咳嗽、血痰、脱力・麻痺）の有無を聞き出す。

2）患者背景

①喫煙歴→喉頭癌やポリープ様声帯のみならず、肺癌の浸潤による反回神経麻痺
②急激な声音酷使→声帯のポリープや血腫
③歌手、カラオケ趣味など慢性の声音酷使→声帯結節
④気管外傷、気管内挿管の既往→外傷性声帯麻痺
⑤甲状腺・頸部・胸部の手術既往→反回神経麻痺
⑥パーキンソン病や神経筋疾患→発声異常
⑦乳腺症、子宮筋腫、卵巣嚢腫などに対する男性ホルモン・蛋白同化ホルモンの投与歴→男性化を示唆
⑧薬剤使用歴→声帯の萎縮・乾燥・炎症など

身体診察のポイント

- 間接喉頭鏡あるいは喉頭内視鏡で、咽喉頭の粘膜と声帯の形態および運動を直接観察するのが基本であるが、それ以前にある程度

- 息もれ嗄声は声帯が完全に閉じない状態であるので、爆発的な咳が不可能となる。声帯溝症や反回神経麻痺が疑われる。
- 最長発生持続時間の測定（エーやアーをできるだけ長く発声させる）も鑑別に役立つ。正常なら12〜15秒以上持続できるが、できなければ、肺活量低下か声門機能不全のいずれかがあり、前者が否定できれば反回神経麻痺や声帯溝症を考える。
- 反回神経麻痺を疑った場合は、その走行経路に発生する腫瘍や炎症性疾患を考えて、それらがとり得る他の徴候を探しにいく（例：肺癌によるHorner症候群）。
- 性別や年齢に合致しない声は男性化の特徴であり、声帯の形態、運動には異常はみられない。さらに、極端に強すぎる、または弱すぎる声は、心因性の異常が疑われ、やはり声帯の形態、運動には異常はみられない。

検査のポイント

- 喉頭内視鏡により直接炎症や腫瘍を発見することができ、生検も可能である。
- 頸部や胸部・縦隔の単純X線・CTで反回神経を圧迫している腫瘤を検出する。

見逃してはならない疾患・病態の解説

緊急性

1 喉頭蓋炎・深頸部感染症（扁桃周囲膿瘍、後咽頭膿瘍、Ludwig angina、Lemierre症候群〈敗血症性頸静脈血栓性静脈炎〉など）（27章「嚥下障害」〈291頁〉参照）

- 突発性の気道閉塞や窒息を来す可能性や、敗血症を合併していることがあるので見逃してはならない。
- 急性喉頭蓋炎は喉頭蓋が細菌感染などにより著しく腫脹する。嗄声に加え、発熱、ひどい咽喉頭痛、嚥下痛と嚥下困難などを訴える。呼吸困難が随伴すれば、窒息の危険性があるため気道確保の

救急処置が必要になる。
- ▶ 身体所見では、座位で嗅ぎ込み位を好み、頭部前屈や臥位では呼吸困難が悪化、高熱、流涎、頸部腫脹、頸部にstridorを聴取する。
- ▶ 検査所見では、頸部軟X線側面像や喉頭内視鏡で喉頭蓋腫脹を認める。
- ▶ 深頸部感染症では、頸部造影CTによる膿瘍・蜂窩織炎像や頸静脈血栓像を認める。膿瘍ドレナージと強力な抗菌薬療法が必要である。

2 喉頭異物・異物誤嚥（ 22章「呼吸困難」〈247頁〉参照）
- ▶ 小児や高齢者に多くみられ、魚類の骨などの異物が原因となる。突然発症の嗄声や発声障害に加え、犬吠様咳、呼吸困難を訴える。
- ▶ 窒息の危険性があるので気道確保を優先する。緊急時には異物除去用の器具がなければ、異物除去のため胸下部圧迫法やHeimlich法を試みる。

3 血管浮腫・アナフィラキシー、熱傷・化学損傷
- ▶ 食物摂取や薬剤服用、化学物質誤嚥、火傷の後、急速に嗄声が出現した際に疑い、呼吸困難が加わると重症である。アレルゲン曝露後では皮膚瘙痒感、蕁麻疹、腹痛、下痢などが生じる。
- ▶ 化学物質の誤嚥では嗄声に加え、胸骨下痛、嚥下痛や嚥下困難などの誤飲による食道炎症状がある。
- ▶ 火傷後は、嗄声に加え気道熱傷や肺水腫による呼吸困難、血性泡沫状の喀痰が出現する。顔面火傷や焦げた鼻毛などの所見を認める。
- ▶ 喉頭、食道、気道の病変は内視鏡により診断するが、喉頭浮腫の増強や食道穿孔などの可能性もあるので注意が必要である。

4 喉頭外傷（挫傷、脱臼、骨折、神経損傷）
- ▶ 挫傷による喉頭障害の程度と嗄声の程度は、必ずしも比例せず、嗄声が強くなくても障害が高度のこともある。嗄声以外に喉頭痛、呼吸困難、血痰がある。

- ▶脱臼は、喉頭全体が舌骨とその周囲組織から離脱する場合と輪状披裂関節脱臼があり、骨折を伴いやすい。
- ▶骨折の好発部位は甲状軟骨上角と前上方部、輪状軟骨の弓部板状部間である。高度の嗄声から失声となり、前頸部の激痛、咳発作、喀血を伴う。迷走神経損傷によるショック、皮下気腫、呼吸不全を合併すると予後不良である。
- ▶反回神経の外傷により高度の嗄声が生じる。原因の約半分は甲状腺手術による損傷である。

5 大動脈解離 （📂23章「胸痛」〈259頁〉参照）

非緊急性
1 咽喉頭頸部の腫瘍（咽喉頭癌、甲状腺腫瘍）
- ▶喉頭癌は男性、喫煙者に多く、特に声帯癌は早期から嗄声を生じ、頑固で進行性であり、咳嗽、ときに血痰を伴う。進行期にはstridorが出現する。
- ▶中・下咽頭癌では嗄声以外に長期間持続する咽頭痛、嚥下障害を伴う。喫煙者のみならず、大酒家もハイリスクである。
- ▶甲状腺癌、転移性リンパ節腫瘍などが反回神経に浸潤すると嗄声が出現する。

2 胸腔内腫瘍（肺癌、食道癌、縦隔腫瘍）、心血管病変（大動脈瘤、Botallo管開存、肺高血圧症）
- ▶肺癌、食道癌、胸腺癌などが直接反回神経に浸潤すると嗄声を生じる。縦隔の左側や左肺の病変で生じやすい。
- ▶胸部大動脈瘤、Botallo管開存、肺高血圧による肺動脈拡大などが反回神経を圧迫すると嗄声を生じる。血管圧迫による嗄声は間欠的であることがある。

3 粘液水腫、末端肥大症
- ▶粘液水腫ではムコ多糖類が声帯や咽頭組織に沈着し、嗄声や巨大

症状持続期間と感染症による咳嗽比率 (参考文献1)

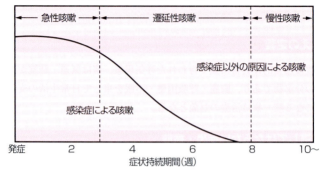

1) 急性咳嗽 (3週間以内の咳)

▶ 急性咳嗽の原因疾患と遷延性・慢性咳嗽の原因疾患の初期が含まれる。

▶ 急性咳嗽の原因疾患を、①胸部X線検査で異常を認める重篤な疾患、②胸部X線検査で異常を認めない場合の感染性疾患、③遷延性から慢性咳嗽の原因疾患の初期、④健常成人ではまれな疾患に分類する。

急性咳嗽の原因 (参考文献1より一部改変)

- 胸部X線検査で異常を認める重篤な疾患
    心血管系疾患:肺血栓塞栓症, 心不全
    感染症:肺炎, 胸膜炎, 肺結核
    悪性腫瘍:原発性・転移性肺腫瘍
    免疫アレルギー的機序:各種間質性肺疾患
    気胸
- 胸部X線検査で異常を認めない場合の感染性疾患
    普通感冒, 急性気管支炎, 百日咳, インフルエンザウイルス感染, 慢性気道疾患急性増悪, 急性副鼻腔炎, RSウイルス感染, ヒトメタニューモウイルス感染
- 遷延性・慢性咳嗽の原因疾患の初発
    気管支喘息, 咳喘息, アトピー咳嗽, Reactive airway dysfunction syndrome (RADS), 副鼻腔炎, GERD, ACE阻害薬による薬剤性咳嗽
- 健常成人ではまれな疾患
    誤嚥, 気道内異物など

- 喀痰を伴う急性咳嗽には、心血管系疾患、感染症、悪性腫瘍、誤嚥、気道内異物が含まれる。
- 急性咳嗽を呈する原因疾患の診断は、胸部X線検査が重要であるが、その他、喀痰細菌検査・細胞診、呼吸機能検査、血清抗体検査、気管支内視鏡検査などにより行う。

2) 遷延性・慢性咳嗽

- 遷延性咳嗽の原因疾患として頻度が高いのはかぜ症候群後の感染後咳嗽であり、慢性咳嗽の原因疾患として頻度が高いのは、咳喘息、アトピー咳嗽、副鼻腔気管支症候群の3大疾患である。
- さらに亜急性細菌性副鼻腔炎、マイコプラズマ感染症・百日咳・結核などの感染症、GERD、後鼻漏症候群、慢性気管支炎、間質性肺炎、サルコイドーシス、過敏性肺炎、気管支喘息、気管支腫瘍・異物、ACE阻害薬などによる薬剤性が続く。頻度は不明であるが、喉頭アレルギー、巨細胞性動脈炎、心因性・習慣性咳嗽などもある。
- これらの疾患のなかで、喀痰を伴う咳嗽には、副鼻腔気管支症候群、後鼻漏症候群、慢性気管支炎、結核、腫瘍・異物、気管支喘息による気管支漏が含まれる。

MEMO

咳喘息、アトピー咳嗽、副鼻腔気管支症候群の鑑別

- 湿性咳嗽であれば副鼻腔気管支症候群を疑い、去痰薬や14、15員環マクロライド系抗菌薬にて治療的診断を行う。
- 乾性咳嗽であれば、咳受容体感受性の測定(カプサイシンなどの咳誘発物質の吸入により惹起される咳の回数により咳受容体の感受性を判定する)により、正常であれば咳喘息、亢進していればアトピー咳嗽を疑う。咳喘息を疑えば、気道過敏性の測定(メサコリンなどの気管支収縮物質を低濃度から順次濃度を上げて吸入させ、気管支収縮を生じる閾値を判定する)をすることになるが、これらの検査が行えない医療機関では、咳喘息を疑えば気管支拡張薬による治療的診断を行う。気管支拡張薬が無効であればアトピー咳嗽を疑い抗ヒスタミン薬による治療的診断を試みる。吸入ステロイドは咳喘息にもアトピー咳嗽にも有効である。

見逃してはならない疾患・病態の解説

1 肺塞栓症 （📁22章「呼吸困難」〈249頁〉、📁1章「ショック」〈42頁〉参照）

2 緊張性気胸 （📁22章「呼吸困難」〈249頁〉、📁1章「ショック」〈42頁〉参照）

3 心不全 （📁2章「全身倦怠感」〈46頁〉、📁22章「呼吸困難」〈251頁〉参照）

4 肺炎・胸膜炎

- 微生物を含む起炎物質により引き起こされる肺・胸膜の炎症で、多くは経気道的に吸入されることで発症する。
- おもな症状は、咳・痰、血痰のほか、発熱・倦怠感、頭痛、食欲不振・嘔吐で、病原体によっては下痢も伴い得る。激しい咳によって筋骨格を損傷したり、胸膜・心外膜に炎症が波及すると胸痛も訴える（前者では局所的圧痛も認める）。重症化すると呼吸困難や意識障害を来す。
- 身体所見では、病期よって粗～微細crackles、喘鳴、胸膜摩擦音などの異常音を聴取するが、肺野における気管支呼吸音の増強のみでcracklesの聴取されない肺胞浸潤もあることに留意する。胸水が貯留すると、呼吸音低下や声音浸透の低下とともに、打診上濁音を認める。
- 胸部X線所見では、気管支透亮像を伴う浸潤陰影が典型像であり、胸膜炎を合併すると胸水貯留像が出現する。
- 病因診断は、喀痰・気管支肺胞洗浄液や胸水中の菌検出や、尿中抗原（肺炎球菌、レジオネラ）、血清中の抗原や抗体価上昇、真菌感染症では肺組織における病原体特有の組織像を証明することが必要になる。日常臨床では、検体採取以前の抗菌薬投与によって起炎菌を証明できない例も多く、その場合は抗菌薬による治療

的診断に頼らざるを得ない。

5 急性間質性肺炎（AIP） （📁22章「呼吸困難」〈248頁〉参照）

6 肺結核
▶肺結核は、結核菌により引き起こされる肺感染症で、排菌患者からの喀痰中の飛沫核を経気道的に吸入することで感染する。
▶おもな症状は、発熱、咳・痰、血痰、喀血、寝汗、全身倦怠感であり、胸膜炎を合併すると胸痛を訴えることがあるが、このなかで重要なのは3週間以上続く咳の存在である。
▶胸部X線所見の進展例では、肺尖部の散布性陰影を伴う空洞病変が典型像であり、初期像では、細気管支をとり囲む小葉中心性に散布する細葉性陰影（tree-in-bud）がみられ、胸膜炎を合併すると胸水貯留像が出現する。免疫機能の低下した高齢者、糖尿病やAIDS患者では空洞陰影は呈さないことが多く、一般細菌性肺炎に似ることがあるので注意が必要である。
▶診断は、喀痰・気管支肺胞洗浄液や胸水中の結核菌検出や、肺組織における結核特有の組織像を証明することにあるが、排菌を認めない例も多く、抗結核薬による治療的診断に頼らざるを得ないことも多い。

7 肺癌
▶肺癌は呼吸器系から発生する癌で、喫煙や石綿吸入などが原因となる。組織型から小細胞肺癌と非小細胞肺癌（腺癌、扁平上皮癌、大細胞癌）に分類され、治療法や予後が異なる。
▶健康診断や他疾患などで胸部X線検査を受けた際に発見されるが、咳・痰、血痰、胸痛、腕・肩痛、顔面腫脹、呼吸困難などの症状出現をきっかけに発見されることも多い。
▶中枢側気管支に発生・進展した早期癌では、初期は慢性咳嗽のみでX線検査では異常を呈さないこともあり、喫煙者における血痰などを契機に疑えば、喀痰細胞診（3日間集痰法など）で検出する。

その他

咳喘息
- 喘鳴や呼吸困難を伴わない咳が8週間以上持続し、聴診上も喘鳴を認めないが、気道過敏性は亢進しており、吸入ステロイドや気管支拡張薬が有効である。
- 喀痰や末梢血好酸球増多、吸気NO濃度上昇を認めることがある。経過中3割が定型的喘息へ移行するといわれている。

アトピー咳嗽
- アトピー素因のある中年女性に多い非喘息性好酸球性気道炎症で、喀痰中に好酸球を認める。気道過敏性は亢進していないが、咳感受性は亢進している。気管支拡張薬は無効であるが、抗ヒスタミン薬やステロイドは有効である。約半数で再燃を認めるが、一般に喘息への移行はない。

副鼻腔気管支症候群
- 後鼻漏、鼻汁や咳払いなどの副鼻腔炎の症状と画像所見がある。14、15員環マクロライド系抗菌薬や去痰薬が有効である。

後鼻漏症候群
- 夜間に多い湿性咳嗽で、内視鏡などで後鼻漏が確認できる。プロトンポンプ阻害薬や気管支拡張薬は無効であり、副鼻腔炎を合併していればその治療を行うが、合併がない例は抗ヒスタミン薬やステロイド点鼻で治療する。

百日咳
- グラム陰性小桿菌である*Bordetella pertussis*の感染症で、飛沫感染し、潜伏期間は約7日間である。
- 2歳以下の小児ではカタル期の後、特有の発作性・連続性咳嗽（staccato）と吸気性笛声（whoop）を呈するが、成人ではwhoopは少ないものの、咳発作を伴う遷延性咳嗽の原因として近年注目

されており、成人期でも再感染が多いことが示唆される。
- 小児では著明なリンパ球増多を示すが、成人ではまれにしかみられない。
- 診断は喀痰や鼻咽頭粘液のBordet-Gengou培地での百日咳菌培養（ただしカタル期のみ陽性となり得る）、後鼻腔拭い液DNA（LAMP法）、抗百日咳菌IgM・IgA抗体や、抗PT-IgG抗体（EIA）による。PT抗体値は単回でも＞100EU/mLであれば最近の感染があったと推定できる。
- マクロライド系薬が第1選択薬で、症状発現より1週間後に投与開始しても本人の咳は軽減しないが、周囲への拡散を防ぐ効果はあるため投与が推奨される。

胃食道逆流症（GERD）（📁26章「胸やけ」〈287頁〉参照）
- 慢性の咳が胸やけ、呑酸を伴えばこれを疑う。
- 内視鏡的に食道裂孔ヘルニアや逆流性食道炎の所見を伴うこともあるが、伴わないこともある。胃食道逆流の存在は食道pHモニターで証明できる。
- 抗菌薬、抗ヒスタミン薬、気管支拡張薬や吸入ステロイドは無効で、プロトンポンプ阻害薬は有効ゆえ、治療的診断が可能である。

ACE阻害薬による薬剤性咳嗽
- 高血圧の治療薬で、気道のブラジキニン、サブスタンスPの分解を阻害する結果、これらが咳受容体を刺激する。女性に多い。
- 薬剤中止で咳が概ね2週間以内に消失するが、気管支拡張薬では改善しない。

職業性あるいは環境因子による咳嗽
- 発症環境を離れると咳嗽が消失し、戻ると再発することを繰り返し、気道閉塞を伴わない場合がこれに当たる。
- 免疫学的機序（暴露から発症まで2カ月〜数年）と非免疫学的機序（同2週間以内）が想定されており、農林畜産に関連する大

豆・トウガラシ・キノコ胞子や浮遊エンドトキシンの吸入による症例が報告されている。

Dr. Tierney's Clinical Pearls

In a hypertensive patient with cough, ask first about medications ; a dry cough occurs in 30% of persons receiving ACE inhibitors.

咳を伴う高血圧患者では、まず服用薬剤について聞く。ACE阻害薬服用中の患者の30％に乾性咳が起こる。

Cough may be the only symptom of asthma ; sometimes bronchodilators are diagnostic.

咳は気管支喘息の唯一の症状であることがある。その場合、気管支拡張薬が診断的となる。

[参考文献]
1) 日本呼吸器学会咳嗽に関するガイドライン作成委員会 編. 咳嗽に関するガイドライン. 東京, 日本呼吸器学会, 2005；第2版 2012.
2) 日本咳嗽研究会/アトピー咳嗽研究会. 慢性咳嗽の診断と治療に関する指針 2005年度版. 金沢, 前田書店, 2006.
3) 咳・血痰・喀血. ハリソン内科学 第5版. 東京, メディカル・サイエンス・インターナショナル, 2017.
4) 藤村政樹 編. 慢性咳嗽を診る. 大阪, 医薬ジャーナル社, 2002.

22章 呼吸困難

Dyspnea

訴えの定義

▶ 呼吸困難とは大脳皮質が「呼吸を不快に意識」する<u>自覚症状</u>を指すが、日常診療上は観察者の見た目で「努力呼吸」の他覚所見も含めて両者を呼吸困難と呼んでいる。いずれにしろ、呼吸不全の有無とは必ずしも一致しない。

見逃してはならない疾患・病態

1 異物誤嚥、血管浮腫（喉頭浮腫）、喉頭蓋炎などの急性胸郭外気道閉塞　**2** 気管支喘息重積発作、閉塞性細気管支炎などの急性胸郭内気道閉塞　**3** 広範な肺感染症や誤嚥、非心原性肺水腫、急性間質性肺炎（AIP）、急性呼吸窮迫症候群（ARDS）などの肺病変　**4** 肺血栓塞栓症　**5** 緊張性気胸、血気胸などの胸膜病変　**6** ボツリヌス中毒、Guillain-Barré症候群、重症筋無力症（MG）などの神経筋疾患　**7** 心筋梗塞、心筋炎、重症弁膜症、心タンポナーデなどの心疾患　**8** 重症貧血などの血液疾患　**9** 敗血症や重症の代謝性アシドーシスを来す全身性疾患

▶「呼吸の不快感覚」「努力呼吸」の見た目に基づく呼吸困難の程度には個人差があるが、これらの患者群は危険な疾患を持っていることが多く、異常な呼吸困難をみつけるためには医療者は五感を働かせることが重要である。

▶ ERや病棟での危険な呼吸困難を見分けるには、呼吸困難の発症経過と随伴症状、呼吸数や呼吸パターンなどの身体所見、動脈血ガス分析などの検査所見に着目する。

▶ 呼吸困難の発症経過には急性、亜急性、慢性があり、鑑別すべき疾患が異なる。

▶ 急性発症の呼吸困難、および慢性経過にあった呼吸困難の急性増悪は直ちに対応が必要である。慢性呼吸困難や繰り返す呼吸困難は、一般に数時間〜数日の余裕があるが、努力呼吸を伴う重症の

呼吸困難は慢性あるいは労作時性でも直ちに対応が必要である。

病歴聴取のポイント

▶ 呼吸困難の訴え方そのもので、ある程度原因を推定できる場合がある。
　①胸が詰まる感じ、圧迫される感じは、喘息や心筋虚血を疑う。
　②呼吸に努力を要する感じ、空気が足りない感じは、気道狭窄、肺や胸郭のコンプライアンス低下、呼吸筋力の低下を示唆するため、喘息・COPD、肺水腫・肺線維症、神経筋疾患を疑う。
　③促迫した浅い呼吸は、肺や胸郭のコンプライアンス低下や呼吸筋力の低下を示唆するため、間質性肺疾患、びまん性胸膜・胸壁疾患、神経筋疾患を疑う。

▶ 随伴症状によって次のような疾患を考える。
　①意識障害（興奮、失見当識、傾眠）、けいれん、ろれつが回らない→中枢神経障害や神経筋疾患
　②胸痛→心・肺疾患
　③嘔吐、吐血などの消化器症状→誤嚥性肺疾患、重度貧血
　④唾液が飲み込めないなどの嚥下機能障害→喉頭蓋炎や神経筋疾患
　⑤声が出ない、単語ごとに言葉が途切れるなどの発声・会話障害
　　→喉頭蓋炎や喘息発作

身体診察のポイント

▶ 呼吸数、呼吸パターンによって次のような疾患を考える。
　①呼吸数が30〜40回の頻呼吸→大葉性肺炎、AIP、ARDS、肺塞栓症などの気道狭窄を伴わない急性肺疾患の初期
　②呼吸数が約30回までの頻呼吸→敗血症、サリチル酸中毒、代謝性アシドーシスで生じるKussmaul呼吸、気管支喘息重積発作などの呼気延長を伴う急性気道狭窄疾患の初期
　③呼吸数が12回以下の徐呼吸→麻薬中毒、中枢性呼吸障害、神経筋疾患、甲状腺機能低下症など。麻薬中毒と中枢性呼吸障害は呼吸困難を訴えない。

④Cheyne-Stokes呼吸、持続性呼息呼吸、群発呼吸、失調性呼吸
→いずれも中枢性呼吸障害でみられるが、Cheyne-Stokes呼吸は心不全、小児、高齢者でもみられることがある。いずれも呼吸困難は訴えない。
⑤狭窄型呼吸（stridor〈吸気時喘鳴〉や喘鳴を伴い、吸気や呼気の延長がある）→喉頭や気道系の閉塞性障害。呼吸補助筋を使用した呼吸（努力呼吸）、陥没呼吸、奇異性呼吸もみられる。
⑥速く浅い呼吸（呼吸促迫）→気道系に閉塞性障害はないが、肺実質・肺血管障害、代謝障害、貧血、神経筋障害などでみられる。
⑦ブロック型呼吸→気道系に閉塞性障害はないにもかかわらず、吸息が途中で痛みによりブロックされ、十分に吸息できない。心外膜炎・胸膜炎時に出現する。
▶ その他の身体所見からは、以下のような疾患を考える。
⑧発汗、チアノーゼ、皮膚冷感・湿潤などショック徴候→心筋梗塞、心筋炎、心タンポナーデなどの心疾患、緊張性気胸、気管支喘息重積発作、肺塞栓症
⑨頸静脈怒張→心タンポナーデ、心不全、気管支喘息重積発作、緊張性気胸、肺塞栓症
⑩四肢麻痺→神経筋疾患
⑪羽ばたき振戦→慢性高炭酸ガス血症を来す肺疾患、劇症肝炎、肝硬変の悪化
⑫口腔内出血・異物の存在→気道異物、誤嚥性肺疾患

検査のポイント

▶ 呼吸困難を訴える疾患を病歴と身体所見から、①呼吸器疾患、②循環器疾患、③その他の疾患に分類して推定し、胸部単純X線、胸部CT、呼吸機能（スパイロメトリー、フローボリューム曲線）、心エコー、動脈血ガス分析などの検査を行い確定診断に迫る。
▶ 特に、肺のびまん性疾患の診断は、胸部HRCTとともに、気管支鏡や胸腔鏡下で採取した組織の病理検査や肺胞洗浄液の分析が必要になる。

1）画像検査

▶急性の呼吸困難では、見逃すと生命にかかわる呼吸器疾患や心疾患、重症アシドーシスを来す疾患の鑑別を念頭に置き検査を進める。胸部単純X線検査では、喉頭蓋や気管のサイズ、肺野異常陰影、気胸や胸水などの胸膜疾患、心血管・縦隔陰影などを評価するが、不明瞭な場合は胸部CTや心エコーを追加する。

①血管浮腫（喉頭浮腫）、喉頭蓋炎、喉頭気管炎、クループを疑った場合は、頸部X線写真正面像で気道の狭小化に注目し、側面像を追加して喉頭蓋の腫脹、vallecula徴候（喉頭蓋窩のスペースの消失）を確認する。

②気道異物はX線透過性のことが多く、気管支閉塞による無気肺、逆にチェックバルブで来すエアートラッピングによる肺野透過性亢進、という二次性変化から推定する。

③気管支喘息重積発作やウイルス性閉塞性細気管支炎では、肺過膨脹がみてとれる。

④胸部単純X線写真で広範な肺野浸潤陰影やすりガラス陰影をみた場合、心拡大、肺動脈陰影の増強、両側（右＞左）胸水を伴ってバタフライ様（陰影が中枢側に強い）であれば心原性肺水腫や急性腎炎などでみられる肺血管内水分量増加を考え、心電図、心エコーを行う。それらの所見を欠けば、重症肺炎や誤嚥性肺疾患、非心原性肺水腫、AIP、ARDSを疑う。

⑤胸部単純X線写真上の変化に比べて高度の低酸素血症を認める場合、片肺あるいは肺葉の透過性亢進や血管陰影の減少（Westermark徴候）、肺門部肺動脈主幹部拡大（knuckle徴候）、あるいは肺末梢の楔形の陰影（Hampton's hump）をみた場合、肺血栓塞栓症を疑い、ヘリカル造影CTにて肺血管内血栓や血栓による肺動脈閉塞、心電図・心エコーにて急性右心負荷所見を捉える。

⑥気胸を疑ったら、臓側胸膜と壁側胸膜の解離に目を凝らす。肋骨横隔膜角の先鋭化（deep sulcus徴候）や、縦隔気腫を伴った際の心陰影を縁取るエアー像は診断に役立つ所見であるが、

単純X線写真で明らかでない場合は胸部CTで確定する。気胸が重症化すると患側のX線透過性亢進、心・縦隔の対側変位、横隔膜の下方変位を来す。

⑦呼吸困難を来すような大量胸水は単純X線写真で診断しやすい。無気肺は肺葉の収縮パターンを理解していないと単純X線写真では診断が難しい。

⑧代謝性アシドーシスでは努力呼吸はあるが、胸部単純X線検査の異常に乏しい。ボツリヌス中毒、Guillain-Barré症候群、MGクリーゼなどの神経筋疾患による呼吸困難でも胸部単純X線検査の異常に乏しいことが特徴である。

▶慢性の呼吸困難では、びまん性汎細気管支炎・広範な気管支拡張症・慢性膿胸などの呼吸器感染症、肺結核後遺症・COPD・肺線維症・塵肺症・慢性過敏性肺炎などの呼吸器疾患、慢性心不全・肺高血圧症などの心血管疾患、広範な転移や癌性リンパ管症などへ進行した肺癌、リンパ腫などの腫瘍性疾患を鑑別する。

①びまん性汎細気管支炎、広範な気管支拡張症、COPDを疑った場合は、肺の過膨脹・横隔膜の平低化、肺線維症、塵肺症、慢性過敏性肺炎を疑った場合は、肺野の縮小・横隔膜の挙上に注目する。

②びまん性陰影を呈する疾患群は、胸部HRCT検査により、特有の病変分布を示すことで診断に迫ることが可能である。

2）呼吸機能検査

▶喉頭癌などの喉頭から気管にかけての中枢気道疾患は、スパイロメトリーで閉塞性障害、次頁のフローボリューム曲線で⑤⑤'パターンをとる。

▶肺気腫、気管支喘息などの末梢気道疾患は、スパイロメトリーで閉塞性障害、フローボリューム曲線で②③パターン、肺気量分画で機能的残気量（FRC）増加（座位で＞50％）がみられる。気管支拡張薬吸入による気道可逆性（1秒量の改善量200mLかつ改善率≧12％）は、肺気腫より気管支喘息でみられやすい。逆に、拡散能（DL_{CO}）は肺気腫では低下（≦20％）するが、気管支喘息

スパイロメトリーにおける肺気量と肺気量分画（参考文献4より抜粋）

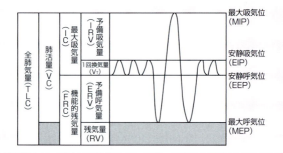

換気障害の分類（参考文献4より一部改変）

フローボリューム曲線（参考文献4）

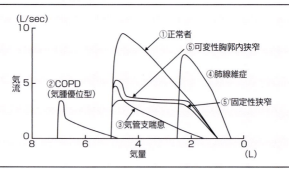

では低下しない傾向にある。
- ▶肺線維症などの間質性肺疾患は、スパイロメトリーで拘束性障害、フローボリューム曲線で④パターン、肺気量分画でFRC減少（座位で＜50％）がみられる。

3）動脈血ガス分析
- ▶PaO_2低下があって呼吸困難を訴える場合が多いが、それ以外の呼吸困難の自覚と動脈血ガス分析所見の組み合わせによっては、次のような疾患を考える。
  - ①呼吸困難は訴えないがPaO_2低下がある→シャント性心・肺・肝疾患、中枢神経障害による肺胞低換気
  - ②呼吸困難の訴えはまれであるが努力呼吸があり、$PaCO_2$が低下する→敗血症や代謝性アシドーシスによる過換気
  - ③呼吸困難は訴えるがPaO_2低下はない→過換気症候群による呼吸性アルカローシス

見逃してはならない疾患・病態の解説

1 異物誤嚥、血管浮腫（喉頭浮腫）、喉頭蓋炎などの急性胸郭外気道閉塞（📂20章「嗄声」〈228頁〉参照）

- ▶異物誤嚥は、幼小児、高齢者、脳血管障害者に生じやすい。突然の呼吸困難、発作性咳嗽、発声不能を訴え、チアノーゼ、苦悶状でVネック徴候（両手で頸部を押さえる動作）がみられる。
- ▶血管浮腫（喉頭浮腫）は、アレルギー歴、家族歴を有する患者、ACE阻害薬の服用者に生じる。口唇や舌の浮腫、蕁麻疹などを伴うこともある。
- ▶喉頭蓋炎は小児、若年成人に生じやすく、高熱、咽頭痛、唾液などで起こる嚥下痛、嚥下困難、流涎などの症状が激しいわりには中咽頭所見が軽微である。
- ▶これらの疾患群では頭部を前屈すると呼吸困難が悪化するため、患者は嗅ぎ込み位をとっている。Stridorが特徴であり、微妙なstridorは頭位を変えさせると増強する場合がある。

❷ 気管支喘息重積発作、閉塞性細気管支炎などの急性胸郭内気道閉塞

▶ 気管支喘息ではアトピー歴、家族歴、小児喘息の既往を認めることがある。急性・再発性の経過をたどり、アレルゲン曝露、ストレス、運動、上気道炎合併で発作が誘発される。軽症では咳のみが目立つが、重症化すると呼気時喘鳴、さらに吸気時喘鳴も出現し、起坐呼吸、奇脈が出現する。

▶ 閉塞性細気管支炎ではウイルスやマイコプラズマ感染、関節リウマチやSLEなどの膠原病、臓器移植、ペニシラミンやアマメシバなどの薬剤・食品摂取、腫瘍などに伴い比較的急性に呼吸困難を発症し、強制呼気時喘鳴、呼吸機能検査で1秒量低下、HRCTにて呼気相でエアートラッピングを認める。

❸ 広範な肺感染や誤嚥、非心原性肺水腫、急性間質性肺炎（AIP）、急性呼吸窮迫症候群（ARDS）などの肺病変

▶ 肺炎には市中肺炎と院内肺炎があり、前者はインフルエンザ流行時に起こりやすく、後者は入院患者に生じたものである。幼児・高齢者や免疫低下状態にある患者に生じると重症化しやすく、インフルエンザウイルス、コロナウイルス（SARS、MERS）、ヒトメタニューモウイルス（hMPV）、オウム病クラミジア、マイコプラズマ、肺炎球菌、クレブシエラ、黄色ブドウ球菌、レジオネラ、ニューモシスチスなどの原因微生物による。発熱、食欲低下、咳・痰、胸膜痛、呼吸困難などの訴えがあり、肺野に気管支呼吸音や吸気時coarse cracklesが聴取される。

▶ 間質性肺炎で特発性以外では、膠原病、薬剤、放射線治療に関連して発生する急速進行性の間質性肺炎（AIP）があり、乾性咳、息切れを来し労作で悪化する。吸気時fine crackles（ベルクロ・ラ音）を聴取する。胸部CT（特にHRCT）と肺生検で診断する。

▶ 大量誤嚥、重症肺炎や敗血症、急性膵炎、脳卒中、輸血などを契機に、非心原性肺水腫を来し、ARDSに進展することがある。

4 肺血栓塞栓症

- 肺血栓塞栓症は術後や下肢静脈血栓症のある患者に生じやすい。急性（突然）発症で胸痛、呼吸困難、重症であれば失神、ショックを呈する。肺梗塞を合併すれば胸膜痛、血痰、発熱が生じる。
- 胸部造影CTで肺動脈内血栓、肺換気・血流シンチグラムのミスマッチなどで診断する。正常範囲内のD-dimerは肺血栓塞栓症の疑いが強くないときに診断を除外することに役立つ。

5 緊張性気胸、血気胸などの胸膜病変

- 自然気胸はやせ型の背が高い若年者、続発性気胸は肺気腫などの慢性肺疾患を有する高齢者に起こりやすい。急性（突然）の胸痛、乾性咳、呼吸困難を訴え、患側の呼吸音低下、鼓音を認める。
- 胸腔内に空気とともに血液が溜まる状態を血気胸、溜まった空気圧が高まり縦隔を対側に圧排するような状況を緊張性気胸と呼び、外傷患者に起こることが多い。いずれも早急な処置が必要である。

6 ボツリヌス中毒、Guillain-Barré症候群、重症筋無力症（MG）などの神経筋疾患

- 複視・構音障害を伴って急性発症した場合はボツリヌス中毒、摂食歴やしびれの前駆症状があればフグ毒による呼吸筋麻痺を疑う。
- 亜急性ならGuillain-Barré症候群やMGがあるが、Guillain-Barré症候群では数日単位の進行もあり得る。MGは症状の日内変動に注意する。呼吸困難以外の複視・眼瞼下垂・構語障害など他の神経筋症候を呈する。

7 心筋梗塞、心筋炎、重症弁膜症、心タンポナーデなどの心疾患（📁23章「胸痛」〈258頁〉、📁1章「ショック」〈42頁〉参照）

8 重症貧血などの血液疾患（📁2章「全身倦怠感」〈47頁〉参照）

- 消化管出血や術後など、比較的急性発症の貧血では息切れを来しやすい。

▶ 慢性の場合、馴化が起こるため、全身倦怠感や易疲労が主で、動悸や息切れはまず体動時にのみ出現する。重症貧血による高拍出性心不全に至ると安静時でも呼吸困難を来す。

9 敗血症や重症の代謝性アシドーシスを来す全日性疾患（📁10章「発熱」〈132頁〉参照）

その他

中枢気道閉塞性疾患（亜急性〜慢性）

▶ 腫瘍性疾患、感染性疾患、気管の瘢痕性収縮などがあり、胸郭外であればstridorが聴取される。呼吸機能検査では、スパイロメトリーで閉塞性障害、フローボリューム曲線では上気道閉塞パターンを呈す。

▶ 腫瘍性疾患には喉頭、食道、甲状腺など隣接臓器の癌による浸潤、気管支腺腫、平滑筋腫や脂肪腫などの気管発生の良性腫瘍、肉腫などがある。嗄声、血痰、嚥下困難を訴え、診察上、頸部腫瘤やリンパ節腫脹、反回神経麻痺などがみられる。

▶ 感染性疾患には喉頭・気管結核があり、慢性の咳と痰を訴える。診断には痰の抗酸菌検査が必要である。

▶ 長期の気管挿管・気管切開の既往がある患者は気管の瘢痕性収縮が生じることがある。

末梢気道閉塞性疾患（亜急性〜慢性）

▶ 慢性気管支炎、びまん性汎細気管支炎、肺気腫は慢性経過、ときに気道感染による急性増悪を繰り返す。慢性気管支炎、肺気腫は喫煙者、高齢者に多く、びまん性汎細気管支炎は副鼻腔炎を合併する。

▶ 一般に慢性咳嗽、労作時呼吸困難を訴え、呼気時喘鳴、重症化すると吸気時にも喘鳴を聴取する。その他、肺気腫では口すぼめ呼吸、呼気延長、胸郭外気管短縮、樽状胸がみられる。呼吸機能検査では、スパイロメトリーで閉塞性障害、重症化すると混合性パ

ターン、フローボリューム曲線では末梢気道閉塞パターンを示す。
- 慢性気管支炎、びまん性汎細気管支炎では膿性痰が多く、インフルエンザ桿菌、肺炎球菌、緑膿菌が分離され、びまん性汎細気管支炎にはマクロライド少量長期投与が有効である。

亜急性〜慢性の肺病変
- 塵肺症などの吸入性病変や癌性リンパ管症などの間質性病変、多発血管炎性肉芽腫症（GPA）・全身性エリテマトーデス（SLE）・顕微鏡的多発動脈炎などの肺血管炎がある。
- 塵肺症は珪酸や石綿などを扱う職業歴がある。慢性・進行性の経過をたどり、末期は呼吸不全に陥る。石綿肺では中皮腫や肺癌の発生をみる。
- 癌性リンパ管症は癌患者に慢性経過の息切れなどで発症し、胸部CTで気管支・血管周囲組織の肥厚、葉間胸水を来す。
- GPA、顕微鏡的多発動脈炎、抗GBM抗体関連疾患（旧名Goodpasture症候群）、SLEなどによる血管炎は、発熱、血痰・喀血を伴い、腎障害を合併することもある。肺胞出血合併時は貧血、呼吸不全を示す。診断には抗好中球細胞質抗体（ANCA）、抗糸球体基底膜抗体、抗核抗体などが有用である。

胸郭運動制限を来す疾患（亜急性〜慢性）
- 重度脊椎側彎後彎症、癌、ネフローゼ、肝硬変による大量胸腹水が呼吸困難の原因となることもある。まれに肝硬変で右胸水が多量に貯留することがあり、右胸腔と腹腔の交通を介して腹水が移動したものと考えられる。
- 胸水貯留は患側の呼吸音低下、打診で濁音、腹水貯留は腹部膨満、打診で体位による可動性濁音を認める。原因診断は胸腹水の穿刺液検査で行う。

心不全 （📖 2章「全身倦怠感」〈46頁〉参照）
- 心疾患、高血圧、虚血性心疾患のリスク、弁膜症既往のある患者

に慢性±急性悪化の経過で発症する。運動、臥床で悪化し、起座位で改善する。
► 咳、息切れ、夜間発作性呼吸困難を伴い、頻脈、喘鳴（心臓喘息）、Ⅲ音、肺ラ音、末梢性浮腫がみられる。心エコー、BNP高値が有用である。
► 高齢入院患者では過量輸液による医原性のものが多いことは知っておくべきである。

心因性の過換気症候群
► 不安神経症の既往がある女性に起こりやすい。急性、再発性呼吸困難を訴える。深呼吸で悪化、紙袋などを用いた呼気再吸入で改善する。ため息、立ちくらみ、しびれ、テタニーなどの随伴症状を伴う。
► 動脈血ガス分析でPaO_2が高めの呼吸性アルカローシスを呈する。

Dr. Tierney's Clinical Pearls

Dyspnea is difficulty breathing ; tachypnea is increase in the rate ; the causes of each are vary different.

呼吸困難は自覚的な息苦しさであり、頻呼吸は呼吸数の増加である。それぞれの原因はずいぶん異なる。

While dyspnea is the most common symptom of pulmonary embolism, it does not predict degree of pulmonary artery compromise ; only syncope does.

呼吸困難は肺塞栓症の最も頻度の高い症状であるが、肺動脈閉塞の程度は反映しない。その深刻さを物語るのは失神のみである。

[参考文献]

1) 呼吸困難, 肺水腫. ハリソン内科学 第5版. 東京, メディカル・サイエンス・インターナショナル, 2017.
2) 酒見英太. 呼吸困難. 最新内科学大系 プログレス1 総合診療, 頻度の高い症状の診断・治療. 東京, 中山書店, 1998.
3) Schwartzstein RM. Physiology of dyspnea, Approach to the patient with dyspnea. UpToDate 2017.
4) 日本呼吸器学会肺生理専門委員会 編. 呼吸機能検査ガイドライン-スパイロメトリー, フローボリューム曲線, 肺拡散能力. 東京, メディカルレビュー社, 2004.

23章 胸痛

Chest Pain

訴えの定義

► 「胸が痛い」という表現以外に、「胸が苦しい」「胸が締めつけられる」「胸が押しつぶされる」「胸が引き裂かれる」「胸が詰まる」など訴えはさまざまである。また、漠然とした胸部不快感のみのこともある。

見逃してはならない疾患・病態

1 急性冠症候群　**2** 大動脈解離　**3** 自然気胸、緊張性気胸　**4** 肺血栓塞栓症　**5** 食道破裂

► 急性発症の胸痛には、致死的な疾患・病態が潜んでいる可能性があることを常に念頭に置く。

病歴聴取のポイント

► 胸痛の詳細と随伴する症状について注意深い病歴聴取さえできれば、身体診察や検査を行う前に、高い確率で正しい診断にたどり着くことができる。

► ただし、急性発症の胸痛では、致死的な疾患・病態を念頭に置き、必要に応じ救急処置(酸素投与・心電図モニター装着・静脈ライン確保)を行いながら、目標を定めてすばやく病歴を聴取しなければならない。特に、致死的な心血管系疾患は、診断確定後に専門科にコンサルトするのでは手遅れになりやすく、疑った時点で早期にコンサルトする必要がある。

次のような項目につき病歴をとることで診断を絞り込むことができる。

1) 症状の詳細

► 発症様式・経時的変化、性質、程度、部位、放散の有無、持続時間、増悪・軽快因子を聞く。

► 以前から胸痛を繰り返している場合、今回の胸痛の性質・持続時

間などが以前と同じかどうかを尋ねる。また動作・呼吸運動・咳嗽・食事摂取などで誘発されたり、安静・ニトログリセリン（NTG）の服用によって軽快したり、体位によって痛みが変化したりすることは診断の助けとなる。

痛みの性質による胸痛の3分類

性状	特徴	原因疾患
内臓痛	・重苦しい or 締めつけられるような痛み ・痛みの範囲が曖昧であまり局在しない ・顎〜心窩部（C3〜Th9レベル）の広い範囲に放散し得る（関連痛）	・急性冠症候群/安定狭心症 ・大動脈解離 ・心筋炎〜心外膜炎 ・肺血栓塞栓症 ・食道破裂
胸膜痛	・鋭い痛み ・吸気や咳嗽で明らかに増悪する	・肺梗塞 ・気胸 ・肺炎〜胸膜炎 ・心外膜炎 ・食道破裂
胸壁痛	・鋭い痛み ・部位がきわめて限局している（指先で示せる） ・触診または特定の運動負荷により痛みが正確に再現される	・骨・軟骨・靱帯，関節，筋肉・腱，皮下組織・血管，皮膚の損傷・炎症 （外傷，感染症，血栓など） 例：肋軟骨炎，帯状疱疹

2）随伴症状

▶呼吸困難、咳嗽、喀痰、喀血、動悸、悪心・嘔吐、冷汗、胸やけ、発熱、（前）失神、意識障害について聞く。

3）患者背景

▶虚血性心疾患のリスクファクター、すなわち糖尿病、高血圧、脂質異常症、喫煙、性・年齢（男性＞55歳、女性＞65歳）、虚血性心疾患の家族歴（特に＜55歳での発症）は非常に重要である。また、職業、基礎疾患、使用薬剤、外傷歴、旅行歴を聞いておく。

身体診察のポイント

▶胸痛患者の診察では次に挙げる点に注意を払う。急性発症の胸痛では致死的疾患を念頭に置きすばやく行う。

[**概観**] 意識障害、苦悶様顔貌、発汗、チアノーゼ
[**バイタルサイン**] RR（＋SpO$_2$）、脈拍数とリズム、脈の強さの左右差、BP（両上肢での左右差や上下肢差にも注意）、BT
[**頭頸部**] 眼瞼結膜の蒼白、頸静脈怒張、気管の変位
[**胸部**] 視診（胸郭運動の左右差、皮膚の発赤・水疱）、打診（肺野の濁音・鼓音）、聴診（Ⅲ音・Ⅳ音の聴取、心雑音、心膜摩擦音、呼吸音、ラ音・胸膜摩擦音）、触診（心尖拍動、胸郭の圧痛、皮下気腫）
[**腹部**] 上腹部の圧痛
[**四肢**] 末梢冷感、末梢の脈拍触知、下肢の浮腫

検査のポイント

► 急性発症の胸痛では、まず急性冠症候群の早期診断の目的で、迅速に12誘導心電図検査を実施する。その他、血中心筋逸脱酵素の測定、胸部X線検査、心エコー検査、動脈血ガス分析が胸痛患者の診断に有用である。

1）12誘導心電図検査

► できるだけ早期に実施し、まず急性冠症候群でみられるST-T部分の変化（T波増高、ST上昇あるいは低下）を検索する。

► 以前の心電図がある場合（特に胸痛のない安静時心電図）、必ず比較参照する。ST-T部分の変化および新たな左脚ブロックの出現に注意する。

► 不整脈の有無も確認する。洞性頻脈が最もよくみられる異常であるが、急性冠症候群では、心室性不整脈、房室伝導障害を含むあらゆる型の不整脈が起こり得る。

► 最初の12誘導心電図が正常でも、急性冠症候群は否定できないことを強調したい。連続して12誘導心電図を実施し、変化が出現しないかを確認することが重要である。

MEMO

典型的な心筋梗塞の心電図変化

1. 超急性期（梗塞後数分〜数時間）
   - 幅広いT波の増高（hyper acute T）（〜1時間）
   - ST上昇（〜数時間）上に凸、ST低下（鏡像）の誘導を伴う

2. 心筋梗塞が進行している時期（梗塞後数時間〜12時間）
   - 異常Q波（幅1mm以上）上に凸、ST低下（鏡像）の誘導を伴う
   - ST上昇
   - 左右対称形に逆転したT波（coronary T）

3. 慢性期
   - 異常Q波

MEMO

右室梗塞の診断

　右室梗塞の多くは下壁梗塞に合併し、右室不全（頸静脈怒張、腹部あるいは肝頸静脈逆流徴候、Kussmaul徴候、腹水、下肢の浮腫など）や低血圧を起こす。また、肺うっ血症候（呼吸困難など）が明らかではない。治療として輸液負荷を行う必要がある点が特異的である（NTG投与はさらに血圧低下するため禁忌）ため、通常心電図でST上昇がⅡ＜Ⅲの場合や、V_1でSTがわずかでも上昇していれば、右側胸部誘導を追加し、V_3R-V_6RのST上昇を確認する。

2）心筋逸脱酵素の測定

▶ CK、CK-MB、トロポニンT・Iが有用。CKは、AST（GOT）、LDHと同様、感度、特異度が低い。トロポニンは心筋障害のマーカーとして感度、特異度が高い。心筋逸脱酵素の出現時間、持続時間を表に示す。

▶ 発症直後、心筋逸脱酵素は正常だが、その時点で正常でも急性冠症候群（急性心筋梗塞、不安定狭心症）は否定できない。

▶ 日本で開発された心筋マーカーのH-FABPは、発症2時間後のごく初期から陽性となり得るが特異性はトロポニンに劣る。

生化学マーカーの変化

	出現時間（時間）	持続時間（日）
CK, CK-MB	4～6	3～4
AST（GOT）	6～10	3～8
LDH	6～12	6～20
トロポニンT	4～6	10～14
トロポニンI	4～6	10～14
H-FABP	2～6	1～3

3）胸部X線検査
- 気胸の多くは胸部X線検査で診断が可能である。
- 両側の上肺野肺動脈影の増強やKerleyのBラインがあれば急性冠症候群に伴う肺水腫を考える。
- いずれも感度はあまり高くないが、縦隔の拡大（大動脈解離）、左側の胸水貯留（大動脈解離、食道破裂）は診断の一助となる。

4）心エコー検査
- 心室壁運動異常（急性冠症候群）、右心系の拡張（肺血栓塞栓症）は、それぞれ診断にきわめて有用な所見である。
- 大動脈解離（Stanford A型）では、心嚢液貯留、大動脈弁逆流や大動脈起始部のフラップがみられる。

5）動脈血ガス分析
- 低酸素血症はさまざまな心疾患、呼吸器疾患でみられるが、A-aDO$_2$開大や呼吸性アルカローシスを伴う場合には、必ず肺血栓塞栓症を念頭に置く。

見逃してはならない疾患・病態の解説

1 急性冠症候群
- 不安定狭心症、急性心筋梗塞、心臓突然死をまとめて急性冠症候群と呼ぶ。急性発症の胸痛では、急性冠症候群かどうかを判断することが最優先である。
- 虚血性心疾患のリスクファクターを有する胸痛患者が来院した場

合、迅速に酸素投与、モニター心電図、静脈ラインを確保し、12誘導心電図検査を実施する。
► 狭心症の痛みは通常、持続時間が数分から長くても20分以内で、NTG投与で軽快する。
► 安静時でも狭心症発作が起こる場合、また狭心症発作の回数増加や痛みの増強がある場合、不安定狭心症を考える。来院時に症状が消失し、12誘導心電図で異常がなくても決して帰宅させてはならない。昼夜を問わず、迅速に専門科にコンサルトする。
► 急性心筋梗塞では、激しい痛み（胸骨後部や左胸部の強い絞扼感、圧迫感のあることが多い）が30分以上持続し、肩、腕、背部、頸部に放散することもある。NTGは無効。
► 急性心筋梗塞は、しばしば悪心・嘔吐、冷汗、呼吸困難、動悸、ときに失神を伴う。
► 虚血性心疾患のリスクファクターのある患者が、胸痛以外にも以下のような症状で来院した場合、まず急性冠症候群を否定することから始める。
・急性発症の全身倦怠感、呼吸困難、悪心・嘔吐、心窩部痛
・急性発症の肩こり・肩の痛み（安静時痛）
・急性発症の喉が詰まる感じ
► 救急外来でのマネジメントとして、心電図モニター装着、静脈ライン確保、酸素4L/分投与、疼痛管理（モルヒネ2〜4mg ivなど）を行いつつ、抗血小板療法（アスピリン160〜325mg経口）を投与する。出血や大動脈解離などの禁忌のない限り抗凝固療法（ヘパリン5,000U iv）、低血圧・右室梗塞の疑いやバイアグラ®の使用のない限りNTG舌下や口内噴霧、徐脈・心ブロック・喘息などの禁忌のない限りβ遮断薬（カルベジロール10mg経口など）を投与してもよい。早急に専門科にコンサルトが必要である。

2 大動脈解離

► 特別な誘因もなく、突然引き裂かれるような激烈な胸痛で発症し、背部に放散することも多い。痛みの部位はしばしば解離の経路に

MEMO

大動脈解離の部位と症候・合併症

- 大動脈弁→大動脈弁閉鎖不全、急性心不全
- 冠動脈閉塞（特に右冠動脈）→心筋梗塞（特に右室梗塞、下壁・後壁梗塞）
- 心嚢内破裂→心タンポナーデ
- 右腕頭動脈、左総頸動脈、左鎖骨下動脈→血圧左右差、片麻痺、失神、上肢痛
- 胸部下行大動脈瘤破裂→血胸
- 大前根動脈（artery of Adamkiewicz）→背部痛、対麻痺
- 腹腔動脈、上・下腸間膜動脈→腸管虚血、消化管出血
- 腎動脈→急性腎不全
- 総腸骨動脈→間欠性跛行、下肢痛

沿って移動する。

- ▶ 大動脈解離のリスクファクターは、高齢者、男性、喫煙、高血圧、動脈硬化。また若年者の特殊な場合として、結合織疾患（Marfan症候群、Ehlers-Danlos症候群）、大動脈縮窄、大動脈二尖弁、Turner症候群、コカイン乱用がある。
- ▶ DeBakey、Stanfordの分類があるが、臨床的にはStanford分類が実践的。Stanford A型は上行大動脈を含む解離を指し、B型は上行大動脈を含まない解離をいう。
- ▶ A型は緊急手術の適応となり、B型は内科的治療が中心。
- ▶ 身体所見は解離の部位により多彩である。
- ▶ 胸痛患者では、急性冠症候群・肺血栓塞栓症の可能性も考えるが、抗血小板療法、抗凝固療法を行う前に必ず大動脈解離を否定しておく（抗血小板療法、抗凝固療法は大動脈解離に禁忌である）。
- ▶ 典型的な胸部X線像は、縦隔内大動脈陰影の拡大であるが、感度は高くない。したがって、胸部X線像が正常であっても大動脈解離は否定できない。一方、カルシウムサイン（calcification sign）は診断の一助となる。
- ▶ 疑った場合、迅速に専門科にコンサルトしつつ、心エコー検査・

胸部造影CTの撮影を行い、診断がつけばまずβ遮断薬、Ca拮抗薬による降圧を開始する。

MEMO

> **カルシウムサイン（calcification sign）**
>
> 　胸部X線上、大動脈弓の外縁が石灰化陰影より6mm以上外側にある所見をいう。カルシウムサイン陽性であれば大動脈解離の可能性が高くなる。大動脈解離では大動脈内膜が破れ血液が中膜層に流入するため、内膜の石灰化病変と大動脈弓外縁の間に距離が生じるからである。

3 自然気胸、緊張性気胸

- 突然発症する片側の胸痛、呼吸困難では自然気胸を疑う。
- 自然気胸には、基礎疾患のないやせ型の若年男性に起こる一次性自然気胸、基礎疾患（特にCOPD）のある高齢者に起こる二次性自然気胸がある。
- 二次性自然気胸では肺機能の低下が著しいため、症状が強く致命的になる可能性がある。
- 身体診察では、患側で鼓音増強（打診）、呼吸音減弱（聴診）がみられるが、自然気胸のみでは身体診察上は異常が捉えにくい場合がある。
- 縦隔気腫を合併していたら、Hamman徴候（心拍と同期する捻髪音）を聴取することで疑うことができる。
- 進行する呼吸困難や、低血圧、頻脈、気管変位、頸静脈怒張といった所見を呈する場合には緊張性気胸を疑い、胸部X線撮影を待つことなく、患側の胸壁（鎖骨中線上第2肋間）を18Gより太いサーフロー針で穿刺し、緊急脱気を行う。
- 胸部X線で肺縁が壁側胸膜から離れていることを見出す。胸部X線ではっきりしない場合は重症ではないが、胸部CTではじめてわかる場合がある。肺エコーも簡便かつ有用である。

4 肺血栓塞栓症

- 深部静脈血栓症・肺血栓塞栓症のリスクファクターがある患者で、

突然発症の胸痛（肺動脈〜右心系の負荷による内臓痛、肺梗塞まで来した場合は胸膜痛）と呼吸困難が生じ、身体診察上、頻脈・頻呼吸がみられた場合に疑う。失神で発症する場合もある。
- ▶ 下記のWellsスコアは診断評価の第一段階として有用である。
- ▶ 身体診察ではⅡp（肺動脈Ⅱ音）の増強、胸骨左縁部の膨隆・拍動、頸静脈圧上昇、肝腫大、腹部頸静脈逆流徴候など急性右心負荷所見や、塞栓の供給源となった深部静脈血栓症を示唆する下肢の浮腫を捉え得る。
- ▶ 動脈血ガス分析では、低酸素血症とともに呼吸性アルカローシスがみられる。低酸素血症が著しくなくても、$A-aDO_2$は開大している。12誘導心電図で最もよくみられる所見は洞性頻脈であるが、非特異的なST-T部分の異常や、右脚ブロック、$S_ⅠQ_ⅢT_Ⅲ$パターン

Virchowの3徴と深部静脈血栓症・肺血栓塞栓症のリスクファクター

うっ血	血管内皮障害	凝固能亢進
心不全	カテーテル留置	エストロゲン治療・妊娠
肥満	手術（特に骨盤内）	悪性腫瘍
長期臥床	外傷	抗リン脂質抗体症候群
妊娠	異物	ネフローゼ症候群
長時間の座位		先天性凝固因子異常（ATⅢ, プロテインC/S, プラスミノゲンなど）

Wellsスコア

下肢浮腫や深部静脈の圧痛がある	3点
他の疾患より肺血栓塞栓症が疑わしい	3点
心拍数100以上	1.5点
4週間以内の手術か安静（3日以上）	1.5点
肺血栓塞栓症や深部静脈血栓症の既往	1点
血痰	1点
癌（6カ月以内に治療か終末期）	1点

総得点	診断確率
2点以下	低リスク（3.6%）
3〜6点	中リスク（20.5%）
7点以上	高リスク（66.7%）

がみられる場合もときにはある。心エコー検査では右心負荷の所見がみられる。
- Wellsスコアで低リスク群かつd-Dimer陰性であれば高い確率で除外できるが、疑いが残る場合は胸部造影CTによる評価を行う。
- 肺血流シンチグラフィはCT陰性の末梢型肺塞栓症の診断に有用である。

5 食道破裂
- 多量のアルコール摂取や過剰食物摂取の患者で、嘔吐・あくびの最中に突然の胸痛や胸やけが起こった場合、また最近に上部内視鏡操作(硬化療法、ステント留置など)を施行された患者で、突然の胸痛が起こった場合に疑う。
- 身体診察では、発熱、ショック、皮下気腫、Hamman徴候がみられることがある。
- 胸部X線・CTで縦隔の拡大、縦隔気腫、左胸水がみられる。
- 疑った場合、ガストログラフィンによる食道透視で穿孔部を検索する。また、緊急手術が必要となることが多く、迅速に外科医にコンサルトする。

その他

急性心膜炎
- 数時間〜数日間持続する胸痛があり、仰臥位で増悪し、座位〜前傾位で軽快する場合に疑う。
- 身体診察では、胸骨左縁で心膜摩擦音が聴取できることがあり、体位変換や日単位の時間経過で聞こえ方が変動すること、presystolicにも聴取し得ることが特徴である。
- 12誘導心電図で、ほとんどの誘導で下に凸型のST上昇とPRの低下(Ⅱ誘導でみやすい)がみられる。

肺炎・胸膜炎 (21章「咳・痰」〈236頁〉参照)
- 深呼吸や咳で増悪する胸痛に加え、発熱、悪寒戦慄、呼吸困難、

咳、喀痰がある場合に疑う。

胃食道逆流症（GERD）（📂26章「胸やけ」〈287頁〉参照）
▶ 仰臥位で胸痛や胸やけが増強し、制酸薬内服で軽快する場合に疑う。

パニック障害（📂38章「不安・抑うつ」〈437頁〉参照）
▶ 突然起こり、発作を繰り返す。心臓症状（胸痛、頻脈、胸部不快感）、呼吸器症状（呼吸困難感、頻呼吸）があり、「死ぬのではないか」という恐怖感があるのが特徴。
▶ 典型的には、虚血性心疾患のリスクファクターのない20〜30歳代の若年者に起こり、心疾患・呼吸器疾患などの器質的疾患を精査しても原因がない。
▶ 救急診療では除外診断であり、特に虚血性心疾患のリスクファクターのある患者では安易な診断は禁物である。

帯状疱疹
▶ 2〜3もしくはそれ以上のデルマトームにわたる、肋間神経に沿った片側の表在性胸背部痛で、初期には痛みのみで発赤・水疱がみられないが、痛みの性質と、病変周囲のdysesthesia（触れられたときの異常感覚）で疑うことはできる。

筋骨格性胸痛
▶ 胸鎖関節炎、胸筋・腱付着部痛、肋軟骨痛（炎）、肋骨肋軟骨移行部痛、Tietze症候群が代表的である。胸椎の異常でも頸部の伸展で前胸部痛を来すことがある。いずれも、局所の自発痛・可動痛と圧痛があり、肋骨肋軟骨移行部の異常（slipping rib/cartilageとも呼ばれる）では肋骨骨折と同様に介達痛もある。胸筋・腱付着部痛は、大胸筋や小胸筋を収縮させてやると誘発できることで診断できる。
▶ 若年者で、肋軟骨近傍に自発痛、圧痛があり膨隆していればTietze症候群を疑うが、多いものではない。好発部位は第2〜3

肋軟骨近傍の胸肋関節で、1カ所のことが多い。膨隆がなく、数カ所に圧痛のある場合は肋軟骨炎と呼ばれ、第3〜5肋軟骨関節が侵される傾向があり、40歳以上でもみられ女性に多いとされる。いずれも自然寛解、または鎮痛薬による対症療法で軽快する。
▶ 筋骨格性の胸痛を内臓由来の胸痛と鑑別できることは、その後の経済的・時間的無駄や患者の心理的負担の観点からも軽視できない。

Dr. Tierney's Clinical Pearls

Be careful with the history ; instantaneous onset of chest pain is more often aortic dissection than it is myocardial infarction.

病歴に注意する。発症直後から最大の強度になる胸痛は、心筋梗塞よりも大動脈解離のことのほうが多い。

Twenty percent of anginal episodes are not associated with ECG changes ; a normal cardiogram does not rule out ischemic heart disease.

狭心痛の20%で心電図変化がみられない。正常の心電図だからといって、虚血性心疾患を否定できない。

Remember pre-eruptive zoster as a cause ; patients often believe they are having a heart attack.

皮疹が出る前の帯状疱疹も忘れてはならない。患者はしばしば心筋梗塞が起こったに違いないと思っているから。

[参考文献]

1) Lee TH. Chest Discomfort. Harrison's Principles of Internal Medicine, 17th ed. New York, McGraw-Hill, 2008.
2) Bickley LS, Szilagyi PG. Bates' Guide to Physical Examination and History Taking, 9th ed. Philadelphia, Lippincott Williams & Wilkins, 2006.
3) Lee TH, Goldman L. Primary Care : Evaluation of the patient with acute chest pain. N Engl J Med 2000 ; 342 : 1187-95.
4) Fanaroff AC, et al. Does this patient with chest pain have acute coronary syndrome ? The rational clinical examination systematic review. JAMA 2015 ; 314 : 1955-65.
5) The Task Force for the Diagnosis and Management of Acute Pulmonary Embolism of the European Society of Cardiology (ESC). 2014 ESC Guidelines on the diagnosis and management of acute pulmonary embolism. Eur Heart J 2014 ; 35 : 3033-69.

24章 動悸

Palpitation

訴えの定義

▶「心臓がドキドキと強く脈打つ」「速く脈打つ」「脈がとぶと感じる」など自己心拍を不快に感じることと定義できるが、"動悸"として訴えても息苦しさや胸痛・胸部不快感、胸騒ぎのほうが合致することもある。

見逃してはならない疾患・病態

1 心室性不整脈 **2** 心房細動 **3** 甲状腺機能亢進症・褐色細胞腫 **4** 薬剤性・離脱症状 **5** 低血糖 **6** 貧血 **7** 肺疾患 **8** 心不全

病歴聴取のポイント

不整脈、洞性頻脈、心因性の3つに大別することが有用である。

1）不整脈

▶まず不整脈とすれば、頻脈なのか、期外収縮なのかを考える。心拍数とリズムの確認のため、動悸発作時に脈をとってもらうのが望ましい。規則的頻脈の場合、脈拍数が120/分以下ならば洞性頻脈を、それ以上ならば頻脈発作の可能性が高くなる。「脈がとぶ」という訴えであれば、期外収縮であることがほとんどである。

▶頻脈発作では「突然おさまる速い動悸」が重要である。多くの動悸は突然始まったと訴えられるが、突然終わる動悸は原則として不整脈である。逆に徐々に始まり徐々に終わる強い動悸は、不整脈ではない可能性が高い。突然終わる動悸ではリズムが不規則であれば発作性心房細動を考え、規則的なリズムでは心室頻拍、発作性上室頻拍を考える。

▶規則正しい頻脈発作の場合、①小児期からの動悸発作、②頸部で強く動悸を感じる、③深呼吸や気張ることで動悸停止、④動悸発作後の尿意、があれば発作性上室頻拍の可能性が高い。

- と）で動悸が停止していれば発作性上室頻拍の可能性が高いが、血圧低下を示唆する症状（めまい、気を失う感じ・失神）があれば心室頻拍の可能性が高いとされる。
- ▶ また発作性上室頻拍において、心房心室収縮の連動があるために増強した頸静脈波とともに頸部の動悸を感じやすく、ANPの分泌亢進を介して動悸発作後の尿意が生じやすい。
- ▶ リスクファクターとして、心疾患（心室性不整脈・心筋梗塞・心筋症）の既往や若年突然死、Brugada症候群、肥大型心筋症、QT延長症候群の家族歴がある場合は心室頻拍を強く疑うが、小児期からの動悸発作は逆に発作性上室頻拍（Wolff-Parkinson-White〈WPW〉症候群を含む）を示唆することが多い。
- ▶ それ以外にはQT延長を来す薬剤使用歴、アルコール摂取歴、喫煙歴がリスクファクターとして重要である。

MEMO

Brugada症候群

- 不完全右脚ブロック型で、右前胸部誘導でSTが上昇しているものはBrugada型心電図といわれ、その一部は不整脈から突然死する症候群"ぽっくり病"であることが知られている。
- 右前胸部誘導でのST上昇は、coved型がsaddle back型より診断的意義が高い。なお、リードを貼る肋間を上げることでcoved型が明らかになる場合がある。
- 日本ではBrugada型心電図は特に男性で高頻度に認める。
- 若年（40歳程度）での突然死ではBrugada症候群が多い。
- 不整脈は迷走神経との関連が強く、夜間〜早朝に心停止することが多い。

QT延長を来す5つの抗○○薬

- 抗精神病薬
- 抗うつ薬
- 抗菌薬（マクロライド系，ニューキノロン系，アゾール系）
- 抗アレルギー薬
- 抗不整脈薬

- ► 心電図やホルター心電図にて心室頻拍を確認できればよいが、確認できない場合でも可能性が高い場合は、治療方針に影響を与えるので、トレッドミル検査や心臓電気生理学的検査にて確認する。
- ► 不整脈の素因として、QT延長を来し得る低K血症や低Mg血症、低Ca血症といった電解質異常の有無を確認し、また器質的心疾患の有無を確認するため胸部X線検査や心エコーを行う。

2 心房細動

- ► 脈が速くても遅くてもでたらめに不規則な動悸（絶対不整脈）であれば、心房細動であることが多い。しかし心拍が速い場合は不規則であるかどうかわからないことが多いので、心電図で確認する必要がある。また心拍数と脈拍数の乖離がみられる場合は注意が必要で、脈拍触診よりも心音聴診、あるいは心電図にて心拍数を確認する必要がある。
- ► 心房細動を来す基礎疾患として心疾患、高血圧などのほか、甲状腺機能亢進症、電解質異常、アルコール摂取歴、ストレス・不眠の有無なども確認する必要がある。
- ► COPDを有する患者に絶対不整脈がみられれば心房細動以外にMATの可能性も考えなければならない。これらを確認するために、はじめて心房細動がみられた場合には心電図、採血（電解質、甲状腺機能検査）、胸部X線検査、心エコーを施行する。

3 甲状腺機能亢進症・褐色細胞腫 （2章「全身倦怠感」〈57頁〉参照）

- ► 高齢者の甲状腺機能亢進症は非典型的な現れ方をすることがあり、心房細動が発見のきっかけとなることがある。

4 薬剤性・離脱症状

- ► 当然のことながら薬剤使用歴が最も重要である。最近使用を始めた交感神経を刺激する薬剤（テオフィリン、β刺激薬、"やせ薬"、フェノチアジン系薬やカフェイン）以外に、ベンゾジアゼピン系

25章 悪心（嘔気）・嘔吐

Nausea and Vomiting

訴えの定義

- 悪心とは、咽頭～前胸部に感じられる不快感であり、多くの場合は嘔吐の前段階として位置づけられる。
- 嘔吐とは胃内容物が急激に、かつ強制的に口外に吐き出されることであり、食道、胃以外に横隔膜、声帯、腹筋などによる一連の反射運動によって行われる。
- 消化管疾患を思い浮かべたくなるが、実は全身症状の1つと呼んでよいほどさまざまな臓器の異変で引き起こされる症状で、鑑別疾患は多岐にわたる。
- しかも小児と比較して成人では嘔吐を来す異変は往々にして重篤であり、容易に脱水・栄養障害に結びつくため、正確な診断を急ぐ必要がある。

見逃してはならない疾患・病態

1 消化性潰瘍・胃癌　**2** 虫垂炎　**3** 腸閉塞　**4** 胆嚢炎、胆石・総胆管結石　**5** 腎盂腎炎　**6** 急性心筋梗塞　**7** 頭蓋内病変（脳腫瘍、水頭症、脳血管障害）　**8** 髄膜炎・脳炎　**9** 妊娠　**10** 糖尿病性ケトアシドーシス（DKA）、高Ca血症　**11** 薬物副作用　**12** 神経性食思不振症

- 合併症として見逃してはならないものに、誤嚥性肺炎、Mallory-Weiss症候群、食道破裂、脱水・電解質異常、栄養不良がある。

悪心（嘔気）・嘔吐＋αで絞り込む疾患群

- 悪心・嘔吐は多種多様な病態によって生じる徴候であり、安易に急性胃腸炎と診断するのは厳に慎まねばならない。
- アプローチとしては随伴症状により分類することが簡便である。嘔吐中枢の近くには、呼吸中枢・血管運動中枢などが位置しており、嘔吐に際して呼吸不整、血圧変動、徐脈、顔面蒼白、冷汗な

どの諸症状を伴うことは多いが、それ以外の随伴症状により、下表のように分けられる。

随伴症状から考える疾患群

消化管症状（黒色便、下痢・便秘）	消化管疾患 嘔吐が主訴となるものにアカラシア（📁27章「嚥下障害」〈296頁〉参照）、急性胃炎・急性胃腸炎、胃癌、腸閉塞など
腹痛のみ	消化管疾患のほか、肝胆膵疾患、泌尿器・産婦人科系疾患、大動脈疾患などあらゆる腹部疾患が悪心・嘔吐を呈し得る。 腹痛よりも悪心・嘔吐が主訴となりやすいものには腎盂腎炎がある。
胸部症状（咳、胸痛、動悸、呼吸困難、上肢への放散痛）	心疾患 悪心・嘔吐が主訴となりやすいのは急性冠症候群
内耳、前庭器官症状（回転性めまい、難聴、耳鳴・耳閉感、耳痛）	乗物酔い、良性発作性頭位性めまい、メニエール症候群、中耳炎 特に軽度の回転性めまいの場合、悪心・嘔吐が主訴となりやすい。
中枢神経症状（頭痛、しびれ、構音障害・嚥下障害、複視、めまい、意識障害）	脳腫瘍、脳血管障害、頭部外傷、脳炎、髄膜炎、片頭痛、緑内障 このなかで頭痛や神経学的な自覚症状が目立たず悪心・嘔吐が主訴となりやすいものに脳血管障害・脳腫瘍がある。
口腔・咽頭粘膜刺激（歯磨き時や口腔内診察時）	生理的

▶ これらの局所的随伴症状を伴わない場合や身体診察上腹部所見に乏しい場合は、化学受容体誘発帯（chemoreceptor trigger zone：CTZ）を直接刺激する代謝性障害、薬物を考える必要がある。

▶ 代謝性障害のなかで最も多い原因は妊娠であり、生殖可能年齢の女性では妊娠から鑑別を始めるべきである。

▶ 次に特に口渇・多飲・多尿や意識障害があればDKA、高Ca血症を考える。

▶ それ以外には食中毒（毒素）、尿毒症、肝不全、副腎不全、甲状腺機能亢進症、酸素欠乏（一酸化炭素中毒・高山病）、薬物が原因として挙げられる。

- 最後に大脳皮質からの情動的ないし精神性因子による嘔吐が除外診断として考えられ、この場合うつ病や神経性過食症を否定する必要がある。

診断仮説ごとに把握すべき病歴・身体所見・検査所見

1 消化性潰瘍・胃癌

病歴

[患者背景] 消化性潰瘍の既往、薬剤歴（NSAIDsやLES圧を下げる薬剤）、喫煙歴、アルコール摂取歴、コーヒーなど消化管刺激性の食品の摂取歴、ストレス要因

[随伴症状] 食事にて寛解・増悪する腹痛、制酸薬・牛乳にて改善する腹痛、食欲低下、早期満腹感、体重減少

身体所見

[バイタルサイン] BP↓、HR↑

[皮膚・リンパ節] 眼瞼結膜蒼白、左鎖骨上窩リンパ節腫脹の有無

[腹部] 心窩部圧痛、腹部腫瘤触知、腹腔内臓器由来の悪心は腹部触診にて誘発されることが多い。

検査所見

便潜血陽性、上部消化管内視鏡による診断確定

2 虫垂炎（☞28章「腹痛」〈308頁〉参照）

病歴

[随伴症状] 発熱、右下腹部痛（特に心窩部・臍周囲からの移動）。腹痛が嘔吐に先行することが多いが、悪心が初発症状であることもある。

身体所見

[バイタルサイン] BT↑、HR↑

[腹部] 右下腹部圧痛、筋性防御、反跳痛、踵落とし試験（Markle徴候）

検査所見

[血液検査] WBC↑、CRP↑

[腹部X線] 右下腹部の炎症を示唆する異常腸管ガス分布、糞石、二次性イレウス所見

[腹部エコー・腹部CT] 直径6mm以上に腫脹した虫垂、糞石、周囲の炎症像、腹水、穿孔や膿瘍などの合併症検出

MEMO

虫垂炎の身体診察

- 右上前腸骨棘と臍もしくは左上前腸骨棘を結ぶ線上で右上前腸骨棘から外側1/3の点をMcBurneyの圧痛点、Lanzの圧痛点と呼び、特に虫垂炎で圧痛がみられやすい部位である。
- 虫垂炎が進行すると腹膜刺激症状が出現し、その後これらの圧痛点に限局せずに広範な圧痛が出現する（汎発性腹膜炎となる）が、腹膜刺激症状がないにもかかわらず広範な圧痛がみられる場合は虫垂炎以外の右下腹痛を呈する憩室炎や回腸末端炎の可能性が高い。
- Rovsing徴候（下行結腸のガスを上行結腸に押しやると右下腹部痛誘発）やRosenstein徴候（左側臥位でMcBurney圧痛点の痛み増強）は、虫垂炎を疑う参考所見として知られている。また、腸腰筋・閉鎖筋・骨盤腔内への炎症波及を検出するpsoas徴候（抵抗に逆らって股関節屈曲にて疼痛誘発）、obturator徴候（右股関節内旋にて疼痛）、直腸診圧痛は炎症部位を示唆するものとしてときに診断に有用である。

3 腸閉塞（28章「腹痛」〈302頁〉参照）

病歴

[患者背景] 腹部手術歴、腸管運動低下のリスク（糖尿病、神経疾患、腸管運動を抑制する薬剤、外傷・手術直後、全身感染症、心疾患、高Ca血症・低K血症・腎不全などの代謝異常）

[随伴症状] 腹痛・腹部膨満感（食事で増悪、嘔吐で軽減）、便秘、放屁停止

身体所見

[バイタルサイン] BT↑、BP↓、HR↑、RR↑

[腹部] 腹部膨隆、腸蠕動音異常、鼓音、圧痛、腹膜刺激症状、

直腸診圧痛・直腸内宿便、鼠径部の腫瘤、Howship-Romberg徴候

> **MEMO**
>
> **Howship-Romberg徴候**
>
> 　閉鎖孔ヘルニアにみられる徴候で、股関節の伸展・外転により、ヘルニア内容が閉鎖管内で閉鎖神経を圧迫することにより、大腿内側から膝・下腿に放散する疼痛やしびれを誘発する。閉鎖孔ヘルニアの全例で認める所見ではないため、この徴候がないからといって閉鎖孔ヘルニアを否定してはならない。

検査所見

［血液検査］電解質（Na・K・Cl、Ca、Glu、BUN・Crなど）、炎症の有無（WBC、CRP）、腸管循環不全の有無（代謝性アシドーシス、乳酸、CPK）

［腹部X線］腸管拡張、air-fluid level（ニボー）

［腹部エコー］腸管拡張、to-and-fro sign、keyboard sign、腹水

［腹部CT］腸管拡張、閉塞起点検索、造影にて絞扼性イレウスによる血行障害を確認する。

▶ 閉塞起点検索では、①beak sign（癒着・バンドなどで閉塞している部分の腸管が鳥のくちばし状にみえる）、腫瘍・腸重積の有無および、②鼠径部や閉鎖孔のヘルニア、内ヘルニア（腸管が袋に入ったように一塊となる）以外に、③腸管がねじれて閉塞するclosed loopを探す。

▶ closed loopの所見としては、①C型に広がった拡張した小腸（閉塞部に向けて腸間膜血管が描出され扇状にみえる）、②whirl sign（捻転に伴って腸間膜の血管が渦巻き状にみえる）、③近接する虚脱した2つの腸管がある。

▶ 血行障害の所見としては腸管壁の造影欠損・壁内血腫（単純CTでhigh）・壁内気腫、target sign（造影に伴い壁肥厚した腸管が三重にみえる）、腸間膜動脈不鮮明（限局性出血やうっ血を反映）、上腸間膜静脈内ガスや門脈内ガス、そして腹水がある。

4 胆嚢炎、胆石・総胆管結石 (📁28章「腹痛」〈306頁〉参照)

病　歴

[患者背景] 今までの同様な症状の有無、肥満者、中年以降、女性（いわゆる4F：Female、Fat、Fertile、Forty）、脂っこい食事、胆石・溶血性貧血の既往あるいは家族歴

[随伴症状] 腹痛（嘔吐に先行することが多い）、発熱、尿色変化（赤褐色）

身体所見

[バイタルサイン] BT↑、BP↓、HR↑、RR↑

[意識] 意識レベル低下は上行性胆管炎による敗血症ショックを示唆する。

[結膜・皮膚] 黄疸

[腹部] 肝叩打痛、Murphy徴候

検査所見

[血液検査] 炎症所見、胆道系酵素・肝逸脱酵素

[腹部エコー] 胆嚢腫大・壁肥厚・胆泥、strong echo・acoustic shadow、肝内胆管拡張、総胆管拡張

[腹部CT] 胆嚢腫大・壁肥厚・周囲の炎症波及像、胆石、肝内胆管拡張、総胆管拡張

5 腎盂腎炎 (📁28章「腹痛」〈325頁〉、📁36章「排尿障害（尿失禁・排尿困難）〈420頁〉参照)

6 急性心筋梗塞 (📁23章「胸痛」〈258頁〉参照)

7 頭蓋内病変（脳腫瘍、水頭症、脳血管障害）

病　歴

早朝に嘔吐が起こる場合や、悪心がほとんどなくても嘔吐する場合、間欠性嘔吐の狭間に悪心がない場合に疑ってみる。ただし、小脳・脳幹の卒中ではめまいに伴って悪心は強い。

[患者背景] 動脈硬化のリスクファクター、心房細動・脳血管障

害・髄膜炎・悪性腫瘍の既往
[**随伴症状**] 頭痛、しびれ、嚥下障害、構音障害、複視

身体所見
[**バイタルサイン**] BP↑・HR↓（頭蓋内圧亢進時のCushing徴候）、意識レベル低下
[**神経学的徴候**] 視神経乳頭浮腫、神経学的巣徴候

検査所見
頭部CT・MRIによる診断確定

8 髄膜炎・脳炎（11章「頭痛」〈143頁〉参照）

病　歴
[**患者背景**] 先行感冒症状（上気道症状・耳症状・消化管症状）、同様な症状の人との接触、外傷既往・頭部手術歴、結核既往歴・接触歴、トリ接触歴、性交歴、膠原病家族歴、関節痛・皮疹・Raynaud現象・口内炎・陰部潰瘍の既往
[**随伴症状**] 振盪で増強する頭痛、発熱、羞明、聴覚過敏

身体所見
[**バイタルサイン**] BT↑、意識レベル低下
[**神経学的徴候**] 神経学的巣徴候
[**頭頸部**] 頭部振盪試験、鼓膜発赤、副鼻腔圧痛、歯叩打痛、口内炎、頸部リンパ節腫脹、頭部前屈試験・項部硬直
[**腹部**] 肝脾腫
[**陰部**] 陰部水疱・潰瘍
[**皮膚**] 皮疹

検査所見
[**髄液検査**] 細胞数と分画、蛋白、塗抹・培養、肺炎球菌迅速抗原検査、ADA・結核菌PCR、クリプトコッカス抗原、単純ヘルペスPCR
[**頭部CT**] 感染源検索（副鼻腔炎、中耳炎、乳様突起炎、顔面深部膿瘍）
[**頭部MRI・脳波**] 脳炎・脳膿瘍による異常所見検出

❾ 妊娠

病　歴

妊娠ではつわりは半数以上で生じるが、多くは早朝の悪心を特徴とする。

[患者背景] 最終正常月経：タイミング、経血量、パターンがいつもの月経と同じであることを確認する。つわりは妊娠5～6週頃から発症し、妊娠10～12週がピーク、妊娠16週には自然消失するものが多い。よって妊娠により悪心を訴える時点では月経が遅れていることが多いが、着床時に普段よりも量の少ない出血を認めることがあるので、これを月経とみなさないように注意する。

最終性交日：妊娠を肯定する患者はむしろまれで、「妊娠の可能性はない」という申告に診断的価値はないと考えたほうがよい。明確に最終性交日（＋避妊方法）について聴取すべきであり、最終正常月経以降に1回でも性交があった場合、妊娠は否定できていないと考える。

[随伴症状] 無月経、乳房の張り、頭痛

身体所見

乳房表面を走る静脈のうっ血を伴う乳房の拡大、乳暈の着色や知覚過敏、内診上での変化が知られている。

検査所見

[尿hCG検査] 妊娠4週でほぼ100％陽性となる。市販の妊娠検査薬の検査結果でも正しく使用すれば十分信頼できる。

[エコー検査] 経腹エコー検査では妊娠5週で胎嚢観察、妊娠7週で胎児心拍観察可能とされ、悪心出現時には経腹エコー検査で妊娠検出が可能なこともある。経腟エコー検査では経腹エコー検査より1週間早く観察可能とされ、悪心出現時には通常胎嚢を検出できる。尿hCG検査陽性にもかかわらず経腟エコー検査で胎嚢検出ができなければ早期妊娠の可能性以外に、自然流産、子宮外妊娠、胞状奇胎が鑑別に挙げられる。

⓾ 糖尿病性ケトアシドーシス（DKA）、高Ca血症（📂28章「腹痛」〈311頁〉参照）

(病　歴)

[患者背景] DKA：糖尿病の既往、甘いもの好き、スポーツドリンク多飲、体重減少

高Ca血症：骨粗鬆症治療薬（ビタミンD・Ca製剤）内服中、悪性疾患の既往、腰痛など多部位の難治性疼痛

[随伴症状] 口渇・多飲・多尿、傾眠・全身倦怠感、腹痛、便秘（高Ca血症）

(身体所見)

[バイタルサイン] HR↑、BP↓、RR↑（Kussmaul呼吸；DKA）
[概観] 意識レベル低下、フルーツ臭（アセトン臭；DKA）
[皮膚・粘膜] 口腔内乾燥、腋窩乾燥
[腹部] 腸蠕動音低下

(検査所見)

[血液検査] 高血糖、尿ケトン体陽性、高Ca血症

⑪ 薬物副作用

(病　歴)

[患者背景] 薬剤使用歴：ジギタリス製剤、アミノフィリン、鉄剤、モルヒネ、抗癌薬が重要であると考えられるが、その他、アドレナリン、L-Dopa、利尿薬、ニコチンなど、ありとあらゆる薬物が悪心・嘔吐を引き起こす可能性があるとされており、漢方薬・健康食品を含むすべての薬物を疑うべきである。

[随伴症状] ジギタリス製剤では視覚症状・精神症状、アミノフィリンでは動悸

(身体所見)

薬剤によりBP↑↓、HR↑↓、BT↑、RR↑↓など不定
精神状態変化、瞳孔異常

(検査所見)

薬物血中濃度測定

12 神経性食思不振症 (📁 4章「食欲不振」〈69頁〉参照)

病　歴

[随伴症状] 抑うつ気分、不安感・いらいら感、希死念慮、身体イメージのゆがみ

身体所見

[頭頸部] 歯牙エナメル質溶解、唾液腺腫大
[手] 吐きだこ

検査所見

心理テストによるスコアリング

その他

急性胃腸炎 (📁 30章「便通異常（下痢・便秘）」〈345頁〉参照)

Dr. Tierney's Clinical Pearls

In women less than forty with nausea and vomiting, a pregnancy test may save an expensive and extensive evaluation ; ignore the sexual history, as it may be embarrassing for some.

悪心・嘔吐を訴える40歳未満の女性では、妊娠検査をすることで他の高価で広範な検査をせずにすむかもしれない。性交歴は羞恥心から正確でないことがあるので、無視してよい。

[参考文献]

1) Smucny J. Evaluation of the patient with dyspepsia. J Fam Pract 2001 ; 50 : 538-43.
2) Pilotto A, Franceschi M, Leandro G, et al. Clinical features of reflux esophagitis in older people : a study of 840 consecutive patients. J Am Geriatr Soc 2006 ; 54 : 1537-42.
3) Scorza K, Williams A, Phillips JD, et al. Evaluation of nausea and vomiting. Am Fam Physician 2007 ; 76 : 76-84.
4) Mitchelson F. Pharmacological agents affecting emesis. Drugs 1992 ; 43 : 295-315.

26章 胸やけ

Heartburn

訴えの定義

- 胸骨後面から心窩部にかけての焼けるような感じをいう。多くは胃酸の胃内から食道への逆流による食道粘膜の刺激症状である。
- ただし、患者のいう「胸やけ」は典型的な逆流症状でない限り胸痛として（📁23章「胸痛」参照）、重篤な疾患の鑑別を心がけるべきである。

見逃してはならない疾患・病態

1急性心筋梗塞・狭心症　2食道破裂　3上部消化管出血（急性胃炎、急性胃・十二指腸潰瘍、Mallory-Weiss症候群、食道静脈瘤破裂）　4胃・十二指腸潰瘍穿孔　5悪性腫瘍（食道癌・胃癌）　6胃食道逆流症（GERD）

病歴聴取のポイント

- 発症様式が重要である。
- 急性発症で食事に関連のない胸やけがあり、家族歴や糖尿病や喫煙などのリスクファクターが存在する場合は心疾患を除外する必要がある。
- 空腹時であれば胃・十二指腸潰瘍、食事中であればアカラシアの一部やびまん性食道スパズム（これらは胸やけよりは胸痛と表現されることが多い）、食後であればGERDを考慮する。
- アルコール多量摂取後はMallory-Weiss症候群を考慮する。
- テトラサイクリン、アスピリン・NSAIDs、K製剤、ビスホスホネート製剤などの内服は、薬剤性食道炎を惹起する可能性があるため薬剤使用歴も重要である。
- 高脂肪食、チョコレート、饅頭、柑橘類ジュース、カフェインの摂取や、喫煙、飲酒、抗コリン薬、亜硝酸薬、Ca拮抗薬、ベンゾジアゼピン系薬、β遮断薬、テオフィリンは下部食道括約筋圧

► (LES圧)を低下させ胃食道逆流を増悪させる要因となる。また、円背、肥満、妊娠、腹水貯留による腹圧の上昇も胃食道逆流の原因となる。
► 食道癌は、体重減少、薬物治療（H₂受容体拮抗薬、プロトンポンプ阻害薬〈PPI〉）で十分に改善しない胸やけ、および特に固形物での嚥下困難があり、流動食の嚥下には問題ないといった病歴がある場合に疑う。
► 胃癌で胸やけがみられることはまれであるが、嚥下困難はしばしば認められ、そのほかに体重減少、早期の満腹感などといった点を聴取する。

身体診察のポイント

► 比較的身体所見に乏しい。消化管出血の徴候として、急性の場合は血圧低下、頻脈、起立性低血圧、腹部圧痛に、慢性なら便潜血陽性、眼瞼結膜の貧血所見に注意する。低血圧がある場合は大量出血（>1,500mL）が示唆される（📁29章「吐血・下血」参照）。
► また、心窩部の圧痛や腫瘤などは、悪性腫瘍を示唆する。
► 狭心症・心筋梗塞を疑う場合、頸静脈の怒張、肺底部ラ音、左室のコンプライアンス低下によるⅣ音や肺うっ血の合併によるⅢ音に注意を払う。

検査のポイント

► 慢性消化管出血を疑えば、血液検査にて鉄欠乏性貧血が進行しているか確認する。
► 胸やけ、突然の激しい腹痛、嘔吐を来した場合は、胸腹部CTにて縦隔気腫、左胸水、腹腔内free airの有無を確認する。
► 上部消化管内視鏡は確定診断に有用で、食道炎・潰瘍やGERD、食道腫瘍、蠕動異常、胃・十二指腸潰瘍の診断が可能である（📁27章「嚥下障害」〈296頁〉、28章「腹痛」〈319頁〉参照）。
► また、心血管系の検査としては、心電図、胸部X線、血液検査（心筋逸脱酵素含む）を行う。

見逃してはならない疾患・病態の解説

1 急性心筋梗塞・狭心症（ 23章「胸痛」〈258頁〉参照）
- 虚血性心疾患のリスクファクターのある患者で、食事に関係しない胸やけがある場合に疑う。特に下壁梗塞では、上腹部痛、悪心・嘔吐、胸やけなどの消化器症状が前面に出ることがあるからである。

2 食道破裂
- 外傷後や食道内視鏡治療後の胸やけでは必ず疑う。40%は過量の飲酒後である。
- 典型的には胸骨後部と上腹部の痛みが空えずきや嘔吐の後に生じる。ほかに嚥下痛、発熱、呼吸苦（40%）を訴え、頻呼吸、チアノーゼを呈して、30%がショックに至る。
- 身体所見としては皮下気腫が1/3程度にみられる。縦隔気腫によるHamman's crunchを聴取できることもある。
- これらの身体所見を認めなくても、食道破裂が疑われたら造影剤による食道造影と胸部CTを施行し、穿孔部や合併症の検索を迅速に行う。
- 緊急手術が必要となることが多い。

3 上部消化管出血（急性胃炎、急性胃・十二指腸潰瘍、Mallory-Weiss症候群、食道静脈瘤破裂）（ 29章「吐血・下血」〈336頁〉参照）
- 胸やけや食事による寛解、増悪のみならず、吐血やタール便がある場合には上部消化管出血を疑う。
- 身体所見上は頻脈、起立性低血圧、腹部の圧痛がみられる場合があり、直腸診にてタール便の有無を確認する。低血圧の場合は大量出血が示唆される。
- もともとアルコール性肝障害や慢性肝炎・肝硬変などによる門脈圧亢進症がある場合は、食道静脈瘤からの出血を考慮する。

▶ 活動性出血の治療としてはバイタルサインの安定化のためにルート確保、輸液を行い、専門科にコンサルトし内視鏡治療やソマトスタチンの投与を行う。

4 胃・十二指腸潰瘍穿孔

▶ 胃・十二指腸潰瘍の既往があり、胸やけ、突然の激しい腹痛、悪心・嘔吐を来した場合に疑う。腹膜刺激症状、腸管蠕動低下、頻脈、低血圧がみられる。
▶ free airをみつけるためには、胸部立位または腹部左側臥位X線検査、または腹部CTを施行する。認められた場合は迅速に外科にコンサルトする。

5 悪性腫瘍（食道癌・胃癌）

▶ 食道癌は、胸やけがあり、特に固形物での嚥下困難があるが、流動食の嚥下には問題ない場合に疑う。体重減少は顕著であるが、黒色便はないことが多い。吐・下血が鮮血の場合は、食道癌の大動脈や気管支動脈・肺動脈への穿通による出血を考慮する。
▶ 胃癌で胸やけが起こることはまれであるが、胃の口側もしくは胃食道移行部の胃癌においては嚥下障害がみられることはまれではない。GERDの結果として食道下部に腺癌が発見されることもある。体重減少以外に、心窩部痛、早期の満腹感があり、腹部腫瘤を触れることがある。
▶ 両者ともに鉄欠乏性貧血、便潜血陽性（グアヤック法）となることが多く、上部消化管内視鏡による観察と生検で確認される。

6 胃食道逆流症（GERD）

▶ 最も頻度の高い疾患である。胸やけが臥位によって増悪し、座位で改善する場合に疑う。典型的には、食後と夜間就寝時の慢性的な胸やけであり、瘢痕狭窄を来せば嚥下障害（27章「嚥下障害」〈295頁〉参照）も起こす。下部食道刺激の反射や逆流物のミクロな誤嚥による慢性咳嗽、発作性喘鳴などの非典型的な症状が

主訴の場合もある。
- ▶ 増悪因子には、高脂肪食、1回量の多い食事、就寝間際の食事、LES圧を低下させる嗜好品・薬物（前述）、肥満、妊娠、強皮症、円背、食道裂孔ヘルニアがある。
- ▶ 大きな食道裂孔ヘルニアによるGERDからの慢性出血が、極端な鉄欠乏性貧血を来すことがときにあるが、たいていの場合PPIと鉄剤で治療可能である。

Dr. Tierney's Clinical Pearls

Assume heartburn is angina pectoris until proven otherwise ; visceral pain is poorly localized and characterized.

患者が胸やけといっても、そうでないと証明されるまで狭心症と考えよ。なぜなら、内臓痛は局在を示しにくく、かつ性質を表現しにくいからである。

[参考文献]
1) Lee TH. Chest Discomfort. Harrison's Principles of Internal Medicine, 17th ed. New York, McGraw-Hill, 2008.
2) Sanyal AJ. Treatment of active variceal hemorrhage. UpToDate 17.1.
3) Jutabha R, Jensen DM. Major cause of upper gastrointestinal bleeding in adults. UpToDate 17.1.
4) Sampliner RE. Epidemiology, pathobiology, and clinical manifestations of esophageal cancer. UpToDate 17.1.
5) Mansfield PF. Clinical features and diagnosis of gastric cancer. UpToDate 17.1.

27章 嚥下障害

Dysphagia

訴えの定義

- ものが飲み込みにくいという訴えであるが、嚥下痛や咽喉頭異物感とは区別して記載する。

見逃してはならない疾患・病態

1 喉頭蓋炎・深頸部膿瘍（扁桃周囲膿瘍、後咽頭膿瘍、Ludwig angina）　**2** 神経変性疾患（多系統萎縮症〈MSA〉、パーキンソン病、進行性核上性麻痺〈PSP〉、筋萎縮性側索硬化症〈ALS〉）　**3** 多発性筋炎・皮膚筋炎　**4** Guillain-Barré症候群　**5** 重症筋無力症（MG）　**6** ボツリヌス中毒　**7** 口腔内乾燥症　**8** 物理的狭窄（食道癌、咽喉頭癌、逆流性食道炎の瘢痕）　**9** 食道蠕動異常（強皮症、アカラシア、びまん性食道スパズム、好酸球性食道炎）

病歴聴取のポイント

- 咽頭期嚥下障害と食道期嚥下障害は病因が異なるので、病歴を詳細にとることで分類するように努める。
- 咽頭に問題がある場合、嚥下開始が困難であることが特徴で、誤嚥のため咳や窒息を来したり、鼻腔への逆流や鼻声を伴うこともある。多くは神経筋に問題があり、神経疾患の罹患歴や随伴症状（小刻み歩行などの歩行障害や筋脱力、易疲労性、複視、構音障害）で疑うことができる。また後述のように、神経学的徴候とその時間経過が診断に最も有用な情報である。
- それ以外の咽頭期嚥下障害の原因として、喉頭蓋炎・深頸部膿瘍と咽頭腫瘍を考える。喉頭蓋炎・深頸部膿瘍では嚥下困難というより、発熱・咽頭痛・嚥下痛が主訴であることが多い。
- 咽頭腫瘍は嚥下早期の困難や誤嚥を呈することがあり、特に大酒家、喫煙者では必ず鑑別に挙げなければならない。
- 重篤な疾患ではないが、口腔内乾燥症も嚥下困難を来すため、眼

球乾燥・口腔内乾燥と抗コリン薬・抗ヒスタミン薬使用歴は確認しておく必要がある。
► 食道に問題がある嚥下障害については、「飲み込んだ食物がのどや胸につかえる感じ」として訴えられることが多い。固形物の嚥下障害や体重減少は器質的疾患を示唆し、悪性腫瘍を第一に考える。食道に物理的狭窄がある場合、唾液分泌が増えることを自覚する患者もいる。
► 一方、流動物の嚥下障害、冷たい液体の嚥下障害では機能的疾患の可能性が高くなる。

身体診察のポイント

► 咽頭期嚥下障害では、神経学的異常所見があれば神経変性疾患を考える。特に構音・構語障害が嚥下機能障害と相関するため注意する必要がある。ベッドサイドで患者が少量の水を嚥下する様子を観察し、喉頭の動きやむせの有無をチェックする。
► 臥位からの頭部挙上が不能な前頸部筋力低下は、咽喉頭部の筋力低下を示唆する。
► 発熱、口蓋垂変位、頸部リンパ節圧痛がある場合は、頸部感染症を考える。
► 無痛性の頸部腫瘤・頸部リンパ節腫脹があれば、咽喉頭部腫瘍や食道癌の転移を考える。
► 口腔内の乾燥や口臭もチェックしておく。
► 青みがかった眼球強膜、結膜の貧血、舌炎を認めたら、重度の鉄欠乏による下咽頭～食道粘膜の萎縮あるいは膜様狭窄（Plummer-Vinson症候群）を考える。

検査のポイント

► 神経変性疾患が疑われれば頭部MRIや神経伝導速度、血液検査（CPK）、筋電図を必要に応じて行う。嚥下機能はビデオフルオロスコピーで詳細に評価でき、誤嚥のリスクが判定できる。
► 喉頭蓋炎・深頸部膿瘍、咽頭腫瘍は、局所の問題であるので画像

見逃してはならない疾患・病態の解説

1 喉頭蓋炎・深頸部膿瘍（扁桃周囲膿瘍、後咽頭膿瘍、Ludwig angina）（📖20章「嗄声」〈227頁〉参照）

▶ 急性の炎症を反映して発熱、悪寒戦慄、咽頭痛・頸部痛、嚥下痛を認めることが多い。炎症が喉頭蓋や深頸部に起こっている場合は気道閉塞の危険があるため、緊急の対応を要する。

▶ 扁桃周囲膿瘍では口蓋垂変位がみられるが、それ以外の疾患では痛みのわりに中咽頭に所見のないことが特徴である。その場合、流涎、こもったような声、開口障害、頸部腫脹・圧痛が疾患を疑う重要な所見である。

▶ Ludwig anginaとは、口腔底蜂窩織炎が咽頭部の広い範囲に及んで咽頭狭窄を伴った炎症をいう。

▶ 血液検査では炎症を反映して白血球増多やCRP高値がみられる。画像検査では喉頭側面X線が簡便であるが、頸部CT・MRIでは病変に一致した部位に腫脹、炎症像、膿瘍像を描出するほか、ときに内頸静脈に血栓像を認めることがある。この場合、菌血症や肺への化膿性塞栓を伴えばLemierre症候群と呼ばれる。

▶ 起因菌の同定のため咽頭培養、膿瘍部位穿刺グラム染色＋培養、血液培養も行う必要がある。治療としては抗菌薬投与以外に、膿瘍なら切開排膿のため耳鼻科にコンサルトを行うほか、急な呼吸状態増悪に備えておく必要がある。

MEMO
喉頭蓋炎・深頸部膿瘍に対する画像検査
- 扁桃周囲炎（蜂窩織炎）か扁桃周囲膿瘍かでドレナージの必要性の有無が変わるので両者の鑑別は重要だが、臨床所見だけでの鑑別は必ずしも簡単ではない。そのため膿瘍形成をしているかどうかは造影CTもしくは穿刺にて確認されることが多い。しかし、簡便性・コスト・被

曝の問題からエコー検査を勧めたい。顎下からプローベを当てるが、舌を動かしてもらうとオリエンテーションがつけやすい。
- 喉頭側面X線写真では喉頭蓋炎と後咽頭膿瘍に注意して読影する。喉頭蓋炎ではthumb signという古典的徴候よりvallecula signのほうが有用性が高いとされている。これは舌の基部から舌骨の付近まで舌を追い、喉頭蓋との間のair-pocket（vallecula）を確認し、このvalleculaが深く、おおよそ喉頭気管の空気柱と平行であるなら喉頭蓋炎はないとするものである。
- 後咽頭膿瘍に関しては椎体前面の軟部組織の厚さがC3のレベルで7mm、C6のレベルで22mm以上あれば強く疑われるが、はっきりしない場合は造影CTによる確認が望ましい。

2 神経変性疾患（多系統萎縮症〈MSA〉、パーキンソン病、進行性核上性麻痺〈PSP〉、筋萎縮性側索硬化症〈ALS〉）（📁33章「歩行障害・脱力」〈386、391頁〉参照）

▶ これらの鑑別には系統的な神経徴候の把握と時間経過が最も重要である。当然のことながら神経変性疾患では月〜年単位の進行をするが、脳梗塞では突然発症である。

▶ 固縮、寡動、仮面様顔貌、Myerson徴候、小刻み歩行、微小書字はパーキンソン症候群を考える。振戦が目立ち、神経所見に左右差がある場合や臭覚障害がある場合はパーキンソン病を示唆するが、転倒の既往が多かったり、自律神経障害（立ちくらみ〈起立性低血圧〉、便秘、排尿障害、発汗障害、インポテンツ）や小脳失調（指鼻試験、回内回外試験、膝踵試験、継ぎ足歩行の異常）があればMSAなどのパーキンソン病以外のパーキンソン症候群の可能性が高くなる。垂直眼球運動障害や頸部後屈（項部ジストニア）、体軸性の筋固縮、仮性球麻痺はPSPを示唆する。

▶ 上位運動ニューロン徴候（腱反射亢進・病的反射・痙縮）に加え、下位運動ニューロン徴候（筋萎縮・筋線維束攣縮〈fasciculation〉）があれば、ALSを考える。外眼筋麻痺、客観的感覚障害、自律神経障害、褥瘡や膀胱直腸障害、知能低下はみられないのが特徴である。

- ▶頭部MRIでは神経変性疾患において特徴的な変性・萎縮所見が得られることがあり、脳梗塞であれば脳梗塞所見がみられる。またALSが疑われる場合は筋電図も有用な情報となる。

3 多発性筋炎・皮膚筋炎（📁33章「歩行障害・脱力」〈397頁〉参照）

- ▶特に小児と中高年女性で、徐々に進行する近位筋優位の筋力低下があれば考える。左右対称の近位筋の筋力低下により、階段が上りにくい、ベッドから起き上がりにくいのが初発症状であることが多い。多発性筋炎・皮膚筋炎では横紋筋が侵されるので嚥下早期の困難もよくみられる徴候の1つであるが、嚥下障害まで至る多発性筋炎・皮膚筋炎では、仰臥位での頭部挙上ができないことが多い。
- ▶それ以外には筋把握痛、関節痛、Raynaud現象、乾性咳嗽・労作時呼吸困難を呈することもあるが、筋疾患なので感覚障害は伴わない。
- ▶皮膚筋炎の場合は特徴的な皮疹がみられ、上眼瞼の紫紅色の浮腫性紅斑（ヘリオトロープ疹）、手指関節伸側の落屑を伴う紅斑（Gottron丘疹）、頸部・肩・前胸部・上背部の鱗屑を伴う紅斑（ショール徴候）、色素沈着と脱色、血管拡張を伴う多形皮膚萎縮症（ポイキロデルマ）、手掌腹側に紅斑や角質化が強い皮疹（機械工の手）などが知られる。
- ▶検査所見としてはCPK上昇やアルドラーゼ上昇を確認することが最も簡単であるが、筋電図・筋生検にて筋炎所見を確認すれば確定的となる。それ以外には、自己抗体（抗Jo-1抗体、抗ARS抗体、抗MDA5〈CADM-140〉抗体、抗TIF1-γ抗体、抗Mi-2抗体）高値や炎症所見が参考項目として重要である。合併症として間質性肺炎のチェックのため胸部X線検査やCTを行うほかに、皮膚筋炎では悪性腫瘍の検索のため上部・下部消化管内視鏡などが必要となる。

②動脈硬化のリスクファクター（高齢、高血圧、糖尿病、脂質異常症、喫煙歴など）や心房細動→大動脈瘤破裂、急性大動脈解離、腸間膜動脈閉塞症、腎梗塞、脾梗塞

③発熱→感染症（ただし高齢者、免疫能低下状態ではないこともあり）

④じっとしていられない→尿管結石、腸管虚血、麻薬禁断症状
じっとしていたい→腹膜炎、急性胆嚢炎

⑤デルマトームに沿った痛み→帯状疱疹、神経根障害

⑥悪心・嘔吐に始まる→心筋梗塞、虫垂炎、胆嚢炎、肝炎、胆道・尿路結石、腎盂腎炎、胃腸炎、腸閉塞・イレウス

⑦腹水貯留→腹膜炎、腹腔内悪性腫瘍、肝静脈閉塞症

⑧やせた高齢女性、腸閉塞→閉鎖孔ヘルニア・大腿ヘルニア嵌頓

⑨妊娠可能な女性、性器出血、下腹部痛→異所性（子宮外）妊娠

⑩最近の性交歴のある女性→骨盤腹膜炎、卵巣出血

▶ 一般に突然発症の痛み（痛みが分単位でピークに達するもの）は①破裂、②急性閉塞、③捻転、によることが多い。

▶ 逆に突然軽快するものは、①捻転解除、②嵌頓解除を示唆するが、徐々に内圧の高まった囊状病変が破裂した際にも一時的に軽快するので経過観察が必要になる。

診断仮説ごとに把握すべき病歴・身体所見・検査所見

1 腹部大動脈瘤破裂

▶ 動脈硬化のリスクファクターを持つ患者（したがって比較的高齢者である）に突然発症する腹痛・側腹部痛・腰痛をみたとき、早急に除外すべきものの1つである。

病　歴

[患者背景] 喫煙、高血圧、糖尿病、脂質異常症、虚血性心疾患の既往

[随伴症状] 冷汗、立ちくらみ・失神、腰痛・背部痛

(身体所見)

[バイタルサイン] BP↓あるいは起立性に↓（大動脈瘤破裂を示唆）、HR↑

[腹部] 臍部または臍上部の拍動性腫瘤（腹部大動脈瘤は腎動脈と下腸間膜動脈の間に形成されることが多い）、血管雑音（bruit）、皮下出血斑（Grey-Turner/Fox/Cullen徴候）

[鼠径部] 大腿動脈拍動の減弱・消失、血管雑音

(検査所見)

腹部エコーまたは腹部造影CTで拡張した腹部大動脈を確認する。CTでは後腹膜への出血も描出できる。

2 大動脈解離（☞23章「胸痛」〈259頁〉参照）

► 症状として胸痛・背部痛が多いが、痛みが移動して腹痛・腰痛を訴えることがある。

3 腸間膜虚血（動脈塞栓・血栓、静脈血栓、非閉塞性〈NOMI〉）

► 突然発症の腹痛の場合、動脈硬化のリスクファクターのある者では腸間膜動脈の閉塞も必ず除外しなければならない。高齢者では明らかな閉塞がなくても血圧低下による血行動態的の虚血で腸管の壊死を来すことがある。凝固能亢進を示唆する病歴がある場合は、腸間膜静脈の閉塞も考える。

► 大動脈解離に伴って、あるいは孤発性に腸間膜動脈壁の解離を来して腸管の虚血が起こることもある。

(病　歴)

[患者背景] 動脈硬化のリスクファクター、不整脈（特に心房細動）、弁膜症、心室瘤、低心拍出量を来す疾患（心不全、心筋梗塞、脱水、利尿薬使用）、腹部アンギーナ（食後に繰り返す腹痛）、比較的若くして発症あるいは2回以上の静脈血栓症、まれな部位（上肢や内臓）の静脈血栓症、進行した癌

[随伴症状] 悪心・嘔吐、（腸管壊死に進めば）下血

とのできるERCPを行う。内視鏡的なドレナージが困難な症例では、PTCDを選択する。

病歴

[**患者背景**] 胆石症、総胆管結石の既往があればリスクとなる。
[**随伴症状**] 悪心・嘔吐を伴うことは多い。Reynoldsの5徴＝Charcotの3徴（右上腹部痛・発熱・黄疸；50〜75％にみられる）＋ショック＋意識障害（〜10％にみられる）

身体所見

[**バイタルサイン**] BP↓、悪寒戦慄・発熱（ときに低体温）、意識障害・不穏にも注意する。
[**結膜・皮膚**] 黄疸
[**腹部**] 肝叩打痛。腹部の圧痛は顕著でないが、胆囊炎や膵炎を合併した場合には明らかとなる。

検査所見

[**血液検査**] WBC↑↓、CRP↑、Bil↑、ALP/γ-GTP/LAP↑
[**腹部エコー**] 総胆管〜肝内胆管拡張、総胆管結石、胆囊内に結石や胆泥を認めることが多いが、閉塞初期では胆管が拡張していないことがある。
[**MRCP・ERCP**] 1cm以上の総胆管結石ではMRCPはERCPの所見に90〜95％合致する。ERCPは診断のみならず、乳頭括約筋切開術、結石除去、ステントやドレナージチューブ留置などの治療を兼ねることができる。

8 急性胆囊炎 （📂25章「悪心（嘔気）・嘔吐」〈279頁〉参照）

▶ 胆石の胆囊管への嵌頓が契機で生じるもの（約90％）と、重篤な疾患（敗血症、ショック、人工呼吸管理、術後、外傷、中心静脈栄養など）に伴う無石胆囊炎（約10％）とがある。
▶ 典型的には、右上腹部または心窩部の持続痛を訴え、痛みが右肩甲・肩甲間に放散することがある。右上腹部〜心窩部痛、発熱、白血球増多の3徴が本症を示唆する。糖尿病患者ではより重症の気腫性胆囊炎を来すことがある。

病　歴

[患者背景] 女性、肥満、胆石の指摘・胆石発作の既往、脂っこい食事の摂取

[随伴症状] 悪寒・発熱、悪心・嘔吐、食欲不振

身体所見

[バイタルサイン] HR↑、BT↑

[概観] 苦悶様、体動で腹痛が増強するためじっとしている傾向がある。

[結膜・皮膚] 黄疸（胆嚢頸部に嵌頓した胆石や胆嚢の浮腫性炎症が胆管を圧迫した場合に起こる＝Mirizzi症候群）

[腹部] 右腹部または心窩部の圧痛、Murphy徴候（深吸気時に胆嚢部の圧痛のため突如呼吸を止める現象）、穿孔した場合は同部位付近に腹膜刺激症状、高齢者では圧痛を伴わないこともある（65歳以上の25％）。

検査所見

[血液検査] WBC↑、CRP↑、Bil↑、ALP/γ-GTP/LAP↑、AST/ALT↑

[腹部エコー] 胆石、胆泥、胆嚢腫大、胆嚢壁肥厚、sonographic Murphy徴候（＋LR 9.9、－LR 0.4）、胆嚢周囲の液貯留

[腹部CT] 胆嚢周囲膿瘍、気腫性胆嚢炎、穿孔などの合併症や、他疾患を除外するとき有用

---

❾ 急性膵炎

▶ 典型的には、持続性の鋭い痛みが、心窩部または右上腹部、まれに左上腹部に位置し、しばしば背部に放散する。痛みは臥位で増強し、前傾姿勢〜四つ這い位で軽快する傾向がある。

病　歴

[患者背景] 膵炎・胆石発作の既往、胆石・胆泥の指摘、アルコール多飲、薬剤使用歴、ERCP後、腹部外傷後、高Ca血症・副甲状腺機能亢進症、高トリグリセライド血症、感染症（ムンプスウイルス、ヘルペスウイルス、エンテロウイルス、HIV）、

自己免疫性（IgG4関連）、血管炎（SLE、結節性多発動脈炎〈PN〉）、先天異常（膵管合流異常の一部）、循環不全（ショック、コレステロール塞栓症）の有無

[随伴症状] 悪心・嘔吐、腹部膨満

身体所見

[バイタルサイン] BP→or↓、HR↑、BT↑、RR→or↑
[概観] 不穏、重症では呼吸不全・昏睡
[胸部] ときに胸水貯留（左＞右）による呼吸音減弱、打診上濁
[腹部] 上腹部の圧痛、腸蠕動音減弱または消失、腹部膨満、筋性防御や反跳痛はまれ、ときに膵仮性囊胞を触知、側腹部の暗赤色出血斑（Grey-Turner徴候）・臍周囲出血斑（Cullen徴候）は重症膵炎による後腹膜の出血を示唆するがまれ（約1％）
[皮膚] 脂肪壊死による皮下硬結（0.5～2cm大、赤色、圧痛を伴う、四肢遠位部に多い）、黄疸（結石や浮腫による総胆管閉塞を伴う場合）

検査所見

[血液検査] アミラーゼ↑、リパーゼ↑、血糖↑、Ca↓、LDH↑、AST↑、Ht↓、BUN↑、PaO₂↓、播種性血管内凝固症候群（DIC）所見（血小板↓、FDP↑など）
[腹部X線] sentinel loop（限局性イレウス）、colon cut-off徴候（拡張した横行結腸が脾彎曲で途絶し下行結腸にガスを認めない）、膵石（慢性膵炎）
[胸部X線] 左横隔膜挙上、左（＞右）胸水、左板状無気肺、急性呼吸窮迫症候群（ARDS）ではびまん性浸潤影
[腹部エコー] 膵臓のびまん性腫大、胆石、胆泥
[腹部CT] 膵腫大や周囲の脂肪壊死にて重症度を評価したり、イレウスや仮性囊胞などの合併症を確認

10 虫垂炎（25章「悪心（嘔気）・嘔吐」〈276頁〉参照）

▶ 10～30歳代の発症が多いが、80～90歳代の高齢者でも生じ得る。特徴的な症状の推移は、心窩部または臍周囲の軽い鈍痛に始ま

り、食欲不振、悪心・嘔吐、微熱を生じ、痛みが右下腹部に移動するというものである。
- 「右下腹部痛」「痛みの移動」「嘔吐前の腹痛」がある場合は虫垂炎を示唆し、「右下腹部痛がない」「痛みの移動がない」「過去に同様の痛みがある」場合は、虫垂炎は否定的となる。

病歴

[随伴症状] 悪心・嘔吐、発熱

身体所見

[バイタルサイン] BT↑（≧39.4℃では穿孔の可能性を考慮）
[腹部] 筋性防御（不随意）、腸腰筋徴候、反跳痛は虫垂炎の可能性を高める。筋性防御（不随意または随意）がない場合は、虫垂炎の可能性が低下する。Psoas徴候やobturator徴候が陽性の場合、虫垂炎の可能性が高まる。
[直腸診] 右側にのみ圧痛が起こり得る。

検査所見

[血液検査] WBC↑（30％で正常）、核の左方移動（95％で認められる）、CRP↑、1/3の症例で顕微鏡的血尿や膿尿が認めら

虫垂炎診断における症状，身体所見の陽性尤度比，陰性尤度比

(参考文献4)

	陽性尤度比（95%CI）	陰性尤度比（95%CI）
右下腹部痛	7.3～8.5	0～0.28
筋性防御（不随意）	3.8（3.0～4.8）	0.82（0.79～0.85）
痛みの移動	3.2（2.4～4.2）	0.50（0.42～0.59）
嘔吐の前の腹痛	2.8（1.9～3.9）	該当なし
psoas徴候	2.4（1.2～4.7）	0.90（0.83～0.98）
発熱	1.9（1.6～2.3）	0.58（0.51～0.67）
反跳痛	1.1～6.3	0～0.86
筋性防御（随意）	1.7～1.8	0～0.54
過去に同様の痛みがある	1.50（1.46～1.7）	0.32（0.25～0.42）
直腸診での圧痛	0.83～5.3	0.36～1.1
食欲不振	1.3（1.2～1.4）	0.64（0.54～0.75）
悪心	0.69～1.2	0.70～0.84
嘔吐	0.92（0.82～1.0）	1.1（0.95～1.3）

れることがある（虫垂と膀胱・尿管が近接しているため）。

［画像検査］ 腹部CT（単純＋造影）・エコーで虫垂腫脹、虫垂結石、膿瘍形成などを検出

> **MEMO**
>
> ## Psoas徴候とObturator徴候
>
> Psoas徴候（📖31章「腰・背部痛」〈362頁〉MEMO参照）
>
> 　2通りの方法あり。①仰臥位で患者の右膝を手で下に押した状態で患者に右大腿を挙上させる。②左側臥位で右大腿を後方に引く。痛みが誘発されたら陽性。
>
> Obturator徴候
>
> 　右股関節と右膝関節を90°屈曲させた状態で、右股関節を内旋させる。痛みが誘発されたら陽性。

11 異所性（子宮外）妊娠

▶ 妊娠可能な女性が下腹部痛を訴える場合には必ず否定する必要がある。初産婦に比べ経産婦に多く（80％）、特に1回経産婦に多い。原因不明のことも多いが、クラミジアなどの性感染症による卵管癒着が原因のこともある。卵管流産では不正出血および鈍い下腹部痛の持続を伴うことが多く、卵管破裂では不正出血、突然の激しい下腹部痛、腹腔内出血による立ちくらみ、失神、ショックを来す。

病　歴

［患者背景］ 正常な最終月経以降に一度でも性交がある、月経が遅れている、性感染症の既往や不妊症があればリスクが高まる。

［随伴症状］ 通常の妊娠初期の症状（乳房の張り、頻尿、つわり）、性器出血を伴うことがある。腹腔内出血が横隔膜を刺激した場合、肩の痛みを訴えることもある。

身体所見

［バイタルサイン］ BP→or↓、HR↑、起立性低血圧

［腹部］ 下腹部に圧痛、腹膜刺激症状

［生殖器］ 性器出血

検査所見

尿中hCG陽性であるのに腹部エコーで子宮内に胎嚢がみられない。貧血所見は発症後経過時間による。

12 常位胎盤早期剥離

▶ 妊娠後期で強い下腹部痛や頻回の陣痛様の痛みを来した場合、本症を否定する必要がある。痛みの程度は剥離の程度により異なり、重症では激烈な下腹部痛、子宮の板状硬結、圧痛を生じ、胎動が減少または消失する。出血は多くが胎盤と子宮壁との間の内出血だが、性器出血が認められることもある。直ちに産科にコンサルトが必要である。

病歴

[患者背景] 妊娠後期（7カ月以降）、腹部外傷、常位胎盤早期剥離の既往、妊娠高血圧

[随伴症状] 胎動の減少、性器出血、重症ではショック・DICを合併

身体所見

[バイタルサイン] BP→or↓、HR↑、重症ではショック
[概観] 顔面蒼白
[腹部] 下腹部（子宮）の板状硬結・圧痛、胎動が減少または消失

検査所見

DICを合併した場合、血小板数↓、PT↑、APTT↑、FDP↑、フィブリノゲン↓。腹部エコーの感度は低いが、胎盤と子宮壁との間に血腫を認めたら診断は確定する。胎児心拍モニター異常

13 糖尿病性ケトアシドーシス（DKA）（ 25章「悪心（嘔気）・嘔吐」〈282頁〉参照）

▶ 代謝性疾患による腹痛は、痛みや悪心・嘔吐のわりに腹部の身体所見に乏しいため、そのような患者に遭遇した場合、DKA、副腎不全、高Ca血症、尿毒症、急性間欠性ポルフィリン症（AIP）、鉛中毒、麻薬の禁断症状なども一度は鑑別に挙げ、病歴・身体所

見から診断を絞り込んでいく。

病　歴

[患者背景] 糖尿病の既往。不規則なインスリン使用。DKAは1型糖尿病に多いが、2型糖尿病では重症感染症、外傷、心血管疾患などのストレス下で発症することがある。成人よりも小児で腹痛を呈することが多く、初発症状であることさえある。

[随伴症状] 悪心・嘔吐、口渇、多飲、多尿

身体所見

[バイタルサイン] BP↓、HR↑、Kussmaul呼吸

[概観] 皮膚・粘膜の脱水所見、アセトン臭

検査所見

[血液検査] 血糖↑、アニオンギャップ開大、代謝性アシドーシス（DKAで腹痛がある場合、しばしば$HCO_3 \leq 5$ meq/L）

14 急性副腎不全 （📁2章「全身倦怠感」〈52頁〉参照）

▶ 未診断あるいは既診断の慢性副腎不全（ステロイド長期投与患者を含む）に感染や外傷のストレスがかかった場合、あるいは両側副腎に出血や梗塞が起こった場合に、ショックを呈したものをいう（副腎クリーゼとも呼ぶ）が、腹痛、悪心・嘔吐を伴うことも多い。

その他

肝・胆・膵疾患

胆石症

▶ 胆石症のリスクとして、40歳以上、女性、肥満、経産、肝硬変、糖尿病、溶血性貧血、セフトリアキソン投与がある。

▶ 胆嚢内結石はしばしば無症状だが、脂っこい食事の後に右上腹部〜心窩部痛、悪心・嘔吐を来した際に胆石症と呼ぶ。胆嚢炎とは異なり、胆石発作のみでは発熱は来さず、血液検査異常や、腹部エコーにおける胆嚢壁の肥厚は認めない。

急性肝炎（ウイルス性、アルコール性、薬剤性）

► 右上腹部痛に肝機能障害を伴う場合は鑑別に入れる。発熱、全身倦怠感、食欲不振、悪心・嘔吐、褐色尿などを伴うことがある。意識障害や羽ばたき振戦を伴う場合は劇症肝炎を疑う（📁 9章「黄疸」〈114頁〉参照）。

► A型肝炎：潜伏期2～6週間（平均30日）。糞口感染。生カキなどの飲食物摂取、海外渡航歴の有無を確認する。発熱や筋肉痛が先行し、肝腫大、黄疸を来す。HAV-IgM抗体をチェック。約1％が劇症化。

► B型肝炎：潜伏期1～6カ月（平均60～90日）。輸血、その他の血液曝露、性交、分娩などで感染。HBs抗原、IgM-HBc抗体、IgG-HBc抗体をチェック。約1～2％が劇症化。

► C型肝炎：潜伏期2週間～5カ月（平均50日）。輸血、その他の血液曝露で感染。ほとんどが無症状だが、2～3割が症状を伴う。HCV抗体（急性期50％以下、3カ月後90％、6カ月後ほぼ100％陽性）、HCV-RNAをチェック。

► E型肝炎：潜伏期2～8週間（平均40日）。糞口感染。イノシシ・シカ・ブタなどの生肉摂食歴、海外渡航歴の有無を確認する。HEV-IgM、HEV-RNAをチェック。約1～2％（妊婦では10～20％）が劇症化。

► アルコール性肝炎：アルコール多飲・依存歴の有無を確認する。発熱、悪心、黄疸を伴い、AST/ALT＞2、ALT＜300IU/Lが特徴で、γ-GTP上昇はもちろん、MCV＞100fLが飲酒の手がかりになることがある。AST↑＞ALT↑、γ-GTP↑。

► 薬剤性肝炎：アセトアミノフェン、イソニアジド、リファンピシン、抗菌薬などの使用歴。一般的に自覚症状が乏しい。

肝癌破裂

► ウイルス性肝炎、肝硬変、肝癌の既往のある者が、吐・下血を伴わず、突然の右上腹部痛後にショック状態となった場合は疑う。

慢性膵炎
- アルコール多飲歴のある者が、持続的または反復する心窩部痛、右・左上腹部痛、食欲不振、体重減少、悪心・嘔吐、便秘、腹部膨満、脂肪便を来したときに疑う。
- 急性発作時にはアミラーゼやリパーゼ上昇を来すが、軽度あるいは正常範囲に終わることもある。
- 画像検査で膵石（腹部CTが鋭敏）や膵管拡張、膵外分泌機能低下（PFDテストで尿中PABA排泄＜70％）を認める。
- 近年、膵腫大、膵管狭小、IgG4↑、ステロイド治療への良好な反応を示す自己免疫性膵炎の存在が明らかになっている。

肝膿瘍
- 化膿性とアメーバ性がある。
- 化膿性肝膿瘍は、胆管炎に続発するもの（結石、狭窄、腫瘍による閉塞が原因）が多く、その他、憩室炎や虫垂炎に続発する経門脈性のもの、菌血症に続発する経肝動脈性のものがあるが、約40％は原因不明である。高齢、男性、糖尿病、肝・胆・膵悪性腫瘍、肝硬変、炎症性腸疾患がリスクファクターとして重要である。
- 起炎菌として、大腸菌、クレブシエラ、プロテウス、嫌気性菌との混合感染、*Streptococcus milleri*などがある。
- 症状として、発熱、悪寒、全身倦怠感、食欲不振、体重減少、右上腹部痛または心窩部痛、悪心・嘔吐などがあるが、発熱以外の症状を伴わないことがあるので注意する。
- 身体所見では、黄疸、肝腫大、肝叩打痛を認めることがある。
- 腹部エコー・CTにて膿瘍の存在診断をし、血液培養、ドレナージ液の培養にて起炎菌を同定する。
- アメーバ性肝膿瘍は、途上国への渡航後、8〜20週間（平均12週間）以内に、発熱と右上腹部痛で発症することが多い。1/3が下痢や血便を伴う。診断は、便中赤痢アメーバ検出、血清抗赤痢アメーバ抗体（肝膿瘍ではほぼ100％で陽性となる）、腹部エコー・CTにて行う。

肝静脈閉塞症（Budd-Chiari症候群）

▶肝静脈または肝部下大静脈の閉塞による。亜急性発症が多いが、急性に発症した場合は、突然の右上腹部痛・圧痛、黄疸、肝腫大、脾腫、腹水などを呈する。

▶原発性と続発性があり、続発性は真性多血症、発作性夜間血色素尿症、抗リン脂質抗体症候群、SLE、経口避妊薬、悪性腫瘍などによる凝固亢進状態が原因となる。

▶腹部エコー（血管エコー）・CT・MRIで肝静脈や下大静脈の閉塞を認める。

肝嚢胞内感染・出血

▶肝嚢胞は無症状で経過することが多いが、ときに嚢胞内に感染や出血を来して腹痛の原因となる。

▶感染では発熱、WBC↑、CRP↑を伴い、血液培養や嚢胞穿刺液の培養で病原微生物が同定できる場合がある。一般に造影CT、拡散強調MRIが感染性嚢胞の検出に有用である。

▶感染では可能な範囲で穿刺ドレナージを行う。しばしば長期間の抗菌薬治療を要する。

胆嚢捻転症

▶胆嚢頸部の捻転により血行障害が生じ、胆嚢壁に壊死を来すまれな疾患。やせた高齢女性に多い。遊走胆嚢、円背、側弯、るいそう、内臓下垂、急激な体位変換、排便による腹圧の変化などが関係する。

▶腹部エコー、造影CTで胆嚢腫大・緊満、胆嚢壁の浮腫、胆嚢頸部の狭小化、胆嚢壁造影不良を認める。

▶速やかな胆嚢摘出術が推奨されている。

脾疾患

脾破裂

▶外傷後に左上腹部痛を訴えて失神やショック状態になった場合に

疑う。横隔神経の刺激により左肩に放散痛を伴うことがある。腹腔内出血により、痛みは腹部全体に広がる傾向がある。
► 脾腫を生じる伝染性単核球症や血液疾患ではより軽度の外傷で脾破裂を生じ得るため、脾腫の著明なうちはコンタクトスポーツは避けるよう指導する。

脾膿瘍
► 感染性心内膜炎の合併症として生じることが多い。その他、尿路感染症、腹腔内感染症由来の菌血症に続発することもある。
► 発熱、左上腹部痛・叩打痛、WBC↑を伴う。左胸水を合併することもある。腹部（造影）CTにて診断する。

脾梗塞
► 心房細動、卵円孔開存などに合併する塞栓症や、凝固亢進状態に合併する血栓症で脾動脈が閉塞することで生じる。通常発熱はなく、急に発症する左上腹部痛が特徴。腹部（造影）CTで楔形の境界明瞭な低吸収域を認める。

遊走脾
► 脾臓が解剖学的に正常な位置である左上腹部に固定されず腹腔内に遊離して存在するまれな疾患。症状としては、無症状のものから、捻転により反復する腹痛を来すものまである。腹部エコー・CTで診断。

消化管疾患
機能性ディスペプシア（上腹部愁訴）
► 器質的疾患が認められず、6ヵ月以上前から心窩部を中心とした症状（食後腹満感、早期満腹感、心窩部痛、心窩部灼熱感）が1つ以上あり、3ヵ月以上持続している状態（Rome IV基準）。
► 内視鏡検査で*Helicobacter pylori*感染胃炎などの他疾患を除外することが重要である。

- 治療として、ライフスタイルや食生活の改善、PPI、H_2受容体拮抗薬、消化管運動促進薬（モサプリド、アコチアミド）などを試みる。

好酸球性食道炎・胃腸炎

- 好酸球性食道炎は、食道上皮への好酸球浸潤を特徴とする慢性炎症により、食道運動障害や器質的狭窄を来すまれな疾患。
- 嚥下障害、食べ物のつかえ、呑酸、胸やけ、心窩部痛、嘔吐などを生じる。男性に多く、アレルギー疾患の既往、末梢血IgE増加・好酸球増多が参考となる。
- 内視鏡検査で白斑、縦走溝、輪状溝、食道狭窄を認めることがあるが、異常所見がなくても（25〜30％）否定できない。
- 診断は、数カ所の生検組織で食道上皮内に多数の好酸球浸潤を認め、他疾患（好酸球増多症候群、薬剤アレルギー、寄生虫感染など）を除外することで行う。
- 治療には、まずPPIを試み、無効な場合はステロイドを投与する（内服や吸入ステロイドの嚥下療法）。食物中のアレルゲン除去が有効な場合がある。
- 好酸球性胃腸炎（食物蛋白誘発胃腸炎）は、胃や小腸、大腸粘膜に好酸球浸潤を伴う疾患であり、腹痛、下痢、嘔吐、腹水貯留などを生じる。
- 男女差は特になく、アレルギー疾患の既往、末梢血IgE増加・好酸球増多、腹水中の好酸球増多、CTで胃、腸管壁の肥厚を認める。
- 内視鏡検査で胃、小腸、大腸に浮腫、発赤、びらん、あるいは潰瘍があり、生検で胃・腸管壁への好酸球浸潤を認めれば、他疾患（上記）を除外することで診断する。
- 原因食品（ミルク、卵、ピーナッツ、小麦、大豆、海産物など）の除去やステロイドによる治療を行う。

胃軸捻転症

- 胃が生理的範囲を越えて捻転し、閉塞や血流障害を来すまれな疾

患。新生児や小児に多いが成人に生じることもある。
- ▶ 胃を固定する靭帯の欠損や弛緩、食道裂孔ヘルニア、横隔膜ヘルニア、横隔膜弛緩症、胃癌、胃瘻造設などが原因となる。
- ▶ 急性型は上腹部痛、腹満、嘔吐、胃管挿入困難などを来し、慢性型は症状に乏しく偶然発見されることがある。
- ▶ 腹部CTで診断する。治療には胃管による減圧、内視鏡的整復、手術療法がある。

大網捻転症
- ▶ 大網が捻転することで血行障害を生じ、下腹部痛（右＞左）、腹膜刺激症状を来す。特発性と続発性（鼠径ヘルニア、癒着）がある。
- ▶ 腹部CTで腸間膜よりややhigh densityな腫瘤影（ときに渦巻状）を認める。数日程で保存的に軽快し得るが、症状が持続、悪化した場合は手術的に切除する。

大網梗塞・小網梗塞
- ▶ 急性腹症を呈するまれな疾患。大網、小網動静脈の血栓（過凝固、血管炎、多血症など）、捻転、外傷などが原因となる。
- ▶ 大網梗塞は右上腹部痛、右下腹部痛が多く、小網梗塞は心窩部痛を呈することが多い。
- ▶ CTで大網の脂肪濃度上昇を認める。保存的治療で改善が期待できるが、しない場合に手術を考慮する。

腸重積
- ▶ 成人でもまれに腸重積を来すことがある（小腸型、回盲部型＞大腸型）。悪性腫瘍、ポリープなどの器質的疾患が原因であることが多い。
- ▶ 腹部CTで診断する。治療は、手術（緊急・待機的）、整復（用手的・注腸・内視鏡的）にて行う。

胃炎
- 原因として、NSAIDs、ストレス、アルコール、門脈圧亢進、*H. pylori* 感染などがある。心窩部痛、悪心・嘔吐を来せば内視鏡にて診断する。

消化性潰瘍
- 原因として、NSAIDs、*H. pylori*感染、胃酸過剰分泌（Zollinger-Ellison症候群）などがある。
- 症状として心窩部痛、悪心・嘔吐、食欲不振、吐血、黒色便などがある。典型的には摂食によって十二指腸潰瘍の痛みは軽減し、胃潰瘍の痛みは増悪するが、いずれも食事との関係がない場合も多く、症状から胃潰瘍と十二指腸潰瘍を鑑別することは困難である。
- 身体所見では貧血、上腹部圧痛、便潜血陽性を確認する。
- 間欠的な痛みが激しい持続痛に変化し、心窩部に激しい圧痛と腹膜刺激症状を伴う場合は、潰瘍の穿孔を疑う。
- 繰り返す嘔吐と体重減少のある場合は、胃幽門狭窄や胃悪性腫瘍を疑う。食後4時間経過しても体を揺さぶったときに上腹部で振水音を聴取すれば幽門狭窄を疑う。
- 十二指腸潰瘍の既往、繰り返す胃潰瘍、NSAIDs誘発潰瘍はいずれも*H. pylori*感染が関与することが多い。*H. pylori*感染胃炎の診断は、内視鏡で胃炎の有無などを評価し、迅速ウレアーゼ試験、鏡検法、培養法により行う。また、尿素呼気試験、便中抗原測定も有用である。検査は静菌作用を有するPPIやP-CABを2週間中止後に実施する。

胃食道逆流症（GERD）（26章「胸やけ」〈287頁〉参照）
- 胸やけ、口腔内への胃酸逆流、慢性咳嗽などとともに、心窩部痛を来すことがある。

憩室炎
- 憩室炎は憩室に感染が生じた状態であり、40歳以上の中高年に多

い。憩室炎の発生部位は憩室の好発部位に一致し、右側結腸（盲腸と上行結腸）または、左側結腸（S状結腸と下行結腸）である（最近は高齢化を反映して左側結腸が増加）。
► 症状として、腹痛以外に、発熱、悪心・嘔吐、便秘、下痢を伴うことがある。右側結腸の憩室炎はときに虫垂炎との鑑別が困難。
► 身体所見上、局所の圧痛、叩打痛を認め、穿孔によって膿瘍を形成した場合はさらに広い範囲で腹膜刺激症状が認められる。
► 腹部CT所見（憩室周囲脂肪組織の炎症性変化、穿孔による膿瘍形成など）が診断確定に有用である。

炎症性腸疾患（Crohn病・潰瘍性大腸炎）
► 若年者の亜急性〜慢性の下痢、体重減少、男子の鉄欠乏貧血で疑う。
► Crohn病は、回腸末端部に好発し、右下腹部痛の訴えが多いが、口腔から肛門までの全消化管を侵し得る。病変は非連続性に分布。腸管を全層性に侵し、内・外腸瘻、腸管狭窄、腹腔内膿瘍、痔瘻、裂肛、肛門周囲膿瘍などを来す。
► 潰瘍性大腸炎は、直腸から連続性に病変がみられ、下腹部痛・しぶり腹、下痢・粘血便、発熱、体重減少、貧血を呈する。重症では、大腸穿孔や中毒性巨大結腸症を来す。
► いずれも、内視鏡検査・生検で診断。小腸Crohn病には小腸造影検査の適応がある。
► 腸外病変として、関節炎、結節性紅斑、口内炎、虹彩炎、胆管炎、壊死性膿皮症などを来し得る。

過敏性腸症候群
► 慢性の消化管機能障害で、腹痛と便通異常（便秘、下痢、交代性便通異常）を訴えるが、器質的疾患を認めないのが特徴。思春期の女性に多く、ストレスの多い40歳代の男性にも多い。
► 腹痛は排便により軽快する。腹痛は間欠的または持続的で、下腹部に位置することが多い。睡眠が腹痛で妨げられることはない。全身倦怠感、不眠、不安、頭痛、頻尿、動悸などの多彩な症状を

伴うことがあるが、体重減少、栄養障害を欠く。
- 臨床経過、便潜血・寄生虫検査陰性、炎症所見（ESRなど）陰性よりほとんどの場合診断可能であるが、疑問が残る場合は内視鏡検査で他疾患を除外する。

便秘症
- 便秘症の既往あり。ときに急性腹症と間違うほどの激しい腹痛を訴えることがある。腹部単純X線検査では多量の便塊以外に異常所見がなく、浣腸にて改善する。摘便が必要な場合もある。

虚血性大腸炎
- 突発する腹痛と、それに続く下血が特徴である。病変は下行結腸〜S状結腸に多いため、左腹部痛の訴えが多い。
- 動脈硬化病変や心房細動のある高齢者の発症が多いが、まれに大腸癌による狭窄の口側に発生したり、便秘を有する若年成人が激しくいきんだ直後に発症することもある（急な腸管内圧上昇による）。
- 内視鏡で腸管壁の浮腫、びらん、潰瘍、狭窄、偽腫瘍、出血を認める。腹部CTも病変の部位診断に有用。

胃アニサキス症
- 魚介類を食した数時間後に突発する上腹部痛が典型的。悪心・嘔吐を伴うこともある。原因となる魚介類には、サバ・イカ・イワシ・アジ・サンマなどがあり、それらにはアニサキスの幼虫が寄生している。
- 上部消化管内視鏡下に鉗子によって幼虫を摘出すると症状が改善する。放置しても約1週間で症状は軽快する。

小腸アニサキス症
- 原因となる魚介類の摂取から数時間〜数日後に腹痛、嘔気、嘔吐、腹膜刺激徴候、画像検査で小腸壁肥厚（虫体刺入部を中心に数cm〜20数cmの範囲）、腸閉塞・イレウス像、好酸球性の腹水貯留

を認める。
- 軽症例では1週間程度で虫体の死亡により改善するが、絞扼性腸閉塞が否定できない状況では試験開腹を含めた外科治療を考慮する。

腸間膜リンパ節炎
- 右下腹部痛を主症状とし、急性虫垂炎との鑑別が重要。原因として、ウイルス、結核、エルシニア感染症、炎症性腸疾患が挙げられる。
- 腹部CTで正常な虫垂と腫大した腸間膜リンパ節を認める。

腸結核
- 病変の好発部位は回盲部であり、右下腹部痛を呈することが多い。次いで、空腸、結腸に生じ、まれに食道、胃、十二指腸に生じる。
- 発熱、寝汗、全身倦怠感、体重減少、食欲不振、下痢、便秘、腹水貯留、血便などを伴う。
- 軽度貧血、ESR↑、ツベルクリン反応陽性で疑えば、下部消化管内視鏡検査を行う。回盲部付近の輪状〜帯状潰瘍、瘢痕による狭窄を認めることが多く、病巣部の病理検査で乾酪性肉芽腫、細菌検査（塗抹・培養・PCR）で結核菌を証明する。

腹膜垂炎
- 腹膜垂は腸間膜付着部の反対側に存在する脂肪に富んだ構造物。S状結腸、盲腸に多いが、直腸を除く大腸全域に認められ、その数は約100個とされる。腹膜垂炎は、茎部の捻転や終末動脈の閉塞による梗塞が原因とされる。
- 好発年齢は20〜50歳。好発部位はS状結腸、盲腸であり、ときに虫垂炎、憩室炎との鑑別が必要。発熱、白血球増多を伴うこともある。
- 腹部CTで卵円形の脂肪組織濃度上昇を認める。

腹腔動脈起始部圧迫症候群（CACS）
- 内側弓状靱帯により腹腔動脈起始部が圧迫され、慢性的に腸管の虚血を引き起こすまれな疾患。食後の心窩部痛、体重減少、心窩部の血管雑音が特徴で、診断は他疾患除外後、腹部エコー・CT・MRI、大動脈造影（側面像）で腹腔動脈起始部の壁外性狭窄を証明する。

上腸間膜動脈（SMA）症候群（上腸間膜動脈性十二指腸閉塞）
- 十二指腸水平脚がSMAと大動脈の間に挟まれることにより閉塞し、食後に起こる悪心・嘔吐、腹痛、腹部膨満感、食欲不振などの症状を来す。15～30歳のやせ型の女性に多い。
- 症状は摂食、仰臥位で増悪し、四つ這い位、側臥位で軽快する。悪性腫瘍、神経性食思不振症などで急激に体重が減少し、腸間膜の脂肪が減少することが一因と考えられている。腹部X線、エコー、CTなどで、胃・十二指腸下行脚の拡張、上腸間膜動脈と大動脈に挟まれた十二指腸水平脚部の狭小化（≦8mm）、上腸間膜動脈が大動脈から分岐する角度の狭小化（≦25°）が認められる。

呼吸器・循環器疾患

肺炎・胸膜炎（ 21章「咳・痰」〈236頁〉参照）
- 下葉の肺炎・胸膜炎では、肋間神経経由の関連痛として上腹部痛や心窩部痛を訴えることがある。痛みは深呼吸で増悪し、咳・痰、息切れ、発熱、悪寒などを伴う。
- 胸部X線検査で浸潤影や胸水を認める。

肺塞栓症（ 23章「胸痛」〈261頁〉、22章「呼吸困難」〈249頁〉参照）
- 末梢の肺塞栓による肺梗塞を来した場合は、同様に上腹部痛や心窩部痛を訴えることがある。

泌尿器疾患

腎囊胞内感染・出血

- 腎嚢胞内に感染、出血を来して腹痛や腰痛を生じることがある。感染では発熱、WBC↑、CRP↑を伴い、血液培養や嚢胞穿刺液の培養で病原微生物が同定できる場合がある。
- 一般的に造影CT、拡散強調MRIが感染性嚢胞の検出に有用で、可能な範囲で穿刺ドレナージを行う。しばしば長期間の抗菌薬治療を要する。

遊走腎

- 腎周囲支持組織の欠損により、臥位から立位になったときに腎臓が5cm以上、あるいは2椎体以上下降し、尿管閉塞・水腎症、腎動脈閉塞による虚血、腎静脈閉塞によるうっ血、腎門部体性神経の牽引などが生じ、側腹部痛、嘔気、嘔吐、血尿、蛋白尿などを引き起こす。
- 痛みは立位で増悪し、臥位で改善する。腹部X線、エコー、静脈性腎盂造影などで診断する。
- 体重増加、コルセットなどの保存的療法が無効の場合、外科的治療を考慮する。

ナットクラッカー症候群（左腎静脈捕捉症候群）

- 上腸間膜動脈と腹部大動脈の間隔が狭小化し、左腎静脈が圧迫されて静脈圧が増し、血尿・蛋白尿、卵巣・精索静脈瘤などを来す。
- やせ形の人に多く、左側腹部痛を来すこともあるが、無症状であることも多い。
- 腹部エコーやCT/3D-CTAで上腸間膜動脈と腹部大動脈間の左腎静脈狭小化（＜5mm）、左腎静脈最高血流速度低下（＜15cm/sec）、腎門部左腎静脈拡張、骨盤内側副血行路などを認めることで診断する。
- 側副血行路の発達や体重増加により症状が消失することがある。症状が持続する場合、左腎静脈転位術やステント留置を考慮する。

急性腎盂腎炎

- ▶ 腎周囲の炎症が激しい場合は、左または右側腹部痛を訴えることがある。発熱、悪寒戦慄、膀胱刺激症状（排尿時痛、頻尿、尿意切迫感）があり、肋骨脊柱角（CVA）叩打痛を認める場合に疑う。
- ▶ 悪心・嘔吐を伴うこともある。発熱と腹痛のある患者では積極的に尿検査を行い、細菌尿、膿尿の有無を調べる。

尿管結石（ 35章「血尿」〈415頁〉参照）

- ▶ 典型的には側腹部痛を呈するが、結石の嵌頓部位によっては急性腹症を疑う症状を来す。腎結石、尿管結石の既往を尋ねる。
- ▶ 尿検査にて血尿を認め、腹部X線検査（KUB、IVP）、腹部エコー・CTにて診断する。

尿閉

- ▶ 膀胱内圧の急上昇により、恥骨上部に持続的な鈍痛を呈する。尿閉を来す原因（結石、薬剤性、神経因性、前立腺肥大、前立腺癌など）を検索する。
- ▶ 身体所見上、血圧は上昇しており、恥骨上部に打診上濁の腫瘤を認め、腹部エコーにて大量の尿で拡張した膀胱を認める。

腎梗塞（ 31章「腰・背部痛」〈360頁〉参照）

- ▶ 腎動脈が血栓や塞栓で閉塞することによるため、心房細動、心室瘤、動脈硬化のある患者が、突然発症の側腹部痛を呈したときに疑う。
- ▶ 悪心・嘔吐、発熱を伴うこともある。
- ▶ LDH↑が特徴。腹部造影CTで楔形の造影欠損を認める。

精巣捻転

- ▶ 小児から20歳代までの男性で、突然発症の下腹部痛の場合に疑う。悪心・嘔吐を伴うことも多い。痛みは下肢に放散する場合があり、尿管結石と間違われることがある。

- 下腹部痛の訴えに対する身体所見は、必ず鼠径部まで露出させて行う。患側の陰囊は腫脹し、内部で精巣は長軸を横にして釣り上がっており、圧痛が著明である。
- 発症後数時間以内に修復しないと壊死するため、疑った場合は迅速に泌尿器科にコンサルトするべきであるが、捻転の2/3は内方への捻れゆえ、専門医到着まで時間がかかる場合は、一度だけ用手的に外方への捻転解除を試みてもよい。

婦人科疾患

骨盤内炎症性疾患（PID）（📁36章「排尿障害（尿失禁・排尿困難）」〈421頁〉参照）

- 子宮内膜から腹腔にかけての女性内性器感染症の総称である。若い女性で下腹部痛（Fitz-Hugh-Curtis〈FHC〉症候群では右上腹部痛のこともある）、腟分泌物・帯下の増加・異常がある場合に疑う。性行為に関連した感染症が多い。
- 起炎菌は、淋菌、性器クラミジア、および腸管内の大腸菌、クレブシエラ、プロテウス、女性の外陰部・腟常在菌の腐性ブドウ球菌など多彩。尿路感染症としばしば合併し、頻尿、排尿時痛、残尿感、混濁尿がみられる。
- 身体所見には、腹部圧痛と触診異常がある。ただし、骨盤腹膜炎を来しても、腹壁から深い位置にあるため、反跳痛や筋性防御といった腹膜刺激症状を認めないことが多い。直腸診で子宮頸部の圧痛あるいは可動痛を認める。
- 性活動のある若い女性で、発熱、右上腹部痛・肝叩打痛があり、

MEMO

> **PIDの発生部位と疾患**
> ・子宮内膜→子宮内膜炎
> ・卵管・卵巣→卵管卵巣膿瘍
> ・腹腔内→骨盤腹膜炎
> ・肝周囲（骨盤内から肝周囲まで炎症が波及または移動）→肝周囲炎
>   まれに脾周囲炎を来すこともある

血液検査上の肝障害も腹部エコーで胆石もない場合は、FHC症候群を疑う。

子宮内膜症
- 子宮内膜組織が子宮外（おもに骨盤腔内）に生着し、女性ホルモンの影響下で増殖・退縮（剝離出血）を繰り返し、進行すればさまざまな癒着を来す疾患である。
- したがって、月経困難症（鎮痛薬を要する強い月経痛で、仙骨部痛、腰痛、下痢を伴うこともある）に加え、月経時に限らない慢性の下腹部痛〜骨盤部痛（ただし排卵期や月経前後・月経中に増強）や性交時痛がある場合に疑う。
- 内診により、後腟円蓋に圧痛のある結節を触れたり、子宮の可動痛が認められることが多いが、婦人科でなくても、直腸診にて同様の所見は検出し得る。
- まれに横隔膜や胸腔に生着した子宮内膜組織によって月経周期に一致した気胸や血胸（ほとんどが右）を繰り返す例がある。月経随伴性気胸（catamenial pneumothorax）と呼ばれる。

卵巣腫瘍茎捻転・破裂
- 卵巣腫瘍（囊腫あるいは腫瘍）の大きさが直径5〜6cm以上になると、茎捻転を起こす可能性があり、突然の下腹部痛、腰痛、悪心・嘔吐で発症する。左にはS状結腸があるためか右のほうが捻転しやすい。
- 下腹部痛一般の診察として直腸診をした際にDouglas窩に腫瘤を触れた場合に疑うことができる。そこで腹部エコーを行い、卵巣腫瘍を描出することで診断できる。
- 一方、卵巣腫瘍が、転倒、殴打、性交などの外力で破裂することがあり、炎症物質を含む腫瘍内容により突然下腹部に激痛、腹膜刺激症状を来すことがある。いずれの病態も緊急手術が必要になる場合があり、迅速に婦人科にコンサルトする。

卵巣出血
▶ 卵巣出血には黄体出血（月経の約1週間前に黄体嚢胞が破裂して出血）と卵胞出血（排卵時に卵胞から出血）があるが、黄体期（>卵胞期）の性交後に下腹部痛が急性発症するのが典型的である。
▶ Douglas窩に腹腔内出血を来すため、下腹部に腹膜刺激症状があり、腹部エコーでecho free spaceを認める。妊娠反応が陰性であることは確かめておく。

子宮破裂
▶ 分娩時（まれに妊娠末期）に起こる子宮の裂傷で、下腹部に激痛を生じる。経産婦では初産婦に比べ9倍の発生率がある。その他のリスクとして、帝王切開の既往、分娩遷延がある。帝王切開瘢痕部の自発痛、過強・けいれん陣痛を伴うことがある。
▶ 身体所見では不穏、頻脈、低血圧（ときにショック）、帝王切開瘢痕部の圧痛・腹膜刺激症状を認める。常位胎盤早期剥離とともに産科エマージェンシーである。

皮膚・軟部組織・筋骨格疾患

腹痛の性状が表在性であったり、体幹の動きに伴う局在性のものであれば、皮膚や筋骨格由来の痛みも考える。

神経根障害
▶ 胸腰椎レベルでの椎間板ヘルニア、硬膜外膿瘍・出血、脊髄腫瘍、骨転移などによって脊髄後根が障害を受け、デルマトームに一致した部位に腹痛を生じることがある。
▶ 体動、咳などによる腹圧上昇で痛みが増悪することがある。診断にはMRIが有用である。

腹壁痛
▶ 笑いやくしゃみで誘発・増強する痛みは、腹壁由来である場合と腹膜〜腹腔内臓器由来である場合があるが、両者の鑑別に

Carnett徴候は有用である。
- 患者に仰臥位で頭部を挙上させ、腹直筋を緊張させた状態で腹部の触診を行い、圧痛が腹直筋を弛緩させた状態のときよりも増強すればCarnett陽性で、痛みは腹壁由来と考えられ、腹筋挫傷や筋肉内血腫、腹部皮神経絞扼症候群（ACNES）などを考える。

帯状疱疹
- 痛みの性質を詳しく問いただすことから始める。「焼けるような」「刺す・切るような」痛みに始まり、2〜3日以内にデルマトームに沿った発赤・水疱を認めたら診断は簡単である。
- 皮疹出現前に診断するには、痛みのある部位のデルマトームを2〜3分節にわたって脊柱のところまで軽く触診し、反対側と比較して知覚異常（過敏や錯感覚）があることを確かめればよい。

リウマチ・炎症性疾患
- SLE、結節性多発動脈炎、腸管ベーチェット、悪性関節リウマチ、IgA血管炎では血管炎により腹痛、嘔吐、下痢、血便を来すことがある。
- 全身性強皮症では小腸運動障害により腹満、びまん性の腹痛、嘔吐、便秘（偽性腸閉塞）、下痢、腸管気腫症を来すことがある。
- 家族性地中海熱では、半日から3日間持続する周期的な発熱、漿膜炎による胸痛や腹痛、関節痛を来す。

とされ、決してまれなものではない。微量な、持続性もしくは再発性の消化管出血のことが多い（鉄欠乏性貧血としてみつけられたり、健康診断などで偶然みつけられる）。急性の多量の出血であることもあるが、腫瘍としてはかなり進行した場合である。
▶ 頻度としては、胃癌が圧倒的に多いが、食道癌、十二指腸乳頭部癌や胃粘膜下腫瘍（悪性リンパ腫・消化管間質腫瘍〈GIST〉・横紋筋肉腫）も原因となる。

5 食道炎・食道潰瘍
▶ 吐血を主訴とすることは少なく、嚥下痛・嚥下困難を主訴とすることが多い（📁26章「胸やけ」〈287頁〉、📁27章「嚥下障害」〈295頁〉参照）。
▶ 原因は、①感染：ウイルス（HSV・CMV・EBV・HIV）、真菌（カンジダ・ヒストプラズマ）、原虫（クリプトスポリジウム・ニューモシスチス）、②薬剤：抗癌薬、NSAIDs、抗菌薬（テトラサイクリン、クリンダマイシン、ペニシリン）、抗HIV薬（ジドブジン、ネルフィナビル）、ビスホスホネート製剤、キニジン、テオフィリン、塩化カリウム、③胃酸逆流（GERD）、④放射線性、⑤その他（好酸球性）がある。
▶ 症状は、急性発症の胸痛で、胸部中央や背部にも放散し得る。急性冠症候群と紛らわしいが、強い嚥下痛（わずかな水分の嚥下であっても生じる）があることから違うことがわかる。
▶ 内視鏡所見はアフタ様潰瘍や、不連続の潰瘍から偽膜を伴うびまん性の炎症までみられる。

6 術後潰瘍
▶ 近年盛んに行われるようになったEMRや内視鏡的粘膜下層剝離術（ESD）後の潰瘍と、外科的胃切除術後の吻合部潰瘍の2つが含まれる。
▶ EMRやESD後は、人工的に胃潰瘍が作られた状態となり、通常の胃潰瘍と類似した症状や出血・穿孔のリスクを持つとされる

が、頻度は〜4％程度といわれている。
► EMRでは薬物療法についてのRCTは存在し、H_2受容体拮抗薬でもPPIでも治療効果は変わらなかったが、EMRによる潰瘍は通常の消化性潰瘍よりも治癒しやすく、かつEMR後24時間以内の出血が多いため、PPIよりもH_2受容体拮抗薬のほうがよいとする報告がある。

7 胃・十二指腸生検後出血

► 出血は、生検後の合併症として最も多いものである。
► 頻度は、報告によって異なり、0.3〜6.1％である。出血は直後のことも、数時間後のこともあり、最長29日後の報告がある（直後のものは1.5％、遅発性のものは2％と報告されている）。程度もoozing程度から動脈出血まである。
► これらの出血は通常内視鏡的に止血できる。

8 膵管出血

► 消化管出血の原因としては、かなりまれである。
► 原因としては、慢性膵炎・膵嚢胞・膵腫瘍がある。ERCPや内視鏡的な膵石除去・内視鏡的括約筋切開術（EST）などの医療行為でも生じる。これらの疾患や医療行為があり、他の主要な原因が見当たらないときには膵管出血を疑ってみる。

9 胆道出血

► これも消化管出血の原因としては、かなりまれである。
► 原因としては、肝実質・胆道の外傷による損傷や肝生検・内視鏡的胆道ドレナージ（ERBD）留置・経皮経肝胆道ドレナージ（PTCD）などの医療行為が多い。胆石・胆嚢炎・肝胆道系腫瘍・肝膿瘍で起こることもある。
► 胆道出血があるときには、3徴があり、①消化管出血（顕性と潜在性）、②閉塞性黄疸、③疝痛発作である。

赤色便

1 大動脈-腸管瘻

- まれな原因であるが、診断や治療が遅れると、致死的となる疾患である。十二指腸のthird portionとforth portionが好発とされ、空腸、回腸と続く。十二指腸であっても、黒色便よりも赤色便が多く、吐血も生じる。初回から多量の赤色便であることが多く、間欠的な赤色便となることもある。
- 原因は動脈硬化によるAAAが多く、地域によっては感染性大動脈炎・結核性大動脈炎・梅毒性大動脈炎などが原因になることもある。これらの原因のときは、腹部の拍動する腫瘤として触れ、腹痛も生じることがある。しかし最も多い原因は、AAAなどの治療に使用された人工血管グラフトによる大動脈壁の圧迫壊死によるものであり、病歴上AAA手術歴があれば、可能性として考えておく。
- その他、放射線療法、腫瘍の浸潤、外傷が原因となる。

2 上腸間膜静脈（SMV）閉塞症

- 凝固亢進状態（hypercoagulability）として、先天性（原因の75％：プロテインC欠損症・プロテインS欠損症、ATⅢ欠損症など）、後天性（エストロゲン製剤内服、抗リン脂質抗体症候群、担癌状態、骨髄増殖性疾患など）が背景にあることが多い。
- 胆管癌・膵癌の壁外性圧迫、門脈圧亢進症、腹腔内感染症、膵炎、鈍的腹部外傷でも生じる。
- 腸間膜静脈の抵抗増加や閉塞により腸管壁がむくみ、血管内の水分が腸間膜に移動することによって全身の循環血液量が低下して低血圧となり、それにさらなる過凝固状態の促進が加わり、結果として腸間膜動脈の血流を減少させ、腸管壁の壊死や粘膜下血腫をもたらす。このため小腸出血が起こり下血を生じる。

3 上腸間膜動脈（SMA）閉塞症

- 腸管虚血の原因の60％がこれによる。死亡率は60％である。塞栓

が60％、血栓が15〜20％、非閉塞性腸管虚血（NOMI）が20〜30％を占める。リスクファクターは、心房細動をはじめとする不整脈、低心拍出量、動脈硬化、最近の心筋梗塞、重症弁膜症、腹腔内悪性腫瘍、高齢である。
► 塞栓はSMAの起始部から3〜10cmのところに起こりやすく、また15％は大動脈の分岐部である。20％は多発塞栓である。血栓は、SMAの起始部に生じやすい。

4 虚血性大腸炎
► 虚血性大腸炎は下部消化管出血のおもな原因の1つである。高齢者に多い疾患で、大半（80〜90％）は治癒するが、狭窄を残すこともある。
► 一部は壊疽性となり穿孔して腹膜炎を生じ、ショックや敗血症となり致命的となる。
► 症状は、突然の下腹部痛と、それに続く赤色便（暗赤色）である。ときとして下痢・軟便であることもある。

5 感染性腸炎
► 感染性腸炎は、下部消化管出血のおもな原因の1つである。サルモネラやカンピロバクターによる感染性腸炎で、赤色の血便が多く、赤痢菌や大腸菌でも生じる。
► 感染性腸炎による下血は、食事歴（生もの摂取だけでなく、生焼き・生煮えなどにも注意する。また、同じものを摂取した人が相次いで発症しているかどうか確認する）、悪心・嘔吐、腹痛、発熱を伴うことから疑う。

6 憩室出血
► 憩室出血も下部消化管出血のおもな原因の1つである（30〜50％とされる）。憩室出血は、年齢とともに発症率が上がる。
► 憩室出血は通常、憩室炎と無関係に起こる。憩室炎は、左側半結腸に多い（75％）が、憩室出血は右側半結腸に多い（50〜90％）。

- 通常、無痛性で、まれに若干の疝痛を伴うことがある。大半はself-limitingに治まるが、1/4は再発する。
- 憩室出血のリスクファクターとしては、食物繊維摂取不足、NSAIDsやアスピリンの使用、便秘、高齢である。

7 潰瘍性大腸炎
- 炎症性腸疾患（IBD）の1つで、Crohn病よりも圧倒的に頻度高く下血を生じ、その便は粘血便であることが多い。感染性腸炎や虚血性腸炎による下血と間違われることが多い。特に高齢者では、虚血性腸炎との鑑別がしばしば困難である。

8 血管形成異常（angiodysplasia）
- 消化管は全身のなかで最も血管形成異常が多いとされる。特発性で生下時からあるもの、成長の過程で生じてくるもの、また遺伝性の疾患の一症状として生じてくるもの（Osler-Weber-Rendu病、Ehlers-Danlos症候群）がある。
- 出血としては潜在性であることが多いが、生命にかかわるほどの出血となることもある。下部消化管出血の20〜30%を占める。
- 内視鏡での概観はヒトデ状の拡張した血管で、サイズは0.1〜1cm大である。
- 存在部位（胃・十二指腸・空腸・回腸・結腸）、サイズ（＜2mm、2〜5mm、5mm＜）、数（孤発・複数・びまん性）によって分類され、好発部位は結腸であり、盲腸がその1/3を占め、S状結腸・上行結腸・直腸が続く。
- 出血のリスクファクターとしては、末期腎不全、von Willebrand病、大動脈弁狭窄症（Heyde's syndrome）がある。

9 急性出血性直腸潰瘍
- 消化管出血の原因としてだけでなく疾患としてもかなりまれとされ、医療者の間でも知名度が低く、発症頻度も不明とされる。また誤診もかなりあるとされる（1つの報告では26%が非特異的潰

瘍やIBDと診断されていた)。
- ▶肛門から10cm以内の直腸前壁に生じる。粘膜潰瘍やポリープ様病変がみられる。
- ▶重症な基礎疾患を有する高齢者の無痛性の多量の赤色便（ほぼ出血）の原因として念頭に置く。小児から中高年でもまれにみられる。

10 痔出血
- ▶痔 (hemorrhoid) の頻度は、米国では4％といわれるが、日本人はこれより多い（内痔核などの無症状のものも入れると30％という報告もある）。
- ▶症状は、出血、瘙痒、痔核の翻転・異物感、静脈血栓による疼痛である。出血は便の性状や回数により発生頻度が変わる。通常無痛性で少量である。典型的には、新鮮血が最後の便の表面に付着する。
- ▶慢性に少量持続出血することで鉄欠乏性貧血の原因となることもある。また、まれに大量出血し、循環血液量減少性ショックとなることもある。

11 放射線性腸炎
- ▶通常、放射線療法の晩期的合併症（月〜年の単位）として起こるが早期でも生じ得る。照射する部位により、上部消化管出血パターンとなったり、下部消化管出血パターンとなったりする。リスクファクターは、腸管蠕動の低下、動脈硬化、化学療法併用である。

Dr. Tierney's Clinical Pearls

Remember marked hematemesis can be from lingual laceration with seizure ; the patient swallows the blood, then vomits it.

けいれん発作による舌咬創で吐血が起こり得ることを知っておくこと。患者はいったん嚥下した血液を吐き戻すのである。

Melena doesn't always mean upper gastrointestinal bleeding ; iron and bismuth both result in black stools.

黒色便は必ずしも上部消化管出血を意味しない。鉄剤やビスマス製剤はいずれも黒い便を引き起こす。

Do not ascribe bleeding to hemorrhoids in hematochezia even when present ; all such patients require colonoscopy when stable.

たとえ痔核が存在しても肛門からの鮮血をそのせいだと決めつけてはいけない。そのような患者は全員大腸内視鏡検査を受けるべきである。

[参考文献]

1) Jutabha R, et al. Uncommon causes of upper gastrointestinal bleeding. UpToDate 17.1.
2) 日本救急医学会専門医認定委員会 編. 救急診療指針 改訂第4版. 日本救急医学会 監修, 東京, へるす出版, 2011.
3) 日本外傷学会外傷初期診療ガイドライン改訂第5版編集委員会 編. 外傷初期診療ガイドライン JATEC 改訂第5版. 日本外傷学会/日本救急医学会 監修, 東京, へるす出版, 2016.
4) Yamaguchi Y, et al. A prospective randomized trial of either famotidine or omeprazole for the prevention of bleeding after endoscopic mucosal resection and the healing of endoscopic mucosal resection-induced ulceration. Aliment Pharmacol Ther 2005 ; 21 Supple 2 : S111-5.

30章 便通異常（下痢・便秘）

Abnormal Bowel Movement (Diarrhea and Constipation)

訴えの定義

下痢
- 糞便内の水分量が多くなり、糞便が本来の固形状の形を失って、水様～粥状となった状態。
- 具体的な指標としては、1日4回以上の頻便または水様便 200g/日以上。
- 4週間以上継続するものを慢性下痢とすることが多い。

便秘
- 客観的な指標として排便が3日に1回未満で便秘とみなすのが簡便だが、明確な定義はない。
- 排便の回数が少ない、便が硬い、排便後に爽快感がないなどの訴えは便秘として扱われる。

急性下痢

見逃してはならない疾患・病態

1 消化管出血　**2** アナフィラキシー、毒素性ショック症候群（TSS）　**3** 甲状腺クリーゼ、副腎不全　**4** 腸管出血性大腸菌（EHEC）による感染性腸炎　**5** 偽膜性大腸炎（*C. difficile*関連下痢症）

病歴聴取のポイント

1）症状の詳細＋随伴症状
- 急性下痢は一般的には急性胃腸炎と考えられがちであるが、便の性状から消化管出血はまず否定しなければならない。
- 多くの急性胃腸炎は自然軽快するが、偽膜性大腸炎は抗菌薬を継続使用すると重篤化し、またEHEC（O157など）による感染性腸炎は溶血性尿毒症症候群（HUS）を来し得ることから、特に念頭

に置くべき疾患である。
- ▶ 急性胃腸炎の鑑別には以下の2点が重要である。

  a. 大腸型か小腸型か

  ①発熱・血便・しぶり腹（少量ずつの頻便）・激しい腹痛→大腸型で感染ならば細菌性腸炎を示唆する。

  ②EHECによる大腸炎は例外的に無熱性血便であることが多い。

  ③多量・水様便・嘔吐→小腸型でウイルス性が多い。

  ④潜伏期が長い微生物ほど大腸型が多い。

  b. 食事と潜伏期

  ①食後6時間以内
  - ・毒素型（ブドウ球菌・セレウス菌）：弁当摂取後に無熱・嘔吐中心・速やかに改善

  ②食後6～48時間
  - ・多くのウイルス性腸炎
  - ・細菌性腸炎（特に、夏季の海産物摂取があれば腸炎ビブリオ、鶏肉・卵摂取や爬虫類との接触歴があればサルモネラを疑う）

  ③食後48時間～1週間程度
  - ・カンピロバクター：鶏肉などの肉類摂取
  - ・EHEC：牛肉摂取・肥料から感染

2）患者背景

- ▶ NSAIDs使用歴、アルコール摂取歴、消化性潰瘍・肝疾患がある場合は上部消化管出血による下血、また高齢者で血栓症の既往・便秘の既往・激しい腹痛では腸管虚血による下血の可能性が高くなる。
- ▶ 2カ月以内の抗菌薬曝露歴があれば、偽膜性大腸炎の可能性を考える。
- ▶ 入院患者に発症した場合、免疫抑制状態でなければ、急性胃腸炎の原因として*Clostridioides difficile*以外の細菌感染はまれとされる。

下痢を起こすおもな薬剤

下剤	カルメロース,酸化マグネシウム,センノシド,ピコスルファート
高アンモニア血症改善薬	ラクツロース
循環器薬	ジゴキシン、シロスタゾール
抗痛風薬	コルヒチン
血糖降下薬	メトホルミン
消化器用剤	PPI、ミソプロストール
降圧薬	レセルピン,メチルドパ,クロニジン
抗菌薬	βラクタム系(ペニシリン系,セフェム系)、クリンダマイシン

身体診察のポイント

▶ バイタルサインが最も重要である。ぐったりしていたり低血圧・頻脈があれば、重篤な疾患と考え緊急に対応する。

①末梢が冷たく血管が締まっている場合、眼瞼結膜蒼白、頸静脈虚脱している場合は、消化管出血の除外から始める。

②低血圧・頻脈があっても末梢が温かく紅潮があるような場合は、アナフィラキシーやTSSを疑う。

③興奮を伴う意識障害、発熱、頻脈、発汗があれば甲状腺クリーゼを考え、甲状腺腫大・圧痛をチェックする。副腎不全では全身倦怠感・食思不振・低血圧・発熱がみられる。

▶ 次に重要なのは便の性状(黒色便、鮮血、粘血便)であり、消化管出血や侵襲度の高い腸管感染症を示唆する所見として診断におおいに役立つ。

▶ 疾患としては軽症でも下痢による脱水徴候をチェックすることは重要であり、口腔粘膜乾燥・舌の皺・腋窩乾燥、起立性低血圧がないかどうか確認する。

検査のポイント

▶ 便潜血反応陽性または便中白血球陽性の場合は、虚血性腸炎、粘膜障害型(大腸型)腸炎を考える。白血球染色の感度は高くないが、陽性であれば腸管粘膜障害が強いものと推定できる。

- 大腸型の下痢を疑った場合に便培養を行う。カンピロバクターは、抗菌薬を用いる場合の選択がマクロライド系である点が他と異なるため、早期に診断したい場合は便のグラム染色でカモメ様のグラム陰性らせん桿菌を探すことが有用である。
- 72時間以上の入院期間がある場合は、便培養ではなく偽膜性大腸炎（*C. difficile*関連下痢症）を疑い、CDトキシン・抗原の検査を行う。ただし、入院患者でも免疫状態が不良な場合は細菌性腸炎のリスクが高いので便培養も行っておく。
- 急性下痢に対して腹部エコーの有用性はさほど高くないが、細菌性腸炎が疑われ右下腹部に圧痛が強い場合は回盲部炎の診断に有用である。
- 回盲部の腸管壁肥厚を認めればカンピロバクター、エルシニア、サルモネラを考える。腸管壁肥厚の程度、腸間膜リンパ節腫脹、腹水の有無から疾患の重篤度も把握できる。

見逃してはならない疾患・病態の解説

1 消化管出血（29章「吐血・下血」参照）

2 アナフィラキシー、毒素性ショック症候群（TSS）（8章「発疹」〈102頁〉参照）

3 甲状腺クリーゼ、副腎不全（2章「全身倦怠感」〈52頁〉、14章「けいれん発作」〈179頁〉参照）

4 腸管出血性大腸菌（EHEC）による感染性腸炎

- 2〜9日前に牛肉摂取があることが多いが、家畜の糞便に汚染された肥料や農作物・水も感染源となる。
- 毒素原性大腸菌の場合は感染を来すには10^6〜10^{10}個必要であるのに比べ、EHEC O157：H7は赤痢菌同様、10〜100個でも感染を起こすことから二次感染についても非常に重要である。

- 症状としては激しい腹痛に加え、血便が60〜90％と多いが、発熱は40％程度と少ないことが特徴であり、感染性の無熱性下血の原因としては最も重要である。
- 便培養にてO157など（O157：H7が80％程度を占める）の起因菌検出、ベロ毒素（＝志賀毒素）検出が診断に有用である。
- 下痢出現後1週間程度で続発する溶血性貧血・血小板減少・急性腎不全が出現すれば、HUSを考える。特に小児・高齢者・抗菌薬投与はリスクファクターとして知られている。そのためEHECを疑った場合は抗菌薬投与を控えるべきである。また下痢出現後2週間以内に乏尿・血尿が出現しないかどうかは慎重に観察すべきである。
- 検査所見としてはHb低下、LDH上昇、ハプトグロビン低下、破砕赤血球陽性、Cr上昇、尿潜血陽性がみられる。HUSを発症した時点では便培養が陽性となることはもはや少ないので、過去のO157感染を証明するには大腸菌O157LPS抗体（発症5日目から検出可能で感度90％程度とされ、1カ月程度は高値を示す）が有用である。

5 偽膜性大腸炎（*C. difficile*関連下痢症）

- 抗菌薬使用から1週間程度経過してから発症することが多い。抗菌薬投与後2カ月以内であれば偽膜性大腸炎の可能性はある。
- 便潜血・便中白血球陽性であれば参考にはなるが診断的価値は乏しい。Cytotoxin tissue-culture assayがゴールドスタンダードとされるが、EIA法によるCDトキシン検出が簡便で特異度の高い検査として頻用されている。CDトキシンの感度は80％程度である。一方、CD抗原の感度は高いが特異性は低いため、CD抗原が陽性でCDトキシンが陰性の場合はPCR検査も検討する。
- *C. difficile*関連下痢症の10％のみが内視鏡的に偽膜を認める偽膜性大腸炎であるが、臨床的に偽膜性大腸炎が疑われるのに便中CDトキシン検査が陰性の場合に、下部消化管内視鏡所見ではじめて診断確定ができることがある。

慢性下痢

見逃してはならない疾患・病態

1 炎症性腸疾患　**2** 吸収不良症候群　**3** 甲状腺機能亢進症　**4** HIV感染症　**5** 大腸癌絨毛腺腫　**6** ガストリノーマ　**7** VIPoma　**8** カルチノイド

► **5**〜**8**は頻度として低いが、悪性度と特徴から見落とすことのないよう注意したい疾患である。

病歴聴取のポイント

► 過敏性腸症候群が最も多いが、夜間の下痢や有意な体重減少はみられないことが最も簡便な鑑別点である。過去にストレスに関連して下痢・便秘を繰り返していれば、典型的である。
► 一方、体重減少や発熱がみられたり、脂ぎった便や血便など便の異常があれば過敏性腸症候群では説明できず、精査が必要となる。

慢性下痢の分類と特徴

分類	特徴
炎症性下痢	・大きく分けると感染症と炎症性腸疾患がある。 ・感染症のなかでは寄生虫・腸管アメーバ、そしてそれらのリスクとなるHIV感染症を含めて鑑別すべきであり旅行歴・性交歴が重要である。 ・炎症性腸疾患は若年者に発熱や血便があれば積極的に疑う。
浸透圧性下痢	・原因となる食事・薬剤を除けば下痢が止まることが鑑別点であるが、食事との関連、アルコール摂取量、薬剤使用歴、消化管や胆道系・膵臓手術歴が重要。 ・吸収不良症候群では貧血や脂溶性ビタミン欠乏症による多彩な症状を呈し得る。
分泌性下痢	・絶食で改善しない非炎症性下痢は分泌性下痢と呼ばれる。 ・甲状腺機能亢進症状以外に、粘液便（大腸癌絨毛腺腫）、膵腫瘍・消化性潰瘍の既往（ガストリノーマ）、筋疲労・皮膚紅潮（VIPoma）、皮膚紅潮発作・気管支喘息様発作・肺動脈弁閉鎖不全や三尖弁閉鎖不全による右心不全徴候（カルチノイド）といった特徴的な病歴がないかは押さえておく。

身体診察のポイント

- 直腸診を含む腹部所見が重要なのはいうまでもないが、栄養不良や貧血の所見も、精査を進める理由となる重要な診察ポイントである。
- 原因疾患を鑑別するうえでは口内炎、リンパ節腫脹、皮膚病変、甲状腺腫、心雑音などが重要となる。

検査のポイント

- 貧血、低栄養、炎症反応（血沈高値）、便潜血陽性のいずれかがあれば過敏性腸症候群以外の器質的疾患として精査が必要となる。特に便潜血陽性であれば腸管アメーバ症、炎症性腸疾患、大腸癌、ガストリノーマ（消化性潰瘍）などを考え、早期に上部・下部消化管内視鏡検査を行うのが診断の近道である。
- 炎症を伴わない慢性下痢では浸透圧性下痢と分泌性下痢に分類するのがわかりやすい。ただし感染性疾患でも寄生虫（蠕虫）は炎症を伴わないことが多いので注意する。
- 浸透圧性下痢では72時間絶食負荷試験で下痢が止まることが最も簡便な鑑別点であるが、外来では可能性のある薬剤・食事をやめることや、脂肪便のチェックを行うことで代用される。

見逃してはならない疾患・病態の解説

1 炎症性腸疾患

- 15～40歳で原因不明の腹痛・下痢、発熱・炎症反応高値、体重減少、家族歴、口内炎や痔瘻、血便・便潜血陽性や男子における鉄欠乏性貧血があれば炎症性腸疾患を考える。
- 関節炎（仙腸関節炎・四肢の関節炎）、肝臓（原発性硬化性胆管炎）、皮膚（結節性紅斑・壊疽性膿皮症）、眼症状（ぶどう膜炎）が4大消化管外症状だが、多彩な症状の報告例がある。
- Crohn病は若年者に多く、口内炎～食道潰瘍～痔瘻とすべての消化管を侵し得る。回盲部～小腸病変が多いため、慢性下痢が中心

で、栄養障害も前面に立ちやすいが、上部・下部消化管内視鏡検査で陰性のこともあり得る。その場合は腹部エコーや小腸造影、小腸内視鏡検査などを行う。
► 潰瘍性大腸炎も若年発症が多いが、こちらは高齢発症もあり得る。現在の喫煙・虫垂切除歴は可能性を下げるが、家族歴・動物性脂肪摂取・NSAIDs使用はリスクファクターと考えられている。大腸炎なので、Crohn病に比較して血便・粘血便が顕著で、巨大結腸症候群も多い。P-ANCAが陽性ならば診断に有用とされる。確定診断には注腸造影、大腸内視鏡、結腸粘膜生検などが行われる。
► 大腸癌以外に胆道癌のリスクも高くなるため注意が必要である。

2 吸収不良症候群

► 栄養素を吸収できず、下痢と低栄養を来す疾患群である。低蛋白血症、低アルブミン血症、低コレステロール血症に加え、吸収不良の個所によりビタミンB_{12}欠乏を示唆する大球性貧血や脂溶性ビタミン欠乏による低Ca血症(テタニー)、PT-INR延長(出血傾向)、夜盲などを呈し得る。
► 原発性の疾患としてceliac病やβリポ蛋白欠損症があるが、日本ではいずれもまれで続発性の疾患が圧倒的に多いため、消化管や胆道系手術歴、アルコール多飲歴、膵疾患既往といった患者背景が最も重要な情報となる。吸収不良症候群では通常腹痛を伴わないが、腹痛がある場合は慢性膵炎・Crohn病・強皮症などによる偽性腸管閉塞を考える。
► ランブル鞭毛虫症などの寄生虫感染症やCrohn病、Zollinger-Ellison症候群も吸収不良症候群を呈し得る。
► 吸収不良は脂肪で最も起こりやすいことから脂肪吸収不良の有無を検査することが第一である。肉眼的な脂肪便が判定できることは少ないため、脂肪50g/日程度の常食摂取下で糞便塗抹ズダンⅢ染色にて脂肪滴≧10個/100倍率1視野であれば脂肪便と判断する。蓄便は簡便な検査とはいえないが、定量にて1日分便中脂肪

6g以上であることのほうが脂肪便の判定の信頼性は高い。
- ▶ 脂肪便がない吸収不良症候群としては乳糖不耐症が挙げられる。乳糖摂取を避けるかラクターゼ投与にて下痢が改善することで臨床的に診断可能である。乳糖負荷試験では20gを経口投与し、血糖が20mg/dL以上上昇しなければ乳糖不耐症と診断する。
- ▶ 吸収不良が脂肪だけにとどまらず糖質にまで及ぶとD-キシロース吸収試験で異常がみられる。D-キシロース経口投与後5時間の蓄尿を行い5g投与では30%未満、25g投与では20%未満の排泄率で糖吸収不良と判定する。短腸症候群や薬剤性、腸管運動亢進、blind-loop症候群、アミロイドーシスなどでは糖質の吸収不全を伴い得るが、胃切除後(胃排泄促進)や慢性膵炎による不十分な消化酵素活性、胆汁分泌不全・胆汁酸プール減少では脂肪の吸収のみが障害され糖質の吸収は保たれる。
- ▶ 回腸病変やblind-loop症候群では57Co-ビタミンB_{12}吸収試験が、回盲部病変では胆汁酸負荷試験が、膵機能不全では膵外分泌機能検査(PFD)を行うことがある。それ以外には小腸造影、ダブルバルーン内視鏡、カプセル内視鏡、消化管粘膜生検などが基礎疾患の検索に有用である。

3 甲状腺機能亢進症 (2章「全身倦怠感」〈57頁〉参照)

4 HIV感染症

- ▶ 性交歴(風俗店、複数のパートナー、同性愛など)、性行為感染症の既往、輸血・刺青・静注薬物乱用歴などのリスクが最も重要である。
- ▶ 体重減少、微熱、全身倦怠感、嚥下痛などはHIV感染症を示唆する所見として重要であり、身体所見では鵞口瘡やoral hairy leukoplakia(EBVにより起こる舌側縁にみられる毛状の白斑)、リンパ節腫脹、るい痩、若年者の脂漏性皮膚炎が重要である。これらの所見によりHIV感染症を疑えば、抗体検査をする。

5 大腸癌絨毛腺腫

▶ 大腸癌絨毛腺腫では粘液便がみられることが多い。低K血症の原因ともなり得る。直腸診、便潜血により異常に気づき、大腸内視鏡検査で診断をつける。

6 ガストリノーマ

▶ ガストリノーマは、消化性潰瘍の既往があり便潜血陽性の場合で可能性が高くなる。孤発例も多いが、家族歴がある場合や多発性内分泌腫瘍(MEN)-1型として発症することもある。上部消化管内視鏡検査によって多発性消化性潰瘍や難治性消化性潰瘍がみられれば典型的である。

▶ スクリーニングとして、空腹時の血清ガストリン濃度が高値であることが最も簡便な検査であるが、プロトンポンプ阻害薬(PPI)投与中や慢性萎縮性胃炎では偽陽性となり得ることから胃酸分泌過多であることを証明すれば信頼性は高くなる。

▶ 胃酸分泌過多があり、ガストリン値が500〜1,000pg/mL以上になれば特異的と考えられるが、はっきりしない場合は負荷試験追加が存在診断に必要となる。負荷試験ではセクレチン負荷試験が最も優れるが、試薬の販売中止に伴いCa負荷試験が代替法として行われる。

▶ 部位診断ではエコー検査(超音波内視鏡〈EUS〉が感度が高い)や造影CTで膵腫瘍を検出することが重要であるが、十二指腸にむしろ腫瘍が多い(約7割)ことから上部消化管内視鏡検査を行う際に粘膜下腫瘍の有無に注意を払う必要がある。

▶ 腫瘍が描出できない場合は血管造影や門脈血サンプリングなどが行われる。

7 VIPoma

▶ VIPomaは大量の水様便がみられる場合に考える。watery diarrhea-hypokalemia-achlorhydria syndrome(WDHA症候群)と呼ばれるように低K血症や無酸症を伴うが、これらはさほど特異

的な所見とはいえない。むしろMEN-1型の他の徴候として、高Ca血症（副甲状腺機能亢進症）がある場合や皮膚の紅潮がある場合に強く疑う。
▶ 通常の検査ではVIPを測定することができないため、診断の次の一手として腹部造影CT・エコーによって膵腫瘍を検出する。

8 カルチノイド

▶ カルチノイド症候群ではセロトニンやヒスタミンなどの分泌による皮膚紅潮発作や気管支喘息様発作のほか、肺動脈弁閉鎖不全や三尖弁閉鎖不全による右心不全徴候を来すことが臨床的な特徴である。
▶ カルチノイドは消化管に多いが、消化管から放出されたセロトニンやヒスタミンは門脈を介して肝臓で代謝されるために無症状であることが多い。結果としてカルチノイド症候群を来すのは肝転移や広範なリンパ節転移を介した消化管由来のカルチノイドか、気管支領域や卵巣原発のカルチノイドであることが多い。
▶ 血清セロトニン高値や、尿中5-HIAA排泄増加にて診断する。

便秘

見逃してはならない疾患・病態

1 腸閉塞・イレウス　**2 大腸癌**　**3 膀胱直腸障害**

病歴聴取のポイント

▶ まず除外すべきは大腸癌で、50歳以上で最近発症あるいは進行性の便秘、便柱狭小化から疑えば精査を行う。また急性の便秘において、腹痛・嘔吐を伴えば腸閉塞を、腰痛を伴えば馬尾症候群を考える。内科的疾患として、薬剤性・代謝性疾患（低K血症、高Ca血症、糖尿病、甲状腺機能低下症）・神経疾患を考え、基礎疾患・薬剤使用歴および口渇・多飲・多尿、寒がり・むくみ・全身倦怠感の有無をチェックする。

便秘を起こすおもな薬剤

抗コリン薬	ブチルスコポラミン，抗パーキンソン病薬，抗ヒスタミン薬など
向精神薬	フェノチアジン系，ブチロフェノン系，三環系抗うつ薬など
オピオイド	モルヒネ，コデインなど
利尿薬	サイアザイド系利尿薬，ループ利尿薬
Ca拮抗薬	ベラパミル，ジルチアゼムなど
その他	鉄剤，バリウム、イオン交換樹脂（高カリウム血症改善薬、セベラマー）

▶ 実際には機能性便秘が大多数を占めている。これはけいれん性便秘・弛緩性便秘・直腸性便秘に分類される。また、入院患者では生活環境の変化、ADLの低下による便秘が多い。

機能性便秘の分類と特徴

	けいれん性便秘	弛緩性便秘	直腸性便秘
便性状	兎糞状または軟便 間欠的な便秘と下痢 粘液あり	硬く太い 持続的に便秘 粘液なし	硬い 一部，分割便
他の特徴	便意強い 腹痛あり 胃結腸反射強い	便意弱い 腹痛なし 胃結腸反射弱い	便意なし 弛緩性便秘と合併 直腸内腔が異常拡大 糞便残留
患者背景	若年者に多い 心理的要因強い	高齢者・女性 下剤・浣腸乱用 腹壁筋力低下	度重なる便意の抑制 下剤・浣腸乱用

身体診察のポイント

▶ 眼瞼結膜蒼白、腸蠕動音異常、腹部腫瘤触知、腹部膨満、直腸診で腫瘤触知、便潜血陽性、高度の便秘にもかかわらず直腸に空虚があれば消化管の精査を要する。

▶ パーキンソン病様歩行や仮面様顔貌、甲状腺腫、アキレス腱反射回復相遅延も診断のカギになることがある。

見逃してはならない疾患・病態の解説

1 腸閉塞・イレウス （📂28章「腹痛」〈302頁〉参照）

► 食欲低下、腹部膨満・腹痛、放屁停止のいずれかがあれば腸閉塞・イレウスを否定する。便秘にもかかわらず直腸診にて直腸内が空虚であれば疑いはかなり強い。

► 腸管が閉塞したものを腸閉塞、腸管運動障害によるものをイレウスと呼ぶ。

► 腸閉塞では腹部手術歴が多く、腸管閉塞により腸管蠕動音は亢進し高調な金属音が聴取され、腹痛が強い。小腸閉塞では術後の癒着以外にヘルニアが大きな原因であるため、鼠径部の綿密な診察を怠ってはならない。特に大腸では腫瘍も大きな原因であることを忘れてはならない。

► 一方、イレウスでは糖尿病や腸管蠕動運動を抑制する薬剤使用歴があることが多く、悪心・嘔吐、腹部膨満感に比べて腹痛は軽度であり、腸管蠕動音は低下している。

► 外傷・手術、感染症、心不全などに伴い自律神経の乱れから急性のイレウスを生じるものをOgilvie症候群と呼び、腸管壁の薄い右半結腸優位に腸管拡張像がみられるのが典型的である。

► 検査として、まずはじめに腹部X線によりair-fluid level、腸管拡張像を確認するが、腹部エコーでも腸管拡張像、to-and-fro sign、keyboard sign、腹水などを検出することができる。単純X線でもある程度の閉塞部位に関しては推測可能であるが、腸閉塞が疑われる場合は閉塞起点の同定のため腹部CTが有用である。閉鎖孔ヘルニアや内ヘルニアの診断には身体所見や単純X線だけでは不十分であり、CTでこれらがないか必ずチェックする。

► 鎮痛薬にも反応が乏しい持続的腹痛の場合は絞扼性腸閉塞を疑う。発熱や採血で炎症反応上昇、代謝性アシドーシス、CPK上昇を認めた場合も絞扼性腸閉塞の可能性が高い。

► 単純CTにおける腹水、腸間膜濃度上昇、壁内気腫、腸管のclosed loopは絞扼性腸閉塞を示唆する。造影CTにて腸管造影遅延・不

診断仮説ごとに把握すべき病歴・身体所見・検査所見

1 腹部大動脈瘤
▶ 動脈硬化のリスクファクター（特に喫煙）のある中高齢者で急性発症の激しい腹痛および腰痛がある場合に疑う。
▶ 身体所見では拍動性腫瘤の有無を探す。緊急手術の適応である。

病　歴

[患者背景] 60歳以上、動脈硬化のリスクファクター
[腰痛] 突然発症、激痛、安静でも改善しない疼痛
[随伴症状] 失神、腹痛、側腹部痛、腹部腫瘤、血尿、便意

身体所見

[バイタルサイン] BP↓↑（座位性変化にも注意）、HR↑
[腹部] 拍動性腫瘤
[皮膚] 出血斑の出現：腹部（Cullen徴候）、腰・背部（Turner徴候）、場合によっては大腿部（Fox徴候）

検査所見

[腹部エコー・腹部造影CT] 拡張した大動脈と周囲の血腫像

2 大動脈解離 （23章「胸痛」〈259頁〉参照）
▶ 突然発症の移動する激しい背部痛を訴えた場合に疑う。バイタルサイン、上肢血圧の左右差、脳・上下肢などの虚血徴候、大腿動脈の拍動の左右差がないかを即座にチェックする。

3 腎梗塞
▶ 心房細動などの心原性塞栓のリスクファクター、動脈硬化のリスクファクターのある人で、急性発症の側腹部〜腰・背部の持続痛をみたときに疑う。
▶ 典型的には血尿を認めるが、1/3では尿は肉眼的にも顕微鏡的にも正常であるため注意が必要である。また、血液検査ではLDHが単独に上昇するが、超急性期では変化がみられないこともある。

病　歴

[**患者背景**] 心房細動・心筋梗塞後、動脈硬化のリスクファクター、感染性心内膜炎、心房粘液腫

[**腰痛**] 突然発症、持続的、安静で改善しない疼痛

[**随伴症状**] 側腹部痛・腹痛、悪心・嘔吐、血尿、他部位の塞栓症状

身体所見

[**バイタルサイン**] BP↑、HR↑

[**胸腹部**] 腹部圧痛、CVA叩打痛

[**他部位の塞栓徴候**] 指趾の壊疽、脳梗塞の徴候

検査所見

[**血液検査**] LDH↑、BUN・Cr、電解質異常、WBC↑

[**尿検査**] 血尿、尿中LDH↑

[**腹部造影CT**] 腎実質の楔形の造影欠損

4 脊椎感染症（硬膜外膿瘍、椎間板炎、脊椎骨髄炎）

▶ ほとんどは血流感染症の結果起こっており、もとになる感染巣を探す必要がある。多くの場合、心内膜炎、尿路感染症、血管カテーテル関連感染症、皮膚・軟部組織感染症が感染巣である。

▶ 起炎菌は黄色ブドウ球菌とコアグラーゼ陰性ブドウ球菌、尿路感染症に関連するものでは腸内細菌が多い。麻薬常習者では緑膿菌が原因となることが多い。

病　歴

[**患者背景**] 最近の細菌感染症（肺・尿・皮膚・心内膜など）、免疫抑制状態（ステロイドなどの免疫抑制薬、糖尿病、肝硬変症、HIV感染症）、静注薬物乱用、幼少時の結核の既往

[**腰痛**] 安静で改善しない疼痛、寝返りでも痛がる

[**随伴症状**] 発熱、悪寒戦慄、下肢の脱力・しびれなどの神経根・脊髄圧迫症状（特に硬膜外膿瘍）、尿閉・便秘

身体所見

[**概観**] 発熱、脊椎圧痛・叩打痛、腸腰筋徴候

る部位)のしびれ、膀胱直腸障害

身体所見

下肢筋力低下、知覚低下、腱反射消失、肛門周囲の知覚低下、肛門括約筋トーヌス低下、肛門括約筋反射消失

検査所見

[**脊椎X線**] L1以下の椎体異常(骨折・腫瘍転移など)
[**CT・MRI**] L1以下の椎体異常(骨折・腫瘍転移など)・硬膜外血腫・腫瘍など、脊柱内の腫瘍・血腫など

8 脊椎圧迫骨折

- 骨粗鬆症のリスクファクターは脊椎圧迫骨折のリスクファクターである。すでに圧迫骨折がある患者では次の圧迫骨折が起こるリスクは4.5倍となる。
- 多くは骨粗鬆症が原因ではあるが、受傷機転がはっきりしないか軽微である場合や、担癌患者、胸椎上・中部の圧迫骨折では悪性腫瘍の転移や骨髄腫などを疑う。

病 歴

[**患者背景**] 高齢女性、ステロイド長期内服、骨粗鬆症の病歴、外傷、アルコール多飲、喫煙
[**随伴症状**] 便秘、尿閉

身体所見

脊椎の圧痛・叩打痛(骨折している椎体は圧痛部より1椎体上であることが多い)、神経根・脊髄圧迫症状の有無に注意

検査所見

[**画像検査**] 脊椎X線、MRI、CT

9 後腹膜リンパ節の悪性疾患(悪性リンパ腫や転移)、浸潤性疾患(後腹膜線維症)

(1) 悪性疾患

- 癌の転移や悪性リンパ腫のように後腹膜リンパ節の腫大を来す場合も腰痛を訴えることが多い。

- 鈍痛であることが多いが、腫瘍の増大が急速であったり腫瘍内に出血する場合は激痛で発症することもある。
- 後腹膜の痛みであり、背臥位や体幹を伸展させるようにすると痛みが増強し、体幹を前屈させると改善することが多い。
- 発熱、体重減少などの全身症状の有無に注意する。

(2) 後腹膜線維症

- 典型的には腹部大動脈・腸骨動脈周囲に炎症細胞浸潤を伴う線維性の組織を認める疾患で、2/3 は特発性、1/3 は二次性である。IgG4 関連疾患として位置づけられるものもある。
- 二次性の原因として、薬剤性、腫瘍性、感染、放射線治療、腹部手術後などが挙げられる。
- 慢性非特異的症状が多い（全身倦怠感、食欲低下、微熱）。
- 多くは腰臀部から始まり腹部に広がる鈍痛で、尿管を閉塞すると、疝痛も起こし得る。便秘を認めることも多い。
- 精巣静脈を閉塞して精巣静脈瘤を認めたり、下大静脈を閉塞して下腿浮腫・深部静脈血栓症（DVT）を来したり、両側尿管閉塞による水腎症・腎不全を来す場合もある。

その他

筋骨格構造の障害による非特異的腰痛

- 多くの筋骨格系の疼痛と同様、臥位で改善し労作で増悪する。
- 前述の重篤な疾患を疑わせる症状・徴候を伴わず、神経学的症状がない。
- プライマリケアで最も多くみる腰痛で、腰部の筋や椎間板の障害、外傷、椎間関節や脊椎すべり症、脊椎分離症などが原因として考えられるが、特異的な解剖学的診断はつけられない。
- 75〜90％は1カ月以内に改善する。
- 身体所見として脊柱・傍脊柱の圧痛、筋のスパズム、可動痛がみられる。

く必要がある。明らかな関節の炎症所見がなく関節痛や腰痛のみを呈する場合もある。
- 機序としては関節への細菌の播種もしくは、免疫複合体反応にて無菌性に関節炎が起こることが考えられている。
- 疑った場合は血液培養を最低3セット以上、それぞれ15分以上あけて採取することが重要である。

3 外傷（脱臼・骨折など）

病　歴

[患者背景] 転倒、交通事故などの外傷の病歴、特に抗血小板薬や抗凝固薬使用時は注意

身体所見

[関節] 関節や関節周囲の腫脹、血腫、出血斑、関節脱臼・亜脱臼

検査所見

[骨・関節X線] 骨折・脱臼、軟部組織腫脹

[関節穿刺] 外傷の病歴・身体所見が明らかでなく関節腫脹を来している場合。血性関節液に脂肪滴があれば骨折ありと考える。

その他

単関節痛

結晶誘発性関節炎（痛風、偽痛風）

- 急性単関節炎として頻度の高いものであるが、常に化膿性関節炎の除外を要する。再発性に起こることも特徴である。痛風であれば尿酸一ナトリウムの針状結晶、偽痛風であればピロリン酸カルシウム二水和物の細い長方形の結晶を鏡検下で証明する。偏光顕微鏡があればわかりやすいが、なくても同定できる。中年では痛風は圧倒的に男性に多いが、高齢者の痛風は多発性関節炎となったり、女性の頻度が増加するのも特徴である。

病　歴

[患者背景] 痛風：中年男性、高尿酸血症、アルコール多飲、肥満、心不全、利尿薬、悪性腫瘍（特に化学療法時）

偽痛風：高齢、手術後、副甲状腺機能亢進症、甲状腺機能低下症、低Mg血症

[**関節症状**] たいてい1つだが、少数〜多関節のこともあり

痛風：MTP関節が最多、中足部の関節、足関節、手関節、肘関節。温度の高い股関節には起こりにくい。

偽痛風：通常足関節、膝、肩、手首などの大関節、ときに環軸関節を侵し頸部痛を来すことがある（Crowned dens症候群）。

[**随伴症状**] 発熱、悪寒戦慄を訴える場合もあり

身体所見

発熱、関節の腫脹・熱感・発赤・圧痛・関節可動域の制限

検査所見

[**関節穿刺**] 結晶をみる。血清尿酸値、X線写真上の関節の軟骨石灰化などは参考程度（痛風では関節炎を起こしているときに血清尿酸値が低めに出ることがあり、正常であることにより除外することはできない）。

阻血性骨壊死

▶ 骨の栄養血管が障害され起こる無菌性の骨壊死であり、50歳未満の男性に多い傾向がある。非外傷性では長期のステロイド投与やアルコールの多飲に関連したものが最多である。多くは無症状〜軽度の関節痛で発症するが、急性の激しい疼痛での発症もある。動かすと痛みが増悪するといった非リウマチ性あるいは機械的な疼痛が特徴的である。

病　歴

[**患者背景**] 骨折または脱臼後、長期ステロイド使用、Cushing病/症候群、アルコール多飲、脂質異常症、痛風、腎不全、SLE、骨髄炎後、HIV感染、抗癌薬使用・放射線療法後、潜函病

[**関節症状**] 無症状〜関節痛（特に荷重時、運動時の痛み）。大腿骨頭、大腿骨遠位端、上腕骨頭が多い。ビスホスホネート製剤使用の患者では顎骨の壊死もある。

[**随伴症状**] 跛行

(身体所見)

関節可動域制限

(検査所見)

関節X線（早期では正常、時間がたつと骨硬化、骨頭平坦化）、MRIがゴールドスタンダード（骨髄浮腫、double-line sign）

多関節痛

関節リウマチ（RA）

► 慢性炎症性多発関節炎の鑑別でまずはじめに考えるべき疾患。DIP関節の疼痛・腫脹や腰痛を訴える場合は別の疾患を考えるべきである。

► 発症3カ月以内にメトトレキサートをはじめとするDMARDsを開始しなければ関節破壊が始まることが知られ、できるだけ早期に診断し治療を開始することが求められる。

(病　歴)

[患者背景] 中年女性に多い

[関節症状] 慢性多発性対称性の関節痛・腫脹、手・手指の小関節に多い。朝のこわばり≧1時間。DIP関節、腰椎の症状はまれである。

[随伴症状] 全身倦怠感、体重減少

(身体所見)

[関節] 手（特にPIP関節、MCP関節）・手関節を中心とした対称性の関節腫脹、圧痛、ときに発赤・熱感

(検査所見)

血算、CRP、ESR、リウマトイド因子、関節X線は参考程度。抗CCP抗体は感度・特異度が高い。

M E M O

RAの分類基準 （ACR/EULAR，2010年）

他の疾患では説明がつかない1つ以上の腫脹関節(滑膜炎)がある場合に分類基準を使用する。

腫脹または	1個の大関節（肩、肘、股、足関節）	0
圧痛関節数	2〜10個の大関節	1
	1〜3個の小関節（PIP、MCP、2〜5MTP、IP、手関節）	2
	4〜10個の小関節	3
	11関節以上（少なくとも1つは小関節、記載されていない関節も含まれる）	5
血清学的検査	RFも抗CCP抗体も陰性	0
	RFか抗CCP抗体のいずれかが低値の陽性（基準上限〜基準上限の3倍）	2
	RFかACPAのいずれかが高値陽性（＞基準上限の3倍）	3
滑膜炎の期間	6週未満	0
	6週以上	1
急性期反応	CRPもESRも正常値	0
	CRP、ESRのいずれかが異常値	1

RFが定性の場合は陽性を低値陽性としてスコア化。合計点≧6でRAと分類する。

全身性エリテマトーデス（SLE）

▶若年女性でリウマチ様関節炎を疑った場合は常に可能性を考慮し病歴・身体所見をとる必要のある疾患である。

▶関節炎の分布はリウマチ様関節炎と同様であるが、リウマチ様関節炎と異なり関節破壊は起こらない。ただしJaccoud関節と呼ばれるスワンネック様の関節変形は起こし得る。

（病　歴）

[患者背景] 若年女性

[関節症状] 手指・手首を中心とした慢性対称性の関節痛・腫脹、朝のこわばり

[随伴症状] 発熱、全身倦怠感、皮疹、光線過敏症、脱毛、結膜炎、Raynaud現象、筋肉痛、胸痛、腹痛、精神症状、繰り返す流産

（身体所見）

[関節] 対称性、特に手指・手関節に多い。

[他の所見] 発熱、蝶形紅斑、光線過敏性皮膚炎、脱毛、結膜炎、

口腔内潰瘍（古典的には無痛性）、リンパ節腫脹、心膜炎、胸水・腹水の所見

(検査所見)

[**血液・尿検査**] ANA（抗ds-DNA抗体、抗Sm抗体）、血清補体値、免疫複合体、STS・抗カルジオリピン抗体・ループスアンチコアグラント、CBC＋WBC分画、LE細胞、Coombs試験、腎機能、尿定性・沈渣

[**画像検査**] 胸部X線、腹部エコー、ECG、心エコー

脊椎関節炎

▶ 腰椎、仙腸関節や胸骨周囲の関節の炎症を認めたときに疑う。腱・腱付着部・靱帯といった関節周囲組織の炎症を認めることも特徴的である。

▶ アキレス腱炎、足底腱膜炎、膿疱症や乾癬の症状は本疾患を疑わせる手がかりとなる。

(病　歴)

[**患者背景**] 強直性脊椎炎、反応性関節炎、乾癬、炎症性腸疾患など。HLA-B27との関連あり

[**腰痛・関節症状**] 慢性持続進行性、夜間・安静時疼痛、朝のこわばり、腰椎や仙腸関節、胸鎖関節といった軸骨格の関節が多い。左右交代性の臀部痛も特徴的である。その他、膝・足関節などの大関節。乾癬ではRAのような分布もあるがよりDIP関節を巻き込む傾向や非対称性分布の傾向がある。

[**随伴症状**] 微熱、眼症状、口腔内潰瘍、慢性下痢、血便、腹痛、尿道炎症状、関節痛、臀部痛、易骨折、有痛性紅斑

(身体所見)

[**関節**] 関節炎所見、前屈制限、仙腸関節圧痛、靱帯・腱鞘・腱付着部炎（指に起これはソーセージ指〈dactylitis〉）

[**頭頸部**] 結膜炎、虹彩炎、口腔内潰瘍

[**胸部**] 胸郭吸気時拡張制限、肺捻髪音

[**心血管**] 大動脈逆流雑音

[皮膚] 下腿結節性紅斑、壊疽性膿皮症、手掌・足底・陰茎の膿疱性角化性病変、膿胞症や乾癬

(検査所見)

[血液検査] CBC、ESR、HLA-B27
[尿検査] 尿中WBC、培養（陰性）、クラミジアPCR
[腰椎・仙腸関節X線] 仙腸関節炎所見、椎体前面のびらん・椎体正方形化、bamboo spine

ウイルス性（パルボウイルスB19、HBV、風疹ウイルス、HIV）

► ウイルスの急性感染に伴う関節炎の多くは急性の多発性対称性という特徴を持っており、朝のこわばりを伴い、RA類似の症状を来すことがある。典型的なウイルス性発疹を伴って起こることもあるが、皮疹が目立たず気づかないことも多い。

► 通常、NSAIDsなどの支持療法のみにより4〜6週間程度で自然寛解する。パルボウイルスB19感染では1〜3週間の潜伏期の後に起こる。ときに再発性になったり数カ月関節炎が持続することもある。

► 急性のHBV感染では黄疸が出現する前に関節炎が起こり、黄疸の発生とともに消失する特徴がある。慢性HBV感染では関節炎を繰り返す例も認める。風疹ウイルスでは自然感染なら発疹の発生後2〜3日後、ワクチンの場合は接種後2〜3週間後に関節炎が生じるという特徴がある。

(病歴)

[患者背景] 病気の患者との接触、輸血・刺青・リスクのある性交歴、静注薬物乱用（HIV、HBV）
[随伴症状] 発熱、インフルエンザ様症状、皮疹。RAのような小関節中心に対称性に朝のこわばりを持つ関節痛が現れることがある。

(身体所見)

[概観] 発熱、結膜炎・咽頭炎所見、リンパ節腫脹、皮疹
[関節] 小関節中心の関節腫脹

> **検査所見**

[**血液検査**] 疑いのあるウイルスの抗体(パルボウイルスIgM、風疹ウイルスIgM)、HBVではHBs抗原やHBc抗体、急性HIV感染ではRNA PCRが有用

Dr. Tierney's Clinical Pearls

When evaluating arthralgia, seek objective findings such as joint effusion and squeeze tenderness ; present, it is arthritis, and the differential diagnosis narrows significantly.

関節炎を評価する際には、関節液貯留や握ったときの圧痛などの客観的所見を探すこと。もしあれば、それは関節炎であり、鑑別診断はかなり絞れる。

[参考文献]
1) Ensworth S. Rheumatology : 1. Is it arthritis? CMAJ 2000 ; 162 : 1011-6.
2) Shojania K. Rheumatology : 2. What laboratory tests are needed? CMAJ 2000 ; 162 : 1157-63.
3) Cibere J. Rheumatology : 4. Acute monoarthritis. CMAJ 2000 ; 162 : 1577-83.
4) Klinkhoff A. Rheumatology : 5. Diagnosis and management of inflammatory polyarthritis. CMAJ 2000 ; 162 : 1833-8.
5) 上野征夫. リウマチ病診療ビジュアルテキスト 第2版. 東京, 医学書院, 2008.
6) 青木 眞. レジデントのための感染症診療マニュアル 第2版. 東京, 医学書院, 2008.
7) Richie AM, Francis ML. Diagnostic approach to polyarticular joint pain. Am Fam Physician 2003 ; 68 : 1151-60.

33章 歩行障害・脱力

Gait Disturbance and Weakness

訴えの定義

- 「歩けない」「力が入らない」という訴えは多いが、まずは患者が全身倦怠感の一部として歩行障害・脱力を訴えているのか、本当に筋力低下や姿勢・平衡感覚異常を来してそうなっているのかを見極めることが重要である。
- 特に高齢者においては全身状態の悪化で歩行障害が必発となるので、その場合は主訴を全身倦怠感と捉え直して鑑別を考える(📁 2章「全身倦怠感」参照)。
- 本章では、筋力や平衡感覚など歩行の調節にかかわる要素の異常としての歩行障害・脱力を扱う。したがって、「ふらつく」「バランスがとれない」といった訴えで来院する場合も含める。

見逃してはならない疾患・病態

- 急を要するものは、脳血管障害や急速に呼吸筋麻痺に進行し得る神経筋疾患である。急性に悪化せずとも、早期に診断しないと不可逆となる腫瘍や感染症も見逃してはならない。

大脳皮質・皮質下白質病変
1 脳血管障害　**2** 脳腫瘍　**3** 慢性硬膜下血腫　**4** 正常圧水頭症

大脳基底核病変
1 パーキンソン病　**2** 脳血管性パーキンソニズム　**3** パーキンソンプラス症候群（進行性核上性麻痺〈PSP〉、びまん性Lewy小体病〈DLBD〉、Wilson病など）

脳幹病変
1 脳血管障害　**2** 脳腫瘍　**3** 脳幹脳炎

小脳病変
1 アルコール性小脳失調症　**2** 薬物性小脳失調症　**3** 脊髄小脳変性症

脊髄病変
1 ビタミンB₁₂欠乏による亜急性脊髄連合変性症　**2** 脊髄癆　**3** 筋萎縮性側索硬化症（ALS）　**4** 前脊髄動脈症候群　**5** HTLV-1関連脊髄症（HAM）

末梢神経病変
1 Guillain-Barré症候群　**2** フグ毒・海魚毒中毒

神経筋接合部病変
1 重症筋無力症（MG）　**2** Lambert-Eaton筋無力症症候群（LEMS）　**3** ボツリヌス中毒

筋病変
1 周期性四肢麻痺　**2** 電解質異常による筋疾患　**3** 薬剤による筋疾患（アルコール、ステロイド、スタチン製剤）　**4** 炎症性筋疾患（多発性筋炎・皮膚筋炎、封入体筋炎）　**5** 遺伝性筋疾患（筋ジストロフィー）　**6** 内分泌・代謝疾患による筋疾患（甲状腺機能低下症、Cushing症候群、糖尿病）

▶「歩く」という動作は健常人にとっては日常の当たり前の動作であるが、その動作は非常に複雑なメカニズムによって成り立っている。人間の体重の2/3は上半身の重さであるため、生まれつき非常に不安定にできており、狭い歩幅のなかの垂直線上のどこかに重心を保たなければ倒れてしまう。そのため、下肢の筋力のみならず、平衡感覚と姿勢とも密接な関係がある。

▶ 歩行の調節は、大脳皮質から基底核や脳幹、小脳、脊髄を通り、末梢神経から筋に至るまでの多数の要素で構成されており、どの要素が不調でも歩行障害は起こり得る。したがって、どこが障害されているかを見出すことが診断のポイントとなるので、部位別（大脳皮質、基底核、脳幹、小脳、脊髄、末梢神経、神経筋接合部、筋）に病態を考えるとよい。

部位別にみた病態

部位	大脳		脳幹	小脳	脊髄	末梢神経	神経筋接合部	筋
	皮質	基底核						
脱力分布	片側	—	片側	—	両側	遠位筋/分節性	両側	近位筋
萎縮	なし	なし	なし	なし	なし	高度	なし	中等度
筋線維束攣縮	なし	なし	なし	なし	なし	高頻度	なし	なし
反射	亢進	正常〜亢進	亢進	低下	亢進	低下〜消失	正常	正常〜低下
トーヌス	亢進（痙縮）	亢進（固縮）	亢進	減弱	亢進	減弱	正常	正常〜減弱
Babinski徴候	あり	なし	あり	なし	あり	なし	なし	なし
様式	錐体路（上位運動ニューロン）	錐体外路	錐体路（上位運動ニューロン）		錐体路（上位運動ニューロン）	下位運動ニューロン		

診断仮説ごとに把握すべき病歴・身体所見・検査所見

大脳皮質・皮質下白質病変

▶ 上位運動ニューロン性の筋力低下を生じ、顔面から下肢に至るまで同側の片麻痺と、場合によっては高次機能障害を認める。

病歴

[患者背景] 脳血管障害のリスクファクター、不整脈の既往、飲酒歴、外傷歴、くも膜下出血や髄膜炎の既往

[随伴症状] 頭痛、高次機能障害

身体所見

麻痺側腱反射の亢進、麻痺側Babinski徴候、Barré徴候・Mingazzini徴候・小指徴候、筋緊張亢進、痙縮（折りたたみナイフ様）、筋萎縮は来しにくい、筋線維束攣縮はない。

検査所見

CT、MRIにて、硬膜外あるいは硬膜下の血腫・水腫、皮質・皮質下白質・内包の梗塞巣、出血巣、腫瘍、拡張した脳室などを認める。

> **MEMO**
>
> **高次機能障害**
> - 左シルビウス裂周囲言語ネットワーク(Broca野やWernicke野)→失語
> - 頭頂葉の病変→空間認識に対する見当識障害による失認や失行、劣位半球頭頂葉の障害で重度の左半側の空間無視、優位半球頭頂後頭葉移行部障害でGerstmann症候群(手指失認、左右識別障害、失書、失計算)
> - 後頭側頭ネットワークの障害→顔貌や物体の失認
> - 海馬、扁桃体など辺縁系ネットワークの障害→健忘
> - 前頭葉の障害→人格変化や注意力の低下、意欲の低下

1 脳血管障害

▶ 高齢、高血圧、糖尿病、脂質異常症、喫煙、過量飲酒、肥満、心房細動、家族歴などがリスクファクターとして挙げられる。脳の循環障害によって引き起こされ、意識障害や片麻痺のほか、感覚障害、言語障害など多彩な症候を認める。

▶ 一般的には脳出血と脳梗塞に分けられ、脳出血は運動時に多く、突然発症で頭痛を伴い、意識障害を来すことが多いが、脳梗塞は安静時に多く、段階的に数時間から数十時間かけて症状が完成し、頭痛や意識障害は伴わないことが多い。

▶ 片麻痺による歩行障害に加えて、胸痛や失神、血圧低下、変動する意識障害など脳梗塞に非典型的な症状を伴う場合は、大動脈解離による脳血管障害も考慮する。

▶ また若年発症の脳梗塞では感染性心内膜炎(IE)や血管炎、もやもや病(Willis動脈輪閉塞症)、卵円孔開存症、血液凝固系亢進、動脈解離、コカインや覚醒剤の使用などを考慮する。

2 脳腫瘍

▶ 脳血管障害より緩徐な発症で麻痺や感覚障害、言語障害など脳局在症候を認めた場合は疑うべきである。しかし、脳血管障害と鑑別が困難な場合もあり、頭痛や嘔吐、うっ血乳頭などの脳圧亢進徴候を認めることが多いが、そうでないこともある。

▶脳転移を来しやすい肺癌や乳癌などの既往にも注意する。

3 慢性硬膜下血腫
▶転倒して頭部打撲後、数週間後に片麻痺や失語、認知障害などの症状を認める。高齢、アルコール多飲、出血傾向のある患者や出血傾向を来す薬剤内服中の患者、透析などがリスクファクターである。
▶認知症の高齢者の場合、外傷歴がはっきりしないことも多く、認知症が急に進行した場合に疑う。

4 正常圧水頭症
▶認知障害、思考・行動の緩慢などの精神症状と歩行障害、尿失禁（間に合わない、あるいは無関心）を3徴とし、数週間〜数カ月の単位で進行する。
▶歩行はパーキンソニズムに似た小刻み歩行、小脳疾患様の幅広歩行、あるいは足の挙上困難によるマグネット歩行で、軽度の筋固縮も認める。
▶うっ血乳頭を認めず、髄液圧も20cmH$_2$O以下で正常であるが、CTにて脳室の著明な拡大を認め、髄液排出試験（30〜50mLの髄液を排出する）にて症状（特に歩行障害）の改善を認めることが特徴である。
▶外科的なシャント手術で治療することが可能な疾患である。

大脳基底核病変
▶錐体外路症候を認める場合は基底核の病変を考える。「一歩目が出にくい」「いったん歩き出すと止まらない」「スムーズに方向を変えられない」といった歩行障害が特徴的である。

(病　歴)

[患者背景] 脳血管障害のリスクファクター、薬剤使用歴（抗精神病薬、制吐薬）、脳炎の既往、CO中毒の既往、マンガンを扱う職業歴、家族歴

[随伴症状] 振戦、寡動や無動、表情の乏しさ、認知機能低下

身体所見

脂顔、筋緊張亢進（固縮、歯車様現象）、姿勢反射異常、Myerson徴候、不随意運動（安静時振戦、舞踏病・バリズム・アテトーゼ・ジスキネジア）

検査所見

パーキンソン病はMRIやCTで変化を認めない。基底核その他に梗塞巣を認める場合は脳血管性のパーキンソニズムの可能性がある。PSPではMRIにて中脳の萎縮がみられる。オリーブ橋小脳萎縮症（OPCAあるいはMSA-C）では橋正中部にT2強調画像で十字サインがみられる。線条体黒質変性症（SNDあるいはMSA-P）ではT2強調画像で被殻に低信号を認める。また、パーキンソン病およびDLBDと、多系統萎縮症などその他のパーキンソンプラス症候群やアルツハイマー病、本態性振戦との鑑別にMIBG心筋シンチグラフィ（パーキンソン病やDLBDでは取り込みが低下することが多い）やDaTscanを用いることもある（前者でのみ取り込み低下）。

1 パーキンソン病（27章「嚥下障害」〈292頁〉参照）

- 安静時振戦、寡動、筋固縮を3徴とする神経変性疾患で、中年以降に発症し緩徐に進行する。
- 片側の上肢の振戦を初発とすることが多く、その後同側下肢、対側にも症状が広がり、寡動により仮面様顔貌、すくみ足や小刻み歩行といった歩行障害を認め、進行すると無動となる。

2 脳血管性パーキンソニズム

- 続発性パーキンソニズムの1つである。基底核にラクナ梗塞が生じることにより症状を呈する。
- 振戦は起こりにくく、歩行障害が初発の症状であることが多い。パーキンソン病と違って、薬剤への反応に乏しい。

3 パーキンソンプラス症候群

(1) 進行性核上性麻痺（PSP）
► パーキンソニズムに加えて垂直方向の共同性眼球運動障害（特に下方視障害）、認知症、両側性の皮質延髄路の障害で構音と嚥下が障害される仮性球麻痺を伴うことが多い。

(2) びまん性Lewy小体病（DLBD）
► 認知症の発症とほぼ同時か少し先行してパーキンソニズム症状が出現し、また意識レベルに波があり、鮮明な幻視を伴う場合に疑う。

(3) Wilson病
► 常染色体劣性遺伝による疾患であり、若年発症のパーキンソニズムと肝機能障害、Kayser-Fleischer輪を認める（微妙なものは細隙灯を要す）。
► 多くは10～25歳頃に発症するが、遅い場合は50歳近くで発症することもあるので、成人で若年発症のパーキンソニズムを認めた場合は疑う。
► 検査としては、血清銅、セルロプラスミン濃度、尿中銅の測定を行う。

脳幹病変
► 上位運動ニューロン性筋力低下による片麻痺に加えて多彩な脳神経障害を認める。

病　歴

[患者背景] 脳血管障害のリスクファクター
[随伴症状] 複視や構語障害、口角からの流涎、顔面と体部の感覚乖離

身体所見

①中脳内側の障害→患側の動眼神経麻痺＋反対側の片麻痺
②橋下部の障害→患側の顔面神経麻痺＋反対側の片麻痺
③延髄の障害→患側の舌咽や迷走神経障害や反対側の顔面を除く、半身感覚乖離＋反対側の片麻痺

(検査所見)

CT、MRIにて脳幹に梗塞や出血、占拠性病変を認める。

1 脳血管障害

► 中脳内側の病変では動眼神経麻痺を認めることが多いが、動眼神経麻痺に加えて、対側の振戦を伴うものをBenedikt症候群、対側の片麻痺を伴うものをWeber症候群、対側の小脳性運動失調を伴うものをClaude症候群と呼ぶ。

► また延髄の外側が障害されると、錐体路は障害されないので麻痺は生じない。めまいや悪心・嘔吐、小脳性運動失調、顔面の感覚麻痺、眼振、Horner症候群、嚥下困難、味覚障害、半身感覚乖離を来し、Wallenberg症候群（延髄外側症候群）と呼ばれる。

2 脳腫瘍 （📁18章「聴覚障害」〈215頁〉参照）

► 小脳橋角部腫瘍は頭蓋内腫瘍の6〜10%を占めしばしばみられる。聴神経鞘腫が最も多く、髄膜腫が次いで多い。

3 脳幹脳炎

► Bickerstaff型脳幹脳炎はGuillain-Barré症候群の亜型で、外眼筋麻痺、小脳性運動失調に加えて、高度な意識障害や錐体路症状を認める。

► 多発性硬化症（MS）や急性散在性脳脊髄炎（ADEM）による脱髄病変が脳幹を侵すこともある。

► 肺癌や婦人科癌・睾丸腫瘍に伴う腫瘍随伴症候群として脳幹脳炎を来すこともある。

小脳病変

► 平衡障害や運動失調による歩行障害を認める。

(病　歴)

[患者背景] 脳血管障害のリスクファクター、有機溶剤を扱う職業歴、飲酒歴

[随伴症状] 頭痛、悪心・嘔吐、めまい

(身体所見)
注視方向性眼振、構音障害（酩酊様）、深部腱反射低下、指鼻試験・膝踵試験・回内回外試験が患側で拙劣、Romberg試験は開眼時から動揺、幅広歩行・酩酊歩行・よろめき歩行、継ぎ足歩行試験（tandem gait）・蹲踞不能

(検査所見)
CT、MRIにて小脳に萎縮や梗塞、出血、占拠性病変を認める。

1 アルコール性小脳失調症

- 小脳虫部が侵されることによる体幹失調が主体であるため、立位や歩行、下肢協調運動の異常が認められる。
- 継ぎ足歩行や膝踵試験で異常を認めるが、指鼻試験で異常を認めることはまれである。飲酒をやめることである程度回復を認める。

2 薬物性小脳失調症

- 小脳失調症を来す薬物中毒としては、抗てんかん薬のフェニトイン、抗菌薬のメトロニダゾール、躁病治療薬のリチウム、トルエンなどの有機溶剤、農薬製造での有機水銀などが挙げられる。

3 脊髄小脳変性症

- 運動失調を主要症候とする原因不明の神経変性疾患の総称である。非遺伝性のものでは、MSAの一型でパーキンソニズムや自律神経症状を伴うOPCAがある。また、中年以降に発症しパーキンソニズムや自律神経症状を認めない純粋小脳失調の場合は、その他の疾患を除外したうえで、孤発性皮質性小脳萎縮症（CCA）と呼ばれる。
- 遺伝性のものでは若年発症のFriedreich運動失調やMachado-Joseph病など、数多くの遺伝子異常が判明している疾患がある。

脊髄病変

▶片または対の上位運動ニューロン性筋力低下に加えて、頸部以下の両側性感覚異常や膀胱直腸障害が認められる。

(病　歴)

[**患者背景**] 脳血管障害のリスクファクター、家族歴、胃切除術や回盲部切除術歴、感染症の既往（梅毒）、南日本の出身か（HTLV-1のリスクファクター）

[**随伴症状**] 両側の運動麻痺、両側の感覚麻痺（しびれなど異常感覚）、ふらつき

(身体所見)

①横断性障害→障害レベル以下での両側感覚障害と両側運動麻痺
②後索障害→深部感覚、触覚の低下、Romberg試験陽性
③前側索の脊髄視床路障害→温痛覚の低下
④側索の錐体路障害→上位運動ニューロン性筋力低下

(検査所見)

MRIにて占拠性病変・炎症性プラーク、髄液検査にて蛋白増加・細胞増多を認める。

1 ビタミンB_{12}欠乏による亜急性脊髄連合変性症

▶抗内因子抗体による自己免疫的な病態や胃全摘後・回盲部切除後の内因子欠乏による吸収障害などでビタミンB_{12}が欠乏すると、後索と皮質脊髄路の障害により深部覚の低下や感覚障害を認める。
▶加えて大脳皮質にも影響を及ぼして認知障害も認める。大球性の貧血を合併することがあり、その際は血液目視像にて好中球の過分葉や巨赤芽球が認められるのが特徴である。
▶銅欠乏症で類似した脊髄後索障害を来すことがある。

2 脊髄癆

▶神経梅毒の一種でおもに脊髄を侵すことにより多彩な症状が認められる。脊髄後根の炎症により下肢の電撃痛を認め、深部腱反射が低下、後索障害により深部感覚低下があり、Romberg試験は陽

性となる。また、膀胱直腸障害も認める。
- 一方で、進行麻痺は中枢神経を侵し、認知障害、人格変化を生じ、Argyll-Robertson瞳孔（縮瞳傾向でわずかに変形していることが多く、両側対光反射の消失はあるが輻輳反射は保たれている）を来し得る。

3 筋萎縮性側索硬化症（ALS）

- 四肢筋の萎縮、筋力低下に加えて、舌の萎縮と筋線維束攣縮、嚥下障害、構音障害がある場合に疑う。脊髄病変による運動ニューロン疾患であり、腱反射亢進、Babinski徴候といった上位運動ニューロン症状がある一方で、筋萎縮や筋線維束攣縮といった下位運動ニューロン症状もみられる。
- 感覚系はまったく侵されず、末期まで眼球運動障害と膀胱直腸障害を来さないのも特徴である。多発脳梗塞と誤診されることも少なくなく、疑った場合は筋電図検査を行う。

4 前脊髄動脈症候群

- 脊髄の血管障害の1つであり、脊髄の前2/3を支配している前脊髄動脈の閉塞によって生じる。
- 錐体路、脊髄視床路を障害するため対麻痺と障害部以下の温痛覚低下と膀胱直腸障害を認めるが、後脊髄動脈に支配される後索は保たれるため深部感覚は正常である。

5 HTLV-1関連脊髄症（HAM）

- 日本では沖縄や南九州出身者に多くみられる。緩徐に進行し、片側の下肢脱力から始まり、数カ月後に他方の下肢脱力も生じて対麻痺となる。異常感覚、膀胱障害や勃起障害を認める。深部腱反射は亢進し、Babinski徴候がみられ、痙性対麻痺となる。
- 診断は臨床症状と血清および髄液中のHTLV-1抗体陽性による。ステロイドやインターフェロンで治療される。

33 末梢神経病変

歩行障害・脱力

▶ 脊髄の前角から出る下位運動ニューロンの障害によって生じる。症状の発現の仕方によって末梢神経病変は多発ニューロパチー、多発性単神経炎、単ニューロパチーの3つに分けることができる。

▶ 多発ニューロパチーは感覚、運動のいずれかまたは両方が末梢優位かつ対称性に侵され、代謝性の原因によることが多いのに対して、多発性単神経炎は1つ以上の神経軸索が非対称性に侵され、それらは同時あるいは時期がずれて生じる。神経を栄養する血管の炎症によることが多い。単ニューロパチーは単一神経の異常であり、手根管症候群のように局所の神経の圧迫や損傷に伴って生じることが多い。

▶ したがって、感覚低下と筋力低下のどちらが優位か、それらは末梢優位か近位優位か、対称性か非対称性かを確かめる必要がある。

病歴

[患者背景] 先行する感冒や胃腸炎の有無、HIV感染のリスク、癌の既往、糖尿病の既往、アルコール摂取歴、薬剤使用歴（フェニトイン、イソニアジド、メトロニダゾール、抗HIV薬、アミオダロン、ビンクリスチン、パクリタキセル、コルヒチン、スタチン製剤など）、胃切除や回盲部切除歴、神経疾患の家族歴

[随伴症状] 立ちくらみ、発汗異常や勃起障害などの自律神経症状、血管炎の皮膚所見

身体所見

深部腱反射の低下、遠位優位の筋力低下や筋萎縮、筋線維束攣縮、孤立した筋のみ侵されているかをチェックする。

検査所見

血液検査にてHIV抗体、血管炎マーカー、自己抗体、ビタミン定量、HbA1c、尿検査にてBence Jones蛋白、消化管粘膜・皮下脂肪生検にてアミロイド、髄液にて蛋白細胞解離、神経伝導検査・筋電図にて伝導速度の低下、神経筋単位の減少、giant spike、fibrillation potentialの存在を確かめる。

おもな末梢神経病変の鑑別

	感覚障害優位	運動障害優位	運動・感覚障害
対称性で遠位のみ	糖尿病, アルコール性 腎不全, アミロイドーシス	Charcot-Marie-Tooth病 鉛中毒	
対称性で近位まで侵す	傍腫瘍症候群 Sjögren症候群 ビタミンB_1・B_6欠乏症	Guillain-Barré症候群 急性間欠性ポルフィリン症 CIDP, POEMS症候群	
非対称性		多巣性運動ニューロパチー ALS（初期）	血管炎 ハンセン病
有痛性			糖尿病 HIV関連ニューロパチー

AIDP：急性炎症性脱髄性多発ニューロパチー
CIDP：慢性炎症性脱髄性多発ニューロパチー

1 Guillain-Barré症候群 （☞27章「嚥下障害」〈294頁〉参照）

- ▶ 数日の経過で両下肢遠位部から上行する筋力低下に加えて、嚥下困難や呼吸障害が出現した場合に疑う。
- ▶ 10〜25％に上気道症状や下痢の前駆症状が1〜3週間前にある。最も頻度の高い原因は*Campylobacter jejuni*感染であり、ほかにCMV・EBV・HIV感染との関連も認められている。また近年、ジカ熱との関連も報告されている。末梢神経障害のため、深部反射は低下・消失し、筋トーヌスは低下する。
- ▶ 呼吸筋障害が急速に進行し得るため呼吸状態に注意し、呼吸筋障害を来した場合は気道確保・人工換気を行う。
- ▶ 神経伝導検査で脱髄やときに軸索障害所見を認める。髄液検査では蛋白細胞解離を認めるが、初期にはみられないこともある。

2 フグ毒・海魚毒中毒

▶ フグによるフグ毒（テトロドトキシン）や熱帯・亜熱帯に生息する魚の持つシガテラ毒、二枚貝の一部が持つ貝毒などは神経麻痺を起こし、摂取後数十分〜数時間で口唇のしびれを認め、その後急速に進行して四肢麻痺、呼吸筋麻痺を来し死に至ることもある。

神経筋接合部病変

▶ 易疲労性の筋力低下を特徴とし、運動すると急速に疲れて筋力が低下する。日内変動も特徴である。感覚障害を伴わない。

（病　歴）

［患者背景］胸腺腫の既往、担癌患者か、缶詰食品・真空パック食品の摂取歴

［随伴症状］筋力低下の日内変動、複視、構語・嚥下障害、呼吸障害

（身体所見）

眼球運動障害や眼瞼下垂、顔面表情の乏しさ、反復運動で筋力低下（waning現象）とテンシロンテストなどで回復（MG）、反復運動で筋力の回復（waxing現象）とその後の疲労（LEMS）

（検査所見）

血液検査にて抗アセチルコリン受容体（AChR）抗体など・抗電位依存性Caチャネル（VGCC）抗体、誘発筋電図（低頻度および高頻度反復神経刺激）にてwaning/waxing現象、胸部CTにて胸腺腫・肺癌の有無をチェックする。

1 重症筋無力症（MG）（📂27章「嚥下障害」〈294頁〉参照）

▶ 多くははじめに眼筋を侵し、眼瞼下垂や外眼筋麻痺を生じ、複視を訴える。日内変動のある全身脱力も特徴的である。
▶ 成人型の分類としては、以下がある。
①眼筋型：眼筋のみを侵し予後がよい（抗体陽性の頻度も他の型より低い）、②全身型：全身の筋力低下を起こすが呼吸障害が少

ない、③急性激症型：急激に発症し全身筋力低下に加えて呼吸筋麻痺も伴う、④晩期重症型：経過中に何らかの機序で急性に悪化し呼吸筋麻痺を来す、⑤筋萎縮併型：骨格筋の萎縮を伴う。
► アイスパックテストやテンシロンテストを行い、胸部CTで胸腺腫、血清抗AChR抗体（それが陰性の場合、筋特異的チロシンキナーゼ〈MuSK〉抗体）、低頻度反復神経刺激による誘発筋電図でwaning現象を確認して診断する。

2 Lambert-Eaton 筋無力症症候群（LEMS）

► 末梢のコリン作動性シナプスに存在するVGCCに対する自己免疫疾患で、肺小細胞癌患者の60％に認められ、神経症状が腫瘍による症状よりも先に認められるのが特徴である。ただし、LEMSの1/3は癌との関連性はない。
► 近位筋の筋力低下と口腔内乾燥や筋痛を伴い、重症筋無力症と違って複視や構音障害、嚥下障害、呼吸困難はあまり来さない。
► 高頻度反復神経刺激による誘発筋電図でwaxing現象がみられることが特徴である。

3 ボツリヌス中毒 （27章「嚥下障害」〈294頁〉参照）

► キャビアなどの燻製食品、辛子蓮根などの真空パック食品の摂取6〜48時間（長いと数日）後に中毒症状を呈する。
► ボツリヌス毒素はシナプス前神経末端からのアセチルコリンの遊離を不可逆的に阻害するため、眼の対光・輻輳反射の消失や外眼筋麻痺、眼瞼下垂を初期に認め、引き続いて嚥下困難や口腔内乾燥、構音障害、嗄声、その後下行性に進行する四肢麻痺を呈する。感覚障害や意識障害は認めない。
► 摂取トキシンの量により重症度は異なるが、抗毒素により死亡率を低下させることができる。

筋病変

► 骨格筋自体に病変を持つ。しゃがみ込んだ状態からの立ち上がり

や、高い所のものを取ることが困難になるなど、近位主体の筋力低下を来す。

病　歴

[患者背景] 糖尿病・甲状腺疾患の既往、筋疾患の家族歴、アルコール摂取歴・薬剤（ステロイド、スタチン製剤）の使用歴

[随伴症状] 筋痛、皮膚病変

身体所見

深部腱反射は正常、Gowers徴候、近位筋優位の筋力低下や筋萎縮、筋の把握痛、Gottron徴候（関節伸側の紫紅色の皮疹）やヘリオトロープ疹（眼瞼の紫紅色の皮疹）、爪周囲の点状血管拡張

検査所見

甲状腺機能・電解質・抗核抗体・抗ARS抗体・血沈異常値、MRIにて筋炎所見、筋電図にて筋原性変化、筋生検にて筋炎所見・封入体などをチェックする。

1 周期性四肢麻痺

- 断続的に四肢の脱力発作を認め、間欠期には無症状の場合に疑う。四肢の脱力、腱反射は正常ないしやや減弱する。
- 低K血症性周期性四肢麻痺と高K血症性周期性四肢麻痺があるが、アジア人の若年男性で甲状腺機能亢進症に伴う低K血症性周期性四肢麻痺がみられることがある。
- 疑った場合は、電解質や甲状腺機能を調べる。

2 電解質異常による筋疾患

- 電解質異常で筋力低下を来すものとしては、低K血症、低P血症、低・高Ca血症、低・高Na血症、高Mg血症が挙げられる。

3 薬剤による筋疾患（アルコール、ステロイド、スタチン製剤）

- 慢性のアルコール中毒によるアルコール性ミオパチー、長期のステロイド使用でのステロイド性ミオパチー、スタチン製剤使用に

よる筋障害の横紋筋融解症が有名である。
- ▶その他、筋力低下を来す薬剤として、コカインやヘロイン、コルヒチン、抗マラリア薬、ペニシラミンなどがある。

4 炎症性筋疾患（多発性筋炎・皮膚筋炎、封入体筋炎）（⮕27章「嚥下障害」〈293頁〉参照）

- ▶筋の炎症性疾患でGottron徴候やヘリオトロープ疹を認め、CPKの上昇や抗ARS抗体（抗Jo-1抗体を含む）が陽性となる疾患を皮膚筋炎という。悪性腫瘍や間質性肺炎の合併が予後を左右する。特に皮膚所見は典型的であるのに筋炎が軽いものに合併する間質性肺炎は急速進行性で予後がきわめて悪く、抗MDA5抗体が陽性であることが多い。逆に緩徐な経過の筋炎のみで皮膚所見のないものを多発性筋炎という。
- ▶また病理学的に核内および細胞質内に封入体を認める炎症性筋炎を封入体筋炎と呼び、皮膚筋炎・多発性筋炎と違って中年男性に多く、手指屈筋や大腿四頭筋の筋力低下と嚥下障害が特徴的で慢性進行性に四肢筋力が低下する。

5 遺伝性筋疾患（筋ジストロフィー）

- ▶筋ジストロフィーは遺伝性で緩徐に筋組織の変性・壊死が進行していく疾患の一群である。性染色体劣性遺伝のDuchenne型筋ジストロフィー、Becker型筋ジストロフィー、Emery-Dreifuss型筋ジストロフィー、常染色体劣性遺伝の肢帯型筋ジストロフィー、常染色体優性遺伝では顔面肩甲上腕型筋ジストロフィー、筋強直性ジストロフィーなどがある。
- ▶成人発症で最も多いのは筋強直性ジストロフィーで、ミオトニア（筋強直）を認め、斧様顔貌を呈する。白内障や糖尿病、心筋障害など多臓器にわたって障害が生じることが特徴である。

その他

Wernicke脳症
- アルコール症やビタミン欠乏の高リスク群の患者で、歩行障害に加え、意識障害、外眼筋麻痺がある場合に疑う。
- 脳MRIではFLAIR像を注意深く観察すると、第Ⅲ脳室や中脳水道周囲の強信号を認めることが多い。
- 疑った場合、ビタミンB_1測定用の検体を採取後、チアミン500mg静注1日3回を最初の2日間、その後250mg静注または筋注1日1回を5日間続ける治療法が推奨されている。進行すると健忘、作話、学習障害（Korsakoff症候群）を来し不可逆となる。
- アルコール自体によるミオパチー、低Mg・低K血症によるミオパチー、あるいは脚気にて歩行障害を来している可能性も考える。

脱髄疾患（多発性硬化症〈MS〉や急性散在性脳脊髄炎〈ADEM〉など）
- MSは大脳白質に空間的、時間的多発性をもって多数の炎症性、脱髄性病変を有する疾患で、筋力低下や筋痙縮といった運動障害を左右非対称性に認めるだけでなく、かすみや複視、盲といった眼病変、失調、自律神経症状、精神症状など多彩な症状を認める。
- 小児のウイルス感染症やワクチン接種後に生じるADEMとの鑑別が困難であることが多い。その他、HIV脊髄症やSLE、血管炎の神経症状との鑑別も難しいことがある。

リウマチ性多発筋痛症
- 高齢者に発症し、後頸部、両肩から上腕部、臀部から大腿部に筋痛と朝のこわばりを認め、着衣、起床、歩行などの日常生活に支障を来す。リウマトイド因子は陰性で血沈が上昇する。関節リウマチ、RSSSPE症候群、皮膚筋炎、IE、甲状腺機能低下症などを鑑別する必要がある。
- ステロイドに対する反応性はよいが、漸減中に再発することも多い。少量のステロイドに対する反応性がよくない場合は側頭動脈

炎・大動脈炎や悪性腫瘍の合併を考慮して検査を進めるべきである。

Dr. Tierney's Clinical Pearls

Most patients who say are weak are not : be sure to document by exam before evaluating.

力が出ないという患者のほとんどに脱力はない。検査をするのは身体診察で脱力を確認してからにすること。

The sun never sets on the posterior fossa ; lesions there pose threat to the brain stem.

後頭蓋窩の病変についてグズグズしてはいけない。それは脳幹に脅威となるからである。

Impaired gait with intact position and vibration senses localizes the problem to the anterior cord ; consider lower motor neuron disease or anterior spinal artery occlusion.

位置覚や振動覚が正常な歩行障害では脊髄前部に問題があるので、下位運動ニューロン障害か前脊髄動脈症候群を考える。

[参考文献]

1) Aminoff MJ. Weakness and Paralysis. Harrison's Principles of Internal Medicine, 17th ed. New York, McGraw-Hill, 2008.
2) Smith AG, Bromberg MB. A rational diagnostic approach to peripheral neuropathy. J Clin Neuromuscul Dis 2003 ; 4 : 190-8.
3) Merritt's Neurology, 10th ed. Philadelphia, Lippincott Williams & Wilkins, 2000.

34章 四肢のしびれ

Numbness of the Extremities

訴えの定義

- ▶「感じない・鈍い」「じんじん・ぴりぴりする」「ちくちくする・痛い」なら、感覚鈍麻や異常感覚とわかるが、「しびれる」と表現されたときには、運動麻痺を正確に鑑別する必要がある（📂 33章「歩行障害・脱力」参照）。

見逃してはならない疾患・病態

1. **急性動脈閉塞症**　2. **脳血管障害**　3. **コンパートメント症候群**
4. **神経外傷（特に脊髄損傷）**　5. **馬尾症候群**

身体診察のポイント

- ▶ 突然発症のものや進行する運動障害を伴う場合は、緊急性を要することが多い。
- ▶ しびれの鑑別は、まず患者の訴えが感覚障害か運動障害かその両方かを鑑別する。
- ▶ しびれの原因となっている解剖学的病変部位（大脳、脳幹、脊髄、神経根、末梢神経〈図〉）と病因（血管性、感染性、腫瘍性・傍腫瘍性、代謝性、免疫性、外傷性、心因性など）を鑑別する。
- ▶ そのために、外傷の有無、発症が急性か慢性か、しびれている部位の分布はどこか、筋力低下や疼痛を伴うか、随伴症状（発熱・体重減少などの全身症状、局所の皮膚の発赤・熱感や疼痛、頸部・背部・腰部痛、膀胱直腸障害）を確認することが重要である。
- ▶ 動脈硬化のリスクファクター、糖尿病・アルコール症・ビタミン欠乏症に代表される代謝性疾患、腎疾患、関節リウマチ（RA）などの慢性炎症性疾患の有無も鑑別には重要となる。

病巣別の代表的な感覚障害の分布パターン

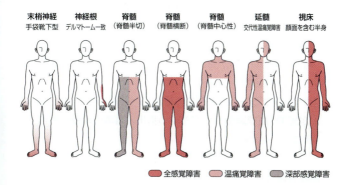

診断仮説ごとに把握すべき病歴・身体所見・検査所見

1 急性動脈閉塞症

▶ 原因は塞栓性と血栓性である。閉塞部位、閉塞範囲、側副血管の発達により、虚血の重症度および四肢のviabilityが決定される。

▶ 症候としては5P'sが特徴的である。すなわち①pain（疼痛）、②pallor（蒼白）、③pulselessness（脈拍消失）、④paresthesia（異常知覚）、⑤paralysis（麻痺）である。

[病　歴]

[患者背景] 心房細動（Af）、心筋梗塞後、動脈硬化のリスクファクター、感染性心内膜炎（IE）・心臓粘液腫の存在、血管外傷（カテーテル操作）の先行

[随伴症状] 急性発症の安静時疼痛、脱力、跛行

[身体所見]

[バイタルサイン] BP↑、HR↑（Afでは不整）

[概観] 不穏（疼痛強い）

[心血管系] 脈不整（Af）、雑音（心臓弁膜症、心内膜炎、粘液腫）、動脈血管雑音

[患肢] 脈拍不触知、皮膚冷感、蒼白、capillary refillの遅延、静脈の虚脱、知覚の低下・脱失、筋力低下・麻痺

(検査所見)

(検査によって治療が遅れることがあってはならない。4～6時間以内がゴールデンタイム)

[ドプラー脈波計] 拍動音の消失

[カラードプラー] 閉塞部位の描出

[(3DCT) 血管造影] 閉塞部位の描出。再灌流治療の解剖学的指標としやすい。

2 脳血管障害（☞12章「意識障害」〈156頁〉参照）

▶ 脳梗塞、脳出血ともにしびれが起こり得る。突然発症の片側の上下肢（±顔面）のしびれもしくは脱力は常に脳血管障害を疑う。

(病歴)

[患者背景] 動脈硬化のリスクファクター、過剰なアルコール摂取、Af、心臓弁膜症、心収縮能低下、卵円孔開存、IE、頸動脈狭窄

[随伴症状] 病巣部位によっては視野障害、回転性めまい、嚥下障害、複視、失調を来す。意識レベル低下は意識障害の他の鑑別をひと通り必要とする。

(身体所見)

[バイタルサイン] BP↑、HR↓↑（Afでは不整）

[心血管系] 頸動脈血管雑音

[神経系] 片側上下肢脱力、知覚低下、眼球運動障害、眼振、構音障害、協調運動異常

(検査所見)

[血液検査] 血糖迅速測定（低血糖除外のため必須）

[ECG] 特にAfや陳旧性心筋梗塞の有無

[CT] 脳出血に有用。脳梗塞診断では急性期には出血の除外。
早期の脳梗塞のCT所見：片側の中大脳動脈の濃度上昇（dense MCA sign）、レンズ核・尾状核・白質灰白質境界・脳溝の不明

瞭化

[MRI] DWIが早期に最も感度が高い（6時間以内に異常が出現）。

3 コンパートメント症候群

▶ 外傷や手術などにて患肢の筋膜に囲まれたコンパートメント内の圧が炎症や浮腫により上昇することで、そこを通る静脈の圧上昇と毛細血管灌流の低下が起こる。これにより患肢の虚血症状が起こる。

▶ 初期には軽度の疼痛のみのものがあるので、症状の進展に注意を払う必要がある。筋の受動的伸展時の疼痛は初期の徴候である。

病　歴

[患者背景] 四肢の外傷（骨折、けいれん）、熱傷、出血、整形外科術後、医原性（点滴の血管外漏出）、静脈閉塞

[随伴症状] 外傷の度を越した疼痛、知覚低下、張った感じ、著明な浮腫

身体所見

[患肢] 筋の収縮と受動的伸展にて疼痛や知覚低下が誘発される。皮膚の蒼白・脈拍の消失・減弱は晩期の所見（早期からあればむしろ動脈の閉塞を疑うべき）である。

検査所見

[コンパートメント内圧測定] 30mmHg以上で診断

ドプラーエコーでは良好な動脈の血流がみられることが多く、本症の診断には役立たない。

4 神経外傷（特に脊髄損傷）

▶ 外傷後に起こる脊髄損傷では、バイタルサインの確認と安定を図ること、痛みの部位や神経症状から損傷が疑われる脊椎部位をしっかり動かないようにして検査や処置を行うことが重要である。

▶ 脊髄損傷をみたときには他の部位（脳、内臓、四肢、骨盤など）の損傷が隠れている場合があり、脊髄損傷のために痛みを訴えにくいため、疑いの閾値を下げるべきである。

病　歴

[患者背景] 交通事故や転落などの外傷、頸椎の変性疾患（頸椎症、後縦靱帯骨化症〈OPLL〉など）あるいは関節炎（RAの環軸椎亜脱臼など）による脊柱管狭窄の存在、骨髄腫あるいは癌の既往、抗凝固療法中（硬膜外血腫のリスク）

[随伴症状] 頸部・背部・腰部痛、脱力、膀胱直腸障害。意識障害・泥酔や他に激痛を伴う外傷がある場合は局所症状を訴えられないことがあるので注意が必要

身体所見

[バイタルサイン] Th6以上では脊髄性ショック（BP↓、HR↓）。肋間筋麻痺による腹式呼吸。障害レベル以下の知覚低下・脱力（急性期は四肢弛緩性麻痺）・深部腱反射異常（急性期は深部腱反射低下）。肛門括約筋トーヌス低下、持続勃起

検査所見

必ずバイタルサインを安定させてから検査を行う。

[脊椎の正・側のX線] 骨折、脱臼・亜脱臼、頸椎前軟部組織陰影の拡大
[CT] 椎体の骨折や周囲・硬膜外の軟部組織の腫脹・出血
[MRI] 脊髄自体の評価、椎間板や脊柱管の描出に優れる。

---

5 馬尾症候群 （📁31章「腰・背部痛」〈363頁〉参照）

その他

Guillain-Barré症候群 （📁27章「嚥下障害」〈294頁〉、📁33章「歩行障害・脱力」〈393頁〉参照）

► 1～2週間ほど前駆する上気道炎や急性腸炎後、下肢から上肢に上行する急性進行性の弛緩性麻痺を起こす。深部腱反射は消失する。急速に呼吸筋麻痺を生じることがある。軽度の感覚障害を伴うことが多い。

末梢性ポリニューロパチー
► アルコール、糖尿病によることが多いが、腎不全、ビタミンB_1・B_{12}欠乏、薬剤、膠原病、異常蛋白血症（骨髄腫、良性単クローン性γグロブリン異常症〈MGUS〉など）など原因は多岐にわたる。

パニック障害 （📁38章「不安・抑うつ」〈437頁〉参照）
► 過換気により口周囲や手足のしびれを一過性あるいは再発性に訴える患者は多い。

帯状疱疹
► 発疹が出る2日〜3週前に通常痛みを伴うしびれを片側デルマトームに一致した部位に訴えることが多い。

手根管症候群
► 夜間に増悪する正中神経支配領域（前腕にも進展する場合あり）のしびれや疼痛。Tinel徴候（手根部手掌側を叩打すると同領域に異常感覚が再現される）
► Phalen徴候（手関節を90°屈曲して両手背を押し付け合うと1分以内に同領域にしびれが生じる）

整形外科的疾患
► 椎間板ヘルニア、頸椎症、脊柱管狭窄症、胸郭出口症候群など

Dr. Tierney's Clinical Pearls

In the upper extremities, be certain if symptoms are in ulnar or medial nerve distribution before assuming cardiac radiation ; in the lower limbs, exclude a cord lesion when the symptoms are bilateral.

上肢の場合は、心臓性の放散だと考える前に、尺骨神経領域か正中神経領域かをはっきりさせる。下肢の場合は、症状が両側なら脊髄病変を除外せよ。

In carpal tunnel syndrome, the pain is always worse at night ; and may be far proximal to the carpal ligament.

手根管症候群の痛みは必ず夜間に増悪する。手根靱帯よりもずっと近位に痛みが出ることもある。

Always remember vasculitis in unexplained numbness.

説明のつかないしびれをみたら、いつも血管炎を鑑別に入れること。

[参考文献]

1) Professional Guide to Signs and Symptoms, 5th ed. Philadelphia, Lippincott Williams & Wilkins, 2006.
2) Braunwald's Heart Disease : A Textbook of Cardiovascular Medicine, 7th ed. Philadelphia, Saunders, 2005.
3) Ferri FF. Ferri's Clinical Advisor 2007 : Instant Diagnosis and Treatment, 9th ed. Philadelphia, Mosby, 2007.
4) Johns Hopkins Hospital, Piccini JP, Nilsson KR. The Osler Medical Handbook, 2nd ed. Philadelphia, Saunders, 2006.
5) Marx JA, Hockberger RS, Walls RM. Rosen's Emergency Medicine : Concepts and Clinical Practice, 6th ed. Philadelphia, Mosby, 2006.
6) LeBlond RF, DeGowin RL, Brown DD. Degowin's Diagnostic Examination, 8th ed. New York, McGraw-Hill, 2004.

35章 血尿

Hematuria

訴えの定義

- 患者は着色尿として訴えるが、血尿の定義は尿沈渣で5/HPF以上を陽性とすることが多い。
- 食物（ビート、大黄・センナ）、リファンピシン内服時、ビリルビン尿・ポルフィリン尿といった着色尿では、尿潜血は陽性とならないことで鑑別できる。
- ミオグロビン尿は尿潜血が陽性となるが、沈渣は陰性傾向となる。この現象は、ヘモグロビン尿や尿比重≦1.005での溶血、過酸化物（消毒薬）混合でもみられる。

MEMO

ミオグロビン尿とヘモグロビン尿の見分け方

臨床的に重要なミオグロビン尿とヘモグロビン尿を見分けるには、採血検体を放置しておき、上澄みが赤ければヘモグロビン尿と判断するのが簡便である。これは分子量の小さいミオグロビンが、血中からの消失が早いことを利用している。

見逃してはならない疾患・病態

1. 横紋筋融解症・悪性症候群　2. 溶血性尿毒症症候群（HUS）　3. 急速進行性糸球体腎炎（RPGN）　4. 急性糸球体腎炎　5. 慢性糸球体腎炎　6. 尿路感染症　7. 尿路結石　8. 悪性腫瘍

病歴聴取のポイント

- 肉眼的血尿がみられた場合は着色尿との鑑別のため、食事・使用薬剤（下剤乱用やリファンピシン内服）や、激しい運動歴（激しい運動はミオグロビン尿だけではなく血尿も生じさせ得る）や筋肉痛を確認する。早朝の肉眼的血尿を繰り返す場合は発作性夜間血色素尿症を考える。
- 女性では月経中～直後の尿検査で検診異常が指摘されることが多

- ▶ 片側性側腹部痛があれば結石による尿管閉塞（まれに悪性疾患や腹部大動脈瘤も同様な症状を呈し得る）を、頻尿・残尿感・排尿時痛があれば膀胱炎・尿道炎を考える（特に頻尿・残尿感は膀胱疾患、排尿初期痛があれば尿道疾患、排尿終期痛があれば前立腺・膀胱頸部の疾患の可能性が高くなる）。
- ▶ 膀胱癌のような悪性疾患の場合は無症状であることが多く、50歳以上の無痛性血尿では必ず鑑別に挙げる。喫煙者、染料曝露、シクロホスファミド長期投与では特に強く疑う。
- ▶ 糸球体性血尿の可能性に関しては原因によりリスクファクターや随伴症状が異なるが、腎疾患の家族歴、C型肝炎やクリオグロブリン血症、悪性リンパ腫、骨髄腫、膠原病の既往歴、最近の上気道炎・胃腸炎症状、発熱、血痰、鼻血、関節痛、腹痛の有無は確認しておきたい。
- ▶ まれに血液疾患（白血病など）の初発症状が無痛性肉眼的血尿であることもある。他の部位からの出血傾向、貧血症候、発熱などがあれば考慮する。

身体診察のポイント

- ▶ 発熱は尿路感染やRPGNを示唆し、迅速な対応を必要とする徴候である。急性糸球体腎炎や腎機能低下がある場合は、高血圧や浮腫がみられることが多い。
- ▶ 腎叩打痛は腎盂腎炎や尿路結石で高頻度にみられる。ネフローゼの患者にみられれば腎静脈血栓を併発したと考える。腎を触知する場合は多発性嚢胞腎や腎腫瘍を考える。直腸診にて前立腺圧痛や前立腺腫瘤触知があれば前立腺炎・前立腺癌が疑われる。また膀胱炎では膀胱圧迫で不快感を感じることが多い。
- ▶ 血管炎では紫斑を呈することがあるので下腿などの小丘疹状出血斑（palpable purpura）がないかは確認しておく。

検査のポイント

▶ まず尿潜血反応と尿沈渣中赤血球数に着目する。潜血反応陽性にもかかわらず、尿沈渣にて赤血球が陰性あるいは不釣り合いに少数であれば、ミオグロビン尿あるいはヘモグロビン尿と考える。
▶ 次に糸球体性血尿か非糸球体性血尿かを考える。0.5g/日以上の蛋白尿、赤血球円柱、変形赤血球(特にblebを有する赤血球)のいずれかがあれば糸球体性血尿と判断できる。糸球体性血尿が疑われれば腎炎症候群を考え、以下の検査にてその原因を推測する。

腎炎症候群の検査項目

- ASO
- IgA
- 抗核抗体(ANA)
- 補体(C3, C4, CH50)
- 抗好中球細胞質抗体(ANCA)
- クリオグロブリン
- 血液培養
- 肝炎ウイルスマーカー(HBV, HCV)
- 赤沈

▶ 一方、糸球体性血尿ではウロキナーゼ・t-PAの関与で凝血することはないとされるので、凝血塊があれば非糸球体性と判断できる。膿尿・細菌尿があれば尿路感染を考えるが、尿路感染の陰に他の血尿の原因が隠れている可能性は常に考えておかなければならない。
▶ 血尿のタイミングも重要で、尿を初尿・中間尿・終尿ととることで以下のように血尿の原因部位が推定できる。

血尿のタイミング

排尿開始時	前部尿道(尿道炎、尿道狭窄など)
排尿中持続	膀胱または上部尿路(糸球体性、悪性腫瘍、結石など)
排尿終了時	膀胱頸部または前立腺(後部尿道炎、腫瘍など)

▶ これ以外に、腎機能評価として血清Crは重要な検査であるほか、原因検索のためには画像診断が重要である。画像診断として、若年者では尿路結石、髄質海綿腎、多発性嚢胞腎などのスクリーニングでKUBが行われ、50歳以上では腎悪性腫瘍検出により優れる腹部エコーがスクリーニングとして頻用される。これらの検査で異常が指摘された場合には腹部CTにて精査を進める。

- 50歳以上の場合は腎盂～膀胱の移行上皮癌の除外のため、尿細胞診、尿中核マトリックス蛋白22（NMP-22）（後述）、膀胱鏡検査を依頼する。

見逃してはならない疾患・病態の解説

1 横紋筋融解症・悪性症候群

- 筋肉痛や筋力低下、筋把握痛がある場合は横紋筋融解症を疑う。横紋筋融解症には大きく分けて4つ原因があり、①激しい運動や外傷、長期圧迫により引き起こされるもの、②内服薬によって起こるもの、③感染症に伴うもの、④代謝性疾患によって起こるものがある。
- 内服薬によるものではスタチン製剤・フィブラート製剤内服によるものが多く、特にフィブラート製剤の腎機能障害のある患者への投与やスタチン製剤との併用は禁忌であることに注意する。
- 最近の抗精神病薬投与歴、抗パーキンソン病薬の減量・中止歴がある場合は悪性症候群を考える。筋強直や発熱が通常みられるほか、意識障害、発汗、流涎、振戦を呈することが特徴であり、重症化しやすいためにダントロレンなどの特異的治療を早期に行う必要がある。
- 感染症で横紋筋融解症を来すことがあるのは、インフルエンザ、パラインフルエンザ、エンテロウイルス科、ヘルペスウイルス科、アデノウイルス感染症やレジオネラ症であり、発熱や頭痛、呼吸器症状、下痢がある場合は疑う。
- アルコール多飲、漢方薬・利尿薬使用歴があり全身脱力・近位筋筋力低下がある場合、口渇・多飲・多尿、頻回のこむらがえりがある場合は、低K血症や高血糖といった代謝性疾患に伴う横紋筋融解症を考える。
- これらの原因がはっきりしないのに横紋筋融解症を繰り返す場合や、家族歴がある場合は、グリコーゲン代謝異常、脂質代謝異常、プリン体代謝異常などの先天性疾患を考え、虚血前腕運動負荷試

験（IFET）で精査する。
- 検査としては、尿潜血陽性と尿沈渣赤血球数に乖離があることを確認することから始める。血液検査では筋原性酵素であるCPK、LDH、ミオグロビン上昇がみられる。原因検索として、低K血症、低P血症、高血糖などの電解質異常のチェックのほか、各種感染症を疑う場合、インフルエンザ迅速抗原検査、胸部X線検査、尿中レジオネラ抗原検査、血液培養検査などを行う。
- 合併症としては腎不全が最も重要であり、腎機能検査や、高K血症かどうかチェックする。腎障害予防のために大量の補液を行う。

2 溶血性尿毒症症候群（HUS）（📁30章「便通異常（下痢・便秘）」〈349頁〉参照）

- HUSとは、全身の血管内皮細胞障害に伴う細小動脈・毛細血管の血栓形成に続く溶血性貧血、血小板減少、急性腎不全の3主徴を呈する症候群で、ベロ毒素産生腸管出血性大腸菌、特にO157によるものが最も有名である。
- 先行する急性腸炎症状（特に無熱性血便）があり、血尿や乏尿、高血圧、下腿浮腫、点状出血斑などが生じたときには念頭に置かなければならない。特に小児や高齢者、抗菌薬の使用がある場合は高リスクとなる。
- 血液検査では溶血性貧血（正球性貧血、網状赤血球数増加、LDH上昇、ハプトグロビン低下）、血小板減少、Cr上昇が認められ、尿検査で血尿・蛋白尿・円柱尿・ヘモグロビン尿がみられる。これらの検査も大切ではあるが、診断に直結する赤血球破壊像を確認するため迅速に末梢血スメアを観察すべきである。

3 急速進行性糸球体腎炎（RPGN）

- RPGNは、血尿、蛋白尿、赤血球円柱、顆粒円柱などの腎炎性円柱を認め、週〜月の経過で急速に腎不全が進行する臨床症候群である。円柱が目立たず、白血球尿や好酸球尿を認めるため、腎盂腎炎や急性間質性腎炎と紛らわしいこともある。

MEMO

微小血管症性溶血性貧血（MAHA）を来す疾患

- 悪性高血圧症、移植腎拒絶反応
- 感染性心内膜炎（IE）、重症心臓弁膜症・人工弁
- 重症膠原病・血管炎（結節性多発動脈炎〈PN〉、SLE、全身性強皮症〈SSc〉）
- 抗リン脂質抗体症候群（APS）
- 血栓性血小板減少性紫斑病（TTP）、溶血性尿毒症症候群（HUS）
- 重症妊娠高血圧（HELLP症候群）
- 全身播種した癌
- 播種性血管内凝固症候群（DIC）
- 薬剤（抗癌薬、チエノピリジン系抗血小板薬）

　TTPはMAHA、血小板減少、急性腎不全に加え、動揺性精神神経症状、発熱の5徴候で定義される。臨床的にはHUSよりも腎障害が軽微で、動揺性精神神経症状や発熱が目立つとされるがオーバーラップする点も多い。そのため両者をまとめて血栓性微小血管症（TMA）として扱われることもある。特発性TTPの発症メカニズムとして、ADAMTS13に対するインヒビターが出現し、von Willebrand因子を切断するADAMTS13活性の低下を介し、血栓形成能の高い病的なvon Willebrand因子超高分子量マルチマーが出現することが判明している。ADAMTS13やそのインヒビターの測定がHUSとTTPとの鑑別に最も有用である。

▶ 臨床所見として発熱、喀血・胸部異常陰影（顕微鏡的多発血管炎〈MPA〉や抗GBM抗体関連疾患）、鼻出血（多発血管炎性肉芽腫症〈GPA〉）がみられれば可能性が上がる。身体診察では触知可能な出血斑が血管炎を示唆する所見として重要である。一般検査では炎症所見（白血球増加、CRP高値）、腎機能障害（Cr上昇）、前述の尿所見の3つが揃った場合に強く疑う。また肺胞出血を反映して急激な貧血がみられることもある。

▶ 腎生検が診断上最も有用な情報となり、壊死性管外増殖性糸球体腎炎（半月体形成はなかでも最も目立つ）の所見が得られる。

▶ 鑑別診断のうえでは病理上、pauci-immune型（蛍光抗体法で何も染まらない）となる多発血管炎性肉芽腫症、MPA、好酸球性多発血管炎性肉芽腫症（EGPA）や、免疫複合型とされるループス腎

炎、紫斑病性腎炎、クリオグロブリン腎症、そして抗基底膜（GBM）抗体型となる抗GBM抗体関連疾患などがあるが、血液検査にてP-ANCA・C-ANCA陽性、抗核抗体陽性、補体（C3・C4・CH50）低値、免疫複合体（C1q）高値、抗GBM抗体高値のいずれかがあれば特異的所見として重要である。

4 急性糸球体腎炎

- ▶特に小児において、1〜3週間前の溶連菌感染に遅れて発症する糸球体腎炎（post-streptococcal glomerulonephritis）が代表的である。先行する上気道症状や皮膚・軟部組織感染徴候を確認することが重要であり、咽頭培養にて溶連菌検出（おおよそ半数で検出）されたり、ASO・ASK上昇がみられる（IgA腎症でも感染に伴い急性増悪するが、その場合は血尿出現までが5日以内と短く、以前にも尿検査異常を指摘されていることが多く、低補体血症もみられない）。
- ▶症状としては、数日間続く乏尿、眼瞼〜上肢に強い浮腫、高血圧がみられる。血液検査では低補体血症（特にC3が低下するが、4〜8週間で改善する）が高頻度にみられる。尿検査では血尿が蛋白尿よりも目立つことが多く、赤血球円柱、顆粒円柱などの腎炎性円柱も出現する。腎機能低下（BUN・Cr上昇）がみられたり、胸部X線写真にて心拡大が認められることも多い。
- ▶RPGNや慢性糸球体腎炎との鑑別が困難な場合は腎生検がなされるが、典型例であれば良性の経過をたどることが多いため、生検はせずに経過観察の場合が多い。

5 慢性糸球体腎炎

- ▶血尿のみがみられる慢性糸球体腎炎ではIgA腎症が最も多い。典型例は若年男性で、小児期の血尿の既往があり、上気道症状・胃腸炎症状発症後、数日以内に肉眼的血尿がみられる。慢性扁桃炎との関連も示唆されており、血中のIgA高値を半数で伴うことも特徴であるが、確定診断には腎生検を要する。腎生検ではIgAが

> **MEMO**
>
> **（非溶連菌性）感染症後急性糸球体腎炎**
> **(post-infectious glomerulonephritis)**
>
> 　頻度は低いが溶連菌感染以外にもブドウ球菌、肺炎球菌、肺炎桿菌、髄膜炎菌、梅毒、マイコプラズマ、クラミドフィラ、ウイルス（風疹、麻疹、ムンプス、エコー、CMV、EBV）といった感染症の後でも急性糸球体腎炎を来すことが知られている。

優位に糸球体メサンギウムに沈着することを特徴とし、メサンギウム細胞の増殖と基質の増生・拡大を認める原発性の増殖性糸球体腎炎がみられる。持続性蛋白尿（＞0.5g/日）を伴うと腎機能低下を来すリスクが上昇する。
▶ 同様にIgAが沈着するものに紫斑病性腎炎があり、これはIgA血管炎（旧アレルギー性紫斑病）に伴う糸球体腎炎で、おもに小児で上気道感染を契機に数週間後に血管炎を来し、対称性の下肢皮疹、関節炎、腹痛、便潜血陽性、血尿などがみられる疾患であるが、下肢に触知可能な点状出血を認めることの診断的意義が高い。
▶ 家族歴がある場合はAlport症候群と菲薄基底膜病を考える。前者は難聴や白内障を伴う場合に疑うが、伴性遺伝であり男性で重症化する。後者は常染色体優性遺伝であり頻度は比較的高い疾患であるが、予後は非常に良好である。
▶ 血尿とともに蛋白尿（特にネフローゼ症候群レベルの蛋白尿）がみられる場合は、膜性増殖性糸球体腎炎やアミロイドーシスなどが鑑別に挙がる。慢性感染症、膠原病、悪性症候群などに合併することがあるので基礎疾患の検索を行う必要がある。確定診断にはやはり腎生検が行われるが、アミロイドーシスを疑う場合は消化管粘膜や腹壁脂肪組織の生検でも診断が可能な場合が多い。

6 尿路感染症
▶ 頻尿、排尿時痛、残尿感があれば尿路感染症をまず考える。性交歴は重要なリスクファクターであり生活指導のためにも聴取する

必要がある。膀胱炎では下腹部圧迫にて違和感があることもあるが、他の異常所見は乏しい。発熱、悪寒戦慄、片側性腰痛やCVA叩打痛があれば腎盂腎炎を考える。男性では尿道炎・前立腺炎・精巣上体炎も考え、尿道からの排膿・前立腺圧痛・陰嚢圧痛を確認する。
▶検査では膿尿・細菌尿にて診断を確定し、尿グラム染色・尿培養で起因菌の同定を行う。腎盂腎炎や前立腺炎が疑われれば血液検査・血液培養も行う。男性の腎盂腎炎や小児期からの反復尿路感染、72時間の抗菌薬に反応不十分な場合などは腹部エコー、腹部CTなどで複雑性尿路感染の検索も行う。
▶通常は尿培養にて起因菌の同定が可能であるが一般細菌培養で菌を検出しない無菌性膿尿の場合は、尿路結核やクラミジア感染症を考える。
▶血尿を来しやすい無菌性膀胱炎としては、トラニラストなどの抗アレルギー薬による間質性膀胱炎、骨盤領域に対する放射線治療後の放射線性膀胱炎、アデノウイルスやヘルペスウイルスによる出血性膀胱炎が鑑別に挙がる。膀胱鏡による観察や生検が確定診断に結びつく。

7 尿路結石

▶腰痛を伴う血尿では第一に疑う。腰痛・側腹部痛は激しく、のたうち回るようなものであることが典型的ではあるが、痛みに乏しいものもある。脱水や肉・アクの強い野菜摂取、アルコール摂取はリスクとなり得る。また尿路結石の既往歴や家族歴も重要である。
▶身体診察ではCVA叩打痛を確認する。検査としては尿検査にて血尿を認める以外に、KUBで結石を確認したり、腹部エコーや腹部CTでは結石の描出以外に水腎症の検出が間接所見として重要である。

8 悪性腫瘍

▶50歳以上の血尿患者では全例で疑う必要がある。男性、喫煙者、

染料曝露やシクロホスファミド長期投与歴がある場合は特に強く疑う。悪性腫瘍の内訳としては膀胱癌が大多数を占めるが、腎細胞癌、尿管癌、前立腺癌も念頭に置き診察する必要がある。

▶ 症状として、血尿以外の症状を伴わないことが多く、無痛性肉眼的血尿は特に注意を要する。それ以外には骨痛、体重減少を聴取し、身体所見ではリンパ節腫脹や直腸診にて前立腺に腫瘤がないかどうかを確認する。

▶ 検査では、膀胱癌の検出能が高い尿細胞診がその中核となる。濃縮されpHの低い早朝の検体が最も好ましく、感度を高めるために3回提出するのが望ましいとされている。一方、細胞診は膀胱癌以外には感度が低いことが問題である。NMP-22は、膀胱癌のみならず尿管癌にも比較的感度の高い腫瘍マーカーで、リスクの高い患者では細胞診に追加してNMP-22もチェックする。確定診断には膀胱鏡、尿管鏡による観察や生検を依頼する。

▶ また腎細胞癌や尿管癌・膀胱癌による二次性尿路閉塞所見のチェックのため、腹部エコー検査（場合により造影腹部CT＋排泄性腎盂造影）も行う。前立腺癌が疑われる場合はPSAも測定する。

▶ ほかに骨盤内臓器の悪性腫瘍（子宮癌、直腸癌）の膀胱浸潤でも血尿を来すことがある。

Dr. Tierney's Clinical Pearls

Initial-urethral ; terminal-prostatic ; continuous-all else.

血尿においては、排尿初期なら尿道性、終末なら前立腺性だが、排尿中持続性ならそれ以外のどこからでもあり得る。

If hematuria occurs in an anticoagulated patient, it means there is a structural lesion.

抗凝固薬投与中の患者に血尿が生じたら、どこかに構造的病変があることを示している。

[参考文献]

1) Köhler H, Wandel E, Brunck B. Acanthocyturia : a characteristic marker for glomerular bleeding. Kidney Int 1991 ; 40 : 115-20.
2) Grossman HB, Messing E, Soloway M, et al. Detection of bladder cancer using a point-of-care proteomic assay. JAMA 2005 ; 293 : 810-6.
3) Nieuwhof C, Doorenbos C, Grave W, et al. A prospective study of the natural history of idiopathic non-proteinuric hematuria. Kidney Int 1996 ; 49 : 222-5.
4) Hall CL, Bradley R, Kerr A, et al. Clinical value of renal biopsy in patients with asymptomatic microscopic hematuria with and without low-grade proteinuria. Clin Nephrol 2004 ; 62 : 267-72.

36章 排尿障害(尿失禁・排尿困難)

Dysuria (Incontinence and Voiding Difficulty)

訴えの定義

- ▶「尿が出にくい」「排尿時に痛みがある」「尿が近い」「尿失禁がある」などさまざまな訴えがある。随伴症状や全身症状がある場合には注意が必要。
- ▶積極的に問診して、はじめて排尿障害が判明することが多い。高齢者では特に尿失禁の際にこの可能性が高い。

見逃してはならない疾患・病態

1 急性腎盂腎炎(複雑性尿路感染症)　2 前立腺炎　3 骨盤内悪性腫瘍(膀胱癌、前立腺癌、子宮癌、直腸癌)　4 脊髄圧迫・馬尾症候群など　**5 骨盤内炎症性疾患(PID)　6 多系統萎縮症(MSA)**

- ▶排尿障害、特に高齢者では以下のようなワークアップを行っても原因が明確でないことも多い。この場合、残尿測定などを加えて、尿の排泄の障害(尿道抵抗の上昇や排尿筋圧の低下)なのか、蓄尿の障害(膀胱知覚神経過敏や排尿筋の抑制不全、膀胱容量の低下)なのかを判別することで治療につなげることができる。

病歴聴取のポイント

1) 病状の詳細＋随伴症状

①症状の時間経過(急性か慢性か)

②排尿困難の特徴(刺激症状〈疼痛、頻尿、切迫〉、閉塞症状〈排尿開始遅延、尿線狭小、尿閉〉)、1回の排尿時間と排尿量、排尿回数、夜間の排尿回数、尿意の有無、くしゃみ・咳などの腹圧との関係。緊急性がなければノートに数日間の排尿記録をつけてもらったほうが客観的で正確である。

③尿の性状(白濁や血尿、凝血塊の有無)

④全身症状と随伴症状(発熱、体重減少、腰痛、尿道や腟分泌物、

①感染性：グラム陰性桿菌、腐生ブドウ球菌、結核菌、真菌、寄生虫（トリコモナス、住血吸虫）、ウイルス
②非感染性：間質性膀胱炎、薬剤性（シクロホスファミド、イホスファミド、トラニラスト）、カテーテルなどの異物、放射線後遺症、アレルギー反応

尿失禁

► 尿失禁を考える際にも、排尿の障害なのか、蓄尿の障害なのかを基準に判断していく。各々の尿閉の名称よりも、その原因となる疾患や病態生理が重要である。

► 次の表と図のように排尿の生理と解剖を理解すると、尿閉や尿失禁が把握しやすい。

排尿生理に関係する部位

- 膀胱壁（排尿筋）
  副交感神経刺激→排尿筋を収縮させ排尿を起こす。コリン作動薬で収縮、抗コリン薬で弛緩する。
  交感神経刺激（β受容体）→排尿筋が弛緩。
- 膀胱頸部・上部尿道
  交感神経刺激（α受容体）→内尿道括約筋が収縮し、尿失禁が起こらないようにしている。α1遮断薬で弛緩する。
- 外尿道括約筋・骨盤底筋群
  いきみなどの腹圧上昇時に収縮することで尿失禁が起こらないようにしている。

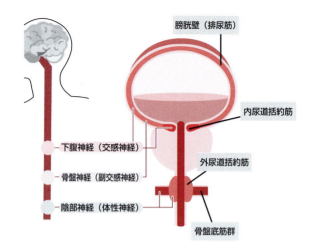

尿失禁の分類

- 切迫性尿失禁（urge incontinence）
  神経疾患による排尿筋の反射亢進や尿路感染といった膀胱刺激による尿失禁。突然の尿意切迫感があり尿失禁が起こる場合に疑う。尿意を伴わずに尿失禁する場合は，反射性尿失禁と呼ぶこともある。
- 腹圧性（緊張性）尿失禁（stress incontinence）
  加齢，経産婦，骨盤手術，神経疾患による膀胱頸部障害と骨盤底筋群の脆弱化によって起こる尿失禁。咳，笑う，起立動作などの腹圧上昇時の尿失禁の場合に疑う。
- 溢流性尿失禁（overflow incontinence）
  神経因性膀胱（糖尿病など），前立腺肥大症による下部尿路通過障害で膀胱が充満し，溢流する。腹部エコーで充満した膀胱があり，尿失禁が起こる場合に疑う。
- 機能性尿失禁（functional incontinence）
  尿失禁を起こす局所原因はないが，認知障害やADL低下によりトイレに間に合わずに失禁する場合に疑う。高齢者に多い。

Dr. Tierney's Clinical Pearls

Often associated, but incontinence without dysuria suggests a neurological lesion unless explained otherwise.

排尿困難と尿失禁は重なり合っていることが多い。しかし、排尿困難のない尿失禁は、他の説明ができない限り、神経学的病変による。

[参考文献]

1) 魚住二郎. 排尿障害（頻尿・排尿困難・尿失禁）. 必修化対応 臨床研修マニュアル. p246-7, 東京, 羊土社, 2003.
2) Bremnor JD, Sadovsky R. Evaluation of dysuria in adults. Am Fam Physician 2002 ; 65 : 1589-96, 1597.

37章 尿量異常

Oliguria, Anuria, and Polyuria

訴えの定義

- 「尿の回数が多い」との訴えがあるとき、1回量の多少で頻尿なのか多尿なのかをまず明らかにする。夜間の多尿は腎の濃縮力障害や初期の心不全を現していることがあるのでタイミングについても聞いておく価値はある。
- 多尿は原因にかかわらず色の薄い尿と、口渇・多飲を伴うことが多いが、「尿が少ない」場合は、原因によって尿の濃さや口渇の有無に差が出るので確かめておく。
- 計測できた場合は以下のように定義される。
  ① 多尿：1日尿量＞3L
  ② 乏尿：1日尿量＝100〜500mL
  ③ 無尿：1日尿量＜100mL
- 1日尿量が500mL以下となると老廃物を十分に排泄することができなくなり、特に何らかの全身症状を伴う場合は緊急に処置を要する場合が多い。

見逃してはならない疾患・病態

乏尿・無尿
1 ショック　**2** 急性腎障害（AKI）　**3** 尿閉

多尿
1 糖尿病　**2** 尿崩症

病歴聴取のポイント

- 乏尿・無尿の原因には重篤な疾患が隠れていることが多いので、腎前性（腎有効血流量の低下）、腎実質性（糸球体・尿細管障害）、腎後性（尿路閉塞）を意識して、脱水・出血・左心不全、動脈硬化、膠原病・血管炎、下部尿路症状、抗コリン作用のある薬剤使用歴などを聞き出す。

- 多尿では経口での水分摂取量および電解質摂取のバランスがとれていれば必ずしも急を要さないが、糖尿病と尿崩症を意識した病歴を聴取する。

身体診察のポイント

- 多尿であれば、結果としての脱水の所見（皮膚・粘膜の乾燥、起立性低血圧など）の有無、視野障害（中枢性尿崩症）や腎腫大（腎性尿崩症）などに注意を払う。
- 乏尿・無尿はまずバイタルサイン（起立性低血圧・脈拍変化を含む）を把握し、異常があれば速やかに安定化を図る。また体液量推定のため体重変化、頸静脈の充満度、心音S3、浮腫の有無と推移をチェックする。

検査のポイント

- 鑑別のためには尿検査（定性・沈渣、浸透圧、生化学）、腹部エコーが有用である。その他、血液で腎機能障害や電解質異常の有無を評価する。
- ショックならば心電図、胸部X線検査、エコーなどで原因を突き止める。

見逃してはならない疾患・病態の解説

乏尿・無尿

1 ショック（📁 1章「ショック」参照）

- 全身倦怠感や意識混濁などの症状があり、頻脈や血圧低下、頻呼吸があればショックを疑う。ライン確保と酸素投与を行いつつ、ショックに対する治療と原因検索を並行して行う。

2 急性腎障害（AKI）

- AKIを引き起こす疾患を念頭に置き病歴聴取を行う。尿量減少の発症様式（急性か慢性か）、時間経過、発熱などの随伴症状の有無を尋ねる。また既往歴（高血圧、糖尿病、膠原病など）、薬剤

- 使用歴を詳細に聴取する。
- 原因疾患により身体所見は異なるが、最優先すべきはバイタルサインのチェックであり、もし不安定であれば速やかに安定化を図る。
- 検査では腎機能障害（BUN・Cr上昇）がみられ、その他、原因疾患によりさまざまな異常値を呈する。
- AKIをみたら、まず腹部エコーや導尿により腎後性AKIを除外する。
- いわゆる腎性AKIと腎前性AKIの鑑別は、FENa・FEUNや尿所見などを総合的に判断して行う。また尿沈渣で硝子円柱以外の円柱があれば腎実質性を考える。
- もし排尿がなければ厳重な観察のもとに500〜1,000mLの細胞外液を負荷して反応をみる。

MEMO

　従来の急性腎不全の定義が曖昧であったため、2007年によりAcute Kidney Injury（AKI）の定義が提唱され、Kidney Disease：Improving Global Outcomes（KDIGO）が2012年にAKI診療ガイドラインを発表した。

〈AKIの定義〉
1. 血清クレアチニン値が48時間以内に0.3mg/dL以上増加
2. ベースラインの血清クレアチニン値より1.5倍以上増加
3. 6時間にわたり尿量が0.5mL/kg/時間以下

のいずれかを満たす場合にAKIとする。

〈AKIの原因による分類〉
- 腎血流量の低下（腎前性）
- 急性糸球体腎炎、血管炎、間質性腎炎、血栓性微小血管症（腎実質性）
- 尿路の閉塞（腎後性）

〈AKIの背景となる病態〉
　敗血症、循環不全、熱傷、外傷、手術（心臓、非心臓の大手術）、薬剤（抗菌薬、NSAIDsなど）、造影剤

3 尿閉

- 患者背景として、排尿困難症状の有無あるいは泌尿器科受診歴や

最近の薬剤使用歴を尋ねる。薬剤により排尿筋の弛緩や内尿道括約筋の収縮が起こり尿閉を来す。
▶ 身体診察では下腹部膨満や圧痛の有無を、直腸診で前立腺の評価を行う。またベッドサイドで簡便に行える膀胱容量の評価として聴性打診がある。これは恥骨上部に聴診器を置き、恥骨上何cmまでが濁音となるかをみるものであり、7cmであれば約300mLの尿があることが予想される。性感染症（STD）による尿道狭窄が原因となることがあるため、外尿道口の観察も忘れずに行う。
▶ 検査では、腹部エコーが非常に有用である。拡張した膀胱および充満した尿を確認でき、同時に水腎症の有無も評価できる。膀胱の縦径（cm）×横径（cm）×深さ（cm）×1/2で残尿量（mL）も推定できる。
▶ 尿閉を来すおもな薬剤については、36章「排尿障害（尿失禁・排尿困難）」（422頁）を参照。

MEMO

緊急透析の適応～AIUEO～

A： Acidosis（アシドーシス）
I： Intoxication（薬物中毒）；サリチル酸、テオフィリン、リチウムなど
U： Uremia（尿毒症）
E： Electrolyte（高K血症）
O： Overload（体液過剰）

多尿

1 糖尿病

▶ 糖尿病の家族歴や既往があり、口渇・多飲や体重減少を伴う場合に疑う。尿色は薄いが比重は尿糖のために高い（＞1.025）。
▶ 特徴的な身体所見はないが、合併症の評価のために眼底の評価やモノフィラメントによる神経障害の有無をチェックする。
▶ 診断のために血糖、OGTT、HbA1cなどを測定する。

2 尿崩症

- 口渇・多飲を伴う多尿で疑う。尿色は薄く比重は低い（<1.010）。特に中枢性尿崩症では冷水を好むことが多い。
- 身体診察では脱水の有無を評価するために起立性低血圧や口腔粘膜および腋窩の乾燥がないかをみる。
- 血清Naは正常〜高値となり、反対に心因性多飲では低Naとなる。尿浸透圧低値を確認し、水制限試験あるいは高張食塩水負荷試験を行い、尿浸透圧の変化とAVP投与への反応をみる。

MEMO

尿崩症の原因

- 腎性尿崩症
    - 先天性 遺伝性：V2受容体遺伝子変異、AQP2遺伝子変異
    - 薬剤性：リチウム、ホスカルネット、アムホテリシンBなど
    - 腎疾患：多発性囊胞腎、鎌状赤血球症、尿路閉塞、アミロイドーシス、Sjögren症候群
    - 高カルシウム血症
    - 低カリウム血症
- 中枢性尿崩症
    - 特発性
    - 続発性（手術、外傷、腫瘍、ランゲルハンス細胞組織球症、低酸素脳症など）
    - 先天性（家族性中枢性尿崩症など）

MEMO

尿崩症の検査

①水制限試験：完全に水分を中止し、ⅰ）連続した2、3回の尿浸透圧の違いが30mOsm以下となるまで、もしくはⅱ）体重が5%以上減少するまで1時間ごとに体重と尿浸透圧を測定する。
②バソプレシン、血清と尿の浸透圧を測定し、バソプレシン5単位かデスモプレシン1μgを投与。
③尿浸透圧を30分後と60分後に測定する。
　正常＋心因性多飲：水制限後の尿浸透圧＞血清浸透圧。バソプレシン投与後の尿浸透圧の上昇は10%以下。
　中枢性尿崩症：水制限後の尿浸透圧＜血清浸透圧。バソプレシン投与

後の尿浸透圧の上昇は50％以上。
腎性尿崩症：水制限後の尿浸透圧＜血清浸透圧。バソプレシン投与後の尿浸透圧の上昇は50％未満。

Dr. Tierney's Clinical Pearls

Pathologic oliguria is not defined by urinary output ; some patients with cirrhosis or very lean body mass may have very low urine outputs but excrete all necessary osmoles.

病的な乏尿は必ずしも尿量で定義されない。肝硬変患者や筋肉量の極端に少ない者には、非常に少ない量の尿で排泄すべき老廃物をすべて出せる者がいるからである。

[参考文献]

1) KDIGO Clinical Practice Guideline for Acute Kidney Injury. Kidney Int Suppl 2012 ; 2 : 1-138.
2) AKI（急性腎障害）診療ガイドライン作成委員会 編．AKI（急性腎障害）診療ガイドライン2016．東京，東京医学社，2016．

38章 不安・抑うつ

Anxiety and Depression

訴えの定義

- ▶「疲れやすい」「全身がだるい」「眠れない」「めまいがする」「食欲がない」「体重が落ちてきた」「顔がほてる」「動悸がする」「息が苦しい」「胸が苦しい」などのさまざまな訴えがある。
- ▶「心配で死にそう」や「気分が落ち込んでどうしようもない」などの、不安や抑うつそのものを主訴に精神科以外の外来を受診することは少ないため、こちらから積極的に尋ねて気分の障害を明らかにする必要がある。

見逃してはならない疾患・病態

1 悪性腫瘍　**2** 甲状腺機能低下症・亢進症　**3** 薬剤性・薬物中毒・薬物離脱　**4** 亜急性/慢性感染症　**5** 希死念慮・自殺企図を伴ううつ病　**6** 不安障害、パニック障害

病歴聴取のポイント

1）症状の詳細＋随伴症状

- ▶一般的に精神的問題は複数の訴えとして現れることが多く、また身体症状が前面に出て精神症状が目立たない仮面うつ病などもみられるため混乱しやすいが、まず身体疾患・器質的疾患の可能性を念頭に置き、それらを除外する。さらに心筋梗塞などの重篤な疾患では二次的に抑うつや不安を来すことも多いため注意が必要である。
- ▶発症時間・経過、はじめての症状か再発性か（精神的問題は慢性・再発性の経過をとることが多い）、随伴症状・全身症状（発熱、熱感、発汗、体重減少・増加、暑がり、寒がり、呼吸困難、動悸、胸痛、食欲不振、腹痛、筋力低下）を確認する。そのうえで、不安や抑うつの有無について積極的に尋ねる。
- ▶その際、特に高齢者ではうつ病が認知症やその他の中枢神経系疾

患と誤診される場合もあるため、意識障害や認知機能についても注意しながら診察を進めていく。

2）患者背景
► 虚血性心疾患や肺塞栓のリスクファクターの有無（高血圧、喫煙、糖尿病、脂質異常症、長期臥床や座位、家族歴）、その他の既往歴や手術歴、使用薬剤（民間療法や非合法薬物も含めて）、月経歴を聴取する。

身体診察のポイント

[バイタルサイン] 血圧；乱高下、低血圧。脈拍；頻脈・徐脈・脈不整。体温；発熱。呼吸；頻呼吸、SpO_2の低下。意識；認知機能、見当識障害・意識レベル（JCS・GCS）
[頭頸部] 結膜貧血、眼球突出、甲状腺腫大・圧痛、呼吸補助筋の使用、頸静脈怒張
[心血管系] 心雑音、Ⅲ音・Ⅳ音
[肺] ラ音
[腹部] 肝脾腫
[皮膚・粘膜] 発汗
[四肢] 浮腫（片側性または両側性）、チアノーゼ、ばち指
[神経] 脳神経、筋力低下、振戦、小脳失調、腱反射、認知機能、SDSなど抑うつや神経症の問診スケール

検査のポイント

► 不安や抑うつを来す基礎疾患で頻度が高く、重大な疾患と治療可能な疾患を見逃さないように検査を行う。また認知機能低下を疑えば長谷川式知能スケールなどで定量的に評価する（🗀39章「もの忘れ」〈445頁〉参照）。
► 一般的なスクリーニング項目を以下に示す。
①血算、②生化学（腎機能、電解質〈Na、Ca〉、肝機能、血糖、炎症反応）、③胸部X線写真、④12誘導心電図、⑤動脈血ガス分析、⑥甲状腺機能（TSH、FT_3、FT_4）、⑦検尿、⑧頭部CT、MRIや

腰椎穿刺（中枢神経系疾患を疑えば）、⑨薬物スクリーニング（尿あるいは血中）、梅毒血清反応、ビタミンB_1
► しかしながら、どこまで検査を行うかという点で明確なコンセンサスはなく状況に応じて取捨選択をする必要がある。

見逃してはならない疾患・病態の解説

1 悪性腫瘍

► 予後への不安や消耗に伴う抑うつだけではなく、不安・抑うつが悪性腫瘍の診断に先行する場合があり、警告うつ病と呼ばれる。他に比較してやや膵癌で起こりやすいとされている。

2 甲状腺機能低下症・亢進症

► 治療可能で、特に女性では頻度の高い疾患であり、疑えば一度は甲状腺機能を測定しておく。

3 薬剤性・薬物中毒・薬物離脱

不安・抑うつを来すおもな薬剤

- 降圧薬（レセルピン，メチルドパ，クロニジン，プロプラノロールなどのβ遮断薬）
- 循環器薬（ジゴキシン，プロカインアミド）
- 抗潰瘍薬（H_2受容体拮抗薬）
- インターフェロン
- ステロイド
- 抗菌薬（ST合剤，イソニアジドなど）
- 抗癌薬（イホスファミド，ビンクリスチン）
- ホルモン製剤（エストロゲンなど）
- 鎮痛薬（インドメタシン，アスピリン）
- 抗パーキンソン病薬（レボドパなど）
- 抗てんかん薬
- 抗コリン薬
- 中枢性鎮痛薬（モルヒネ，コカインなど）

- アルコール
- カフェイン

- 表に挙げたさまざまな薬物で不安や抑うつが起こり得る。比較的急激に発症した不安や抑うつを含めた精神症状の場合は必ず薬剤の関与を疑う。
- 一見原因不明にみえる場合や、肝硬変症や糖尿病などの慢性疾患を基礎疾患として持つ場合も多い。
- アルコールによるものが最も頻度が高い。アルコール離脱は最終飲酒から数時間から72時間以内に始まり、不安や興奮、手足の振戦、脈拍や血圧の上昇などがある。重篤になると、けいれんや振戦せん妄が起きる。振戦せん妄では意識障害、興奮、交感神経過敏（発汗、動悸、脈拍や血圧の上昇）、幻視が特徴である。他疾患で入院となり、飲酒不可能となって数日以内に起こることも多く、アルコール多飲が疑われる場合にはベンゾジアゼピン系薬による予防を考慮する必要がある。

4 亜急性/慢性感染症

- 亜急性心内膜炎や結核などの亜急性から慢性の経過をとる感染症では、特に高齢者の場合に発熱などの急性症状に乏しく、精神症状に加えて食欲不振や体重減少などの非特異的症状が前面に出るため診断が難しい場合がある。

5 希死念慮・自殺企図を伴ううつ病（📁 2章「全身倦怠感」〈54頁〉、3章「不眠」〈61頁〉参照）

- 持続的な抑うつ気分の際に考慮する。「抑うつ気分の有無」と「喜びの喪失の有無」の2つの質問（Patient Health Questionnaire：PHQ-2）は、感度が高くスクリーニング手段として価値が高い。陽性の場合にはPHQ-9などの追加の質問を行う。
- その他の一般的な特徴として、朝に最悪で夕方に改善する日内変

動、中途覚醒・早朝覚醒などの睡眠障害などが挙げられる。
► うつ病を考えたら希死念慮と自殺企図の有無を尋ねる。自殺企図の可能性があれば、精神科に至急コンサルトが必要である。

PHQ-2，PHQ-9質問票（参考文献5）

・PHQ-2日本語版（2013 NCNP版）
この2週間，次のような問題に悩まされていますか？

| A1 物事に対してほとんど興味がない，または楽しめない | はい いいえ |
| A2 気分が落ち込む，憂うつになる，または絶望的な気持ちになる | はい いいえ |

どちらかにでも「はい」と答えた場合，次のPHQ-9のスコアをとる。

・PHQ-9日本語版（2013 NCNP版）

この2週間，次のような問題にどのくらい頻繁（ひんぱん）に悩まされていますか？	全くない	数日	半分以上	ほとんど毎日
（A）物事に対してほとんど興味がない，または楽しめない	☐	☐	☐	☐
（B）気分が落ち込む，憂うつになる，または絶望的な気持ちになる	☐	☐	☐	☐
（C）寝付きが悪い，途中で目がさめる，または逆に眠り過ぎる	☐	☐	☐	☐
（D）疲れた感じがする，または気力がない	☐	☐	☐	☐
（E）あまり食欲がない，または食べ過ぎる	☐	☐	☐	☐
（F）自分はダメな人間だ，人生の敗北者だと気に病む，または自分自身あるいは家族に申し訳がないと感じる	☐	☐	☐	☐
（G）新聞を読む，またはテレビを見ることなどに集中することが難しい	☐	☐	☐	☐
（H）他人が気づくぐらいに動きや話し方が遅くなる，あるいは反対に，そわそわしたり，落ちつかず，ふだんよりも動き回ることがある	☐	☐	☐	☐
（I）死んだ方がましだ，あるいは自分を何らかの方法で傷つけようと思ったことがある	☐	☐	☐	☐

あなたが，いずれかの問題に1つでもチェックしているなら，それらの問題によって仕事をしたり，家事をしたり，他の人と仲良くやっていくことがどのくらい困難になっていますか？

全く困難でない	やや困難	困難	極端に困難
□	□	□	□

PHQ-9はDSM-5でうつ病性障害の症状レベルの重症度を測定する評価尺度として推奨されており，全くないを0点，数日を1点，半分以上を2点，ほとんど毎日を3点として，総得点（0〜27点）中，0〜4点は障害なし，5〜9点は軽度，10〜14点は中等度，15〜19点は中等度〜重度，20〜27点は重度の症状レベルであると評価する。

MEMO

希死念慮・自殺企図の評価

抑うつの緊急性を評価するために，希死念慮について尋ねる。希死念慮があれば，自殺企図についても尋ねる。これらは抑うつ気分と同様に，話しにくい話題ではあるが積極的に尋ねないと訴えないことが多く，むしろ尋ねられて患者も安心することが多い。

希死念慮：
　「生きていても仕方がない、いっそ死んだほうがましだと考えていますか？」

自殺企図：
　「自殺を考えましたか？　どのような方法ですか？」
　「今、自殺したいと思いますか？　具体的な計画はありますか？」

6 不安障害、パニック障害 （📁23章「胸痛」〈264頁〉参照）

- 不安障害は、DSM-Vによると、分離不安、恐怖症、社交不安、パニック障害、全般性不安、物質・医薬品誘発性、強迫性障害、心的外傷後ストレス障害（PTSD）、全般性不安障害などに分けられる。
- パニック発作では強い不安を伴う動悸、呼吸困難、胸部不快感、めまいやしびれ、死の恐怖などの複数の症状が急激に出現し、10分以内にピークに達する。30分程度で軽快するため、受診時には症状が治まっていることも多い。これを繰り返す場合にパニック

障害と診断され、広場恐怖（電車や飛行機などの特定の場所や状況を回避する）や予期不安（また発作が起きるのではないかという不安）を伴う。
- ▶ 心疾患などの身体疾患を考えて内科や救急外来を受診し、診断がつかない場合にドクターショッピングや二次的な抑うつを招くことがしばしばある。
- ▶ さらにSSRIやSNRIの登場によって治療可能となった疾患であるため見逃さないようにする。

その他

- ▶ 低血糖、COPD、喘息、肺塞栓、狭心症・心筋梗塞、心不全、不整脈、中枢神経系疾患（血管障害、髄膜炎や脳炎、神経梅毒などの感染症、脳腫瘍など）、電解質異常（低Na血症や高Ca血症）、貧血、肝性脳症、尿毒症、閉経後症候群などのさまざまな疾患で、不安や抑うつを来し得る。基礎疾患として、これらの疾患があり得ることを常に念頭に置く必要がある。
- ▶ まれな疾患で頻度は少ないが、以下の疾患でも不安や抑うつ様の症状がみられる。

褐色細胞腫、カルチノイド、肥満細胞腫

- ▶ 動悸や顔面のほてり、紅潮などのパニック発作様の症状を来し得る。誘発因子（飲酒や熱い飲み物の摂取）、随伴症状（下痢、頭痛、発汗）、バイタルサイン（高血圧、起立性低血圧、血圧低下）、皮疹（蕁麻疹）などに注意する。

副腎不全、重症筋無力症（MG）、筋萎縮性側索硬化症（ALS）

- ▶ 全身倦怠感や食欲不振などの抑うつ様の症状を来し得る。
- ▶ 副腎不全では、腹痛などの腹部症状、低血圧、低Na血症や好酸球増多、さらに原発性副腎不全なら皮膚色素沈着や高K血症が認められる。
- ▶ MGやALSなどの長期の経過をとり得る神経筋疾患では、特にそ

の初期に筋力低下が目立たず診断が遅れることがある。症状の日内変動、眼瞼下垂、易疲労性、筋線維束攣縮などの症状・所見に注意する。

Dr. Tierney's Clinical Pearls

While anxiety and depression are often not associated with anatomic disease, in older patients, they may be the only sign of chronic infection or polymyalgia rheumatica.

不安や抑うつは器質的疾患によらないことが多いが、老人においては慢性感染症やリウマチ性多発筋痛症の唯一の徴候であることがある。

In psychosis, if hallucination is visual, the cause is organic ; if auditory, it is functional. In alcohol withdrawal, visual hallucination may occur in the absence of all other symptoms.

精神病では、幻視なら、疾病は器質的であり、幻聴なら、疾病は機能的である。アルコール離脱の際に、他の症状はまったくないのに、幻視だけがみられることがある。

The most common phobia is fear of speaking in public.

最もよくみられる恐怖症は、公衆の面前でしゃべることへの恐怖である。

Depression is a common explanation when a medical evaluation reveals no cause of weight loss.

体重減少の原因を探してもわからないときは、抑うつで説明できることが多い。

[参考文献]
1) 聞く技術 答えは患者の中にある〈下〉．p495-509，東京，日経BP社，2006．
2) Shearer S, Gordon L. The patient with excessive worry. Am Fam Physician 2006 ; 73 : 1049-56.
3) Adams SM, Miller KE, Zylstra RG. Pharmacologic management of adult depression. Am Fam Physician 2008 ; 77 : 785-92.
4) Maurer DM. Screening for Depression. Am Fam Physician 2012 ; 85 : 139-44.
5) 国立精神・神経医療研究センター 企画・監修．うつスクリーニングPHQ-2，PHQ-9；身体疾患患者精神的支援ストラテジー．〈http://nova-med.com/utsu-scr/muramatsu.php〉

39章 もの忘れ

Forgetfulness

訴えの定義

▶ 記憶は、記銘、保持、再生の3要素から成っている。加齢による正常範囲の「もの忘れ」(生理的健忘)では、体験の一部あるいは詳細についての再生の機能が低下するものの、体験したこと自体は覚えており、自分が忘れていることへの自覚(ひいては恥や自責の念)があり、記憶以外の高次脳機能低下や意識変容は伴わず、周囲からみてもその程度の進行が認められないため、日常生活には有意な支障を来さないはずである。

▶ 一方、これらに当てはまらない「もの忘れ」では、認知症(dementia;DSM-5では脳卒中、頭部外傷、中枢神経感染症などに続発したものを含めてmajor neurocognitive disorderに分類される)に伴うものを疑う。

DSM-5による認知症の診断基準(2013年)

A. 1つ以上の認知領域(複雑性注意,実行機能,学習および記憶,言語,知覚-運動,社会的認知)において,以前の行為水準から有意な認知の低下があるという証拠が以下に基づいている:
 (1) 本人,本人をよく知る情報提供者,または臨床家による,有意な認知機能の低下があったという懸念,および
 (2) 標準化された神経心理学的検査によって,それがなければ他の定量化された臨床的評価によって記録された,実質的な認知行為の障害

B. 毎日の活動において,認知欠損が自立を阻害する(すなわち,最低限,請求書を支払う,内服薬を管理するなどの,複雑な手段的日常生活動作に援助を必要とする)

C. その認知欠損は,せん妄の状況でのみ起こるものではない

D. その認知欠損は,他の精神疾患によってうまく説明されない(例:うつ病,統合失調症)

(日本精神神経学会 日本語版用語監修,高橋三郎,大野 裕 監訳. DSM-5精神疾患の診断・統計マニュアル. p594,医学書院,2014より抜粋・一部改変)

見逃してはならない疾患・病態

1 治療により回復可能が望める認知機能低下（PRD's）
2 Alzheimer型認知症（AD） **3 血管性認知症（VaD）** **4 Lewy小体型認知症（DLB）** **5 前頭側頭型認知症（FTD）**

- 高齢者の認知症の大半を占める神経細胞の一次的変性（異常蛋白の沈着や遺伝子異常）や、虚血などによる二次的変性に起因する進行性かつ不可逆とみなされる病因によるものを分類することは、予後の推定や一部の治療法選択には役立つが、まず何よりも potentially reversible dementias（PRD's）を鑑別し、時間が経ち過ぎてそれらが不可逆となる前に治療を開始することが大切である。
- PRD'sは認知機能低下が日単位～週単位～月単位で比較的急速に進行する場合や、比較的若年で発症した場合に必ず除外されるべきもので、以下に鑑別診断を掲げる。

PRD'sの鑑別診断 (参考文献2)

カテゴリー	疾患など
薬物副作用	鎮痛剤、鎮静剤・催眠剤、向精神薬、抗コリン・抗ヒスタミン作用のある薬
代謝性疾患	甲状腺機能低下症、ビタミンB欠乏症（B_1, niacin, folate, B_{12}）、Wilson病、慢性低Na血症、慢性高Ca血症、肝不全、腎不全、アルコール関連
うつ病	（＝偽認知症）
脳外科的疾患	脳腫瘍、正常圧水頭症、慢性硬膜下血腫
慢性髄膜炎・脳炎 （浸潤性腫瘍を含む）	梅毒、結核、クリプトコッカス症、HIV感染症、Whipple病、リンパ腫・白血病性髄膜症、血管内リンパ腫
免疫関連疾患	SLE、神経ベーチェット病、脳血管炎、神経サルコイドーシス、橋本脳症、抗体介在性脳炎、傍腫瘍症候群

- なお、認知症患者のうちPRD'sに分類できるものは10％足らずであり（総じて多いものは、甲状腺機能低下症、ビタミンB_{12}欠乏症、正常圧水頭症〈NPH〉、脳腫瘍、中枢神経感染症、うつ病）、介入によって認知機能が実際に改善したものはそのうち4割ほどである。
- 一方、自殺念慮のあるうつ病は致死的たり得るため、抑うつ気分

- や興味の消失が前面に立つ場合はその有無を必ず確認しておく。
- ▶病因論的には、脳卒中、頭部外傷、脳炎（Creutzfeldt-Jakob病〈CJD〉を含む）、臓器不全などに伴って急速に発症した認知機能低下は原因が明らかであるため割愛するが、高齢者に緩徐に発症し月単位～年単位で進行する「もの忘れ」では、**2**～**5**がコモンな認知症疾患である。これらの疾患の背景にある神経変性の分類の理解には下図が役立つ。

神経変性疾患の分類

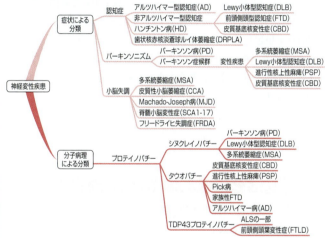

（「https://遠隔画像診断.jp/archives/6585」より2019年5月に許諾を得て転載・一部改変）

- ▶一方、何らかの認知機能の低下に関する訴えがある（特にI-ADL：電話、買い物、食事の支度、家事、洗濯、外出、服薬管理、金銭管理など）ものの、それらが軽度であり、基本的ADL（食事、排泄、着替え、身繕い、入浴、移動など）が自立している段階を軽度認知障害（MCI）と呼び、認知症に進行する者が年間5～15％いるとされるが、自然に改善するケースもある。
- ▶薬物療法に進行抑制の効果は認められていない。一方、適度な身体活動（有酸素運動）、食餌・栄養、禁煙、認知機能訓練（脳ト

レなど)の有効性が示唆されているため、副作用を回避する観点からも後者が勧められる。

病歴聴取のポイント

- 本人および家族・介護者との面談から何らかの認知機能低下の訴え(もの忘れ、家事や仕事のミスなど)があるか、他の疾患についての医療面接中でも病歴が曖昧であったり取り繕いや同伴者に救いを求めるような振り向きが認められたりしてそれが疑われたときには、認知機能のスクリーニング試験を用いて評価する。
- その際、経過が早いか、比較的若年で発症している場合は、PRD'sを想起して、関連する病歴を積極的に聴取する。
- 高齢者に多い神経変性疾患による認知症には、疾患によって初期から発現しやすい症候に特徴があるため、下記の各論を参考に病歴を聴取して分類に努めるとよい。
- 易興奮性・脱抑制、不安・妄想などの認知症に伴う行動・心理症状(BPSD)についても、日常生活に支障を来している者は治療の対象となり得るため、尋ねておく必要がある。

身体診察のポイント

- 病歴からPRD'sの可能性が出てきたら、それぞれに関連する身体所見(甲状腺機能低下症、ビタミン欠乏症や慢性肝疾患などに発現する所見)を取りにいく。
- バイタルサインでは、自律神経の障害を示唆する起立性の血圧・脈拍変化の評価を忘れないようにする。
- 詳細に神経学的診察を行い、局所的神経(脱落)徴候を検出することで、神経系のどこに異変が生じているかを推定する。眼球運動障害、錐体外路徴候、球麻痺徴候や、線維束攣縮や筋萎縮、ミオクローヌスは神経変性疾患と関連することが多い。
- 認知症において冒される高次脳機能には、全般性注意、記憶(主に側頭葉)、遂行機能(主に前頭葉)、言語(失語、失読、失書によって優位半球のさまざまな部位)、視空間認知(主に右頭頂葉、

後頭葉)、行為（さまざまな失行：主に頭頂葉）があるため、そ
れらを意識した身体診察が必要になる。
▶ たとえば前頭葉障害では、運動麻痺や運動性失語以外に、眼球運
動障害、自発性低下、把握反射・吸飲反射・手掌頤反射などの病
的反射、パラトニア、緊張性足底反射、Myerson徴候や拍手徴候
などの保続現象が観察され得る。

検査のポイント

1) 認知機能評価

▶ 認知機能のスクリーニング試験を行う場合は、軽度でも意識レベ
ル低下がないこと（ある場合は📂12章「意識障害」参照）、試験
に協力的であることが前提である。
▶ MMSE（Mini Mental State Examination）≦23あるいはHDS-R（改
訂長谷川式簡易知能評価スケール）≦20で認知症、24≦MMSE≦
27あるいはMoCA-J（日本語版Montreal Cognitive Assessment）
≦25でMCIと暫定的に診断する。なお、MMSEではおおよそ≦19
で中等度、≦9では重度の認知症とみなせる。
▶ なお、外来などでスクリーニング試験に時間がかけられないとき
には、まずMini-Cog（関連のない3単語を復唱して記憶してもら
い、次に外円しか書いていない紙に例えば10時10分を示す時計を
描いてもらい、その後先ほどの3単語を想起して言ってもらう）
を用い、3語の想起ができないか、1語を忘れて時計の針の記入
も正しくできないときに初めて他のスクリーニング試験に進むこ
とも可能である。
▶ 認知症で冒される高次脳機能のそれぞれのドメインをさらに詳細
に評価するには、脳神経内科領域の専門部署に依頼するとよい。

2) 病因・病態検索

▶ PRD'sの除外が必要と考えられたら、血液や髄液などの検体検査
や画像検査など、除外するのに役立つ検査を行う。

a. 画像検査

▶ 神経変性疾患による認知症の評価においても、脳の画像検査は必

須といえる。
- MRI：①大脳萎縮（全般的、局所的）、②脳室拡大、③虚血性変化、④腫瘍・血腫の有無、⑤MRA（血管像）に注目し、さまざまな認知症の鑑別診断に役立てる。
- SPECT：頭頂葉、後部帯状回・楔前部での血流はADで低下する一方、後頭葉の血流はLBDで低下する。
- DATスキャン（ドパミントランスポーター・シンチグラフィ）：線条体での取り込みはLBDで低下しADで低下しない。
- MIBGシンチグラフィ：心臓での取り込みはPDやLBDで低下し、その他のパーキンソン症候群では低下しない。

b. 髄液検査
► ADに進行するMCIでは髄液中のリン酸化タウ蛋白が上昇する。なお、CJDにおける総タウ蛋白の検査は保険認可されているが、その他のマーカーは認可されていない。

見逃してはならない疾患・病態の解説

1 治療により回復可能が望める認知機能低下（PRD's）
📂 PRD'sについては本書の索引から各疾患を参照。

2 Alzheimer型認知症（AD）
► 緩徐進行性の出来事記憶障害に始まる記憶と学習の障害（海馬・側頭葉内側障害）が主症状で、医療面接時に取り繕いや同伴者に助けを求める振り向き徴候が認められる。
► 頭頂葉も比較的早期から冒されるため、進行に伴い、図形や動きの模写・模倣ができない、道具がうまく使えない、着衣がスムーズにできないなどの失行や、道に迷うなどの地誌や視空間の失認が加わる。
► 記憶障害とともに、仕事や家事を行う上での遂行機能の低下（前頭葉障害）も比較的初期に気づかれるが、病識も低下しているのでニコニコしている場合が多い。

- 一方、神経学的局所（脱落）症状、失語は初期には目立たない。
- 脳画像では側頭葉・頭頂葉の萎縮や血流低下（帯状回後部を含む）、PETによるアミロイドの集積（前頭葉、帯状回後部、楔前部）や、髄液検査ではリン酸化タウ蛋白の増加が診断の補助として有用である。
- コリンエステラーゼ阻害薬（ChE-I）に認知機能改善のエビデンスはあるが、そのマグニチュードは小さく、悪心・嘔吐、食欲低下などの消化器症状や易怒性、パーキンソニズムなどの有害事象が比較的多い。
- NMDA受容体拮抗薬であるメマンチンも認知機能改善については同様だが、介護者にとって負担の大きいBPSDである興奮・焦燥による行動障害を抑制する効果があり、食欲の抑制やパーキンソニズムが少ない点がChE-Iと異なる。
- なお、興奮・焦燥には漢方薬の抑肝散（甘草を含有するため、浮腫や低K血症には注意）も有効で、効果発現も比較的早い。

3 血管性認知症（VaD）

- 前述のDSM-5診断基準を満たす認知症で、発症が脳卒中発作に時間的に関連（発作後に悪化、複数回のエピソードがあれば段階的に悪化）し、障害が注意力や前頭葉性の遂行機能に顕著であるもので、体の他部位の動脈硬化性病変を示す身体所見や神経学的局所（脱落）所感、脳画像所見（右図）から、認知機能障害を説明し得る程度の脳血管障害が存在するものが当てはまる。
- しかし、脳小血管病では緩徐進行性をとるため、併存し得るADと鑑別が困難なことがある。
- 発症の危険因子として、運動不足、肥満、高血圧、糖尿病、脂質異常症、心房細動、喫煙が挙げられるため、それらの予防や管理が重要である。中でも、運動、肥満予防、血圧管理、禁煙が特に重要である。心房細動を持つ患者には抗凝固薬の適応があり、抗血小板薬は非心原性脳梗塞の二次予防としてのみ有用性が害を上回る。

血管性認知症分類（模式図：NINS-AIREN診断基準による臨床亜系）

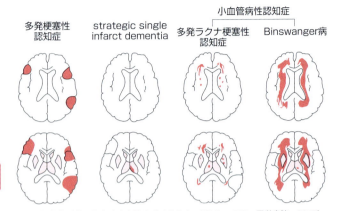

（日本神経学会 監修．認知症疾患診療ガイドライン2017．p309，医学書院，2017）
注：後頭葉・側頭葉は白質病変が比較的少ない部位であるが、遺伝性のVaDであるCADASIL（cerebral autosomal dominant arteriopathy with subcortical infarcts and leukoencephalopathy）やCARASIL（同recessive）では側頭極の病変が特徴的である。なお、家族歴以外に、前者は前兆を伴う片頭痛や眼底の動脈硬化性変化、後者は比較的若年発症の認知症、変形性脊椎症、禿頭が臨床的特徴である。

4 Lewy小体型認知症（DLB）

- 前述のDSM-5診断基準を満たす緩徐進行性の認知症で、①変動する覚醒度を伴う認知機能の動揺、②繰り返す幻視、③医原性なしに続発するパーキンソニズムという中核症状、④REM睡眠時行動異常、⑤ドパミン受容体拮抗薬への過敏性という示唆的特徴のうち、①②③のうち2つがあるか、少なくとも1つと④⑤の少なくとも1つがあれば疑う（DSM-5）。
- 初期には記憶障害が目立たないのも特徴で、比較的早期から現れる注意障害や歩行障害、嗅覚障害や自律神経障害（便秘、排尿障害、起立性低血圧）を捉えることが重要である。
- 脳画像所見では、ADと比較して側頭葉内側の萎縮が少ない一方、後頭葉の血流は低下しており、DATスキャンでは基底核への取り込みが低下し、MIBGシンチグラフィで心筋への取り込みが低下していることが特徴的である。

- DLBは幻覚、REM睡眠障害、意欲の低下、錐体外路症状、自律神経症状を伴いやすく、薬物療法による有害作用が出やすいため、環境調整、日中の活動増加、運動療法、弾性ストッキング着用など、それぞれに対応した非薬物療法が重要である。
- 薬物療法では、一部の患者では認知機能障害に対してChE-Iが有効なことがある。易怒性に対しては抑肝散、パーキンソニズムに対してはレボドパの投与を考慮する。

5 前頭側頭型認知症（FTD）

- 主に初老期に発症し、前頭葉・側頭葉の神経細胞の変性（タウ蛋白、TDP-43蛋白、FUS蛋白の蓄積）により著明な行動異常（脱抑制、固執・常同性、口唇傾向）、精神症状（共感の欠如、無関心）、言語障害（物品呼称や単語理解の障害、非流暢性・失文法型失語）の進行を特徴とする認知症である。病理学的には前頭側頭葉変性症（FTLD）と呼ばれる。
- Behavioral variant（bvFTD）とlanguage variant（意味性認知症〈SD〉や進行性非流暢性失語〈PNFA〉）に大別される（DSM-5）。
- 記憶や視空間認知機能は比較的保たれているにもかかわらず、遂行機能が冒される。経過中にパーキンソニズムやALSなどの運動ニューロン病を発症し得る。欧米では家族性がコモンであるが、日本ではまれである。
- 脳画像所見として、前頭葉や側頭葉前部の萎縮、同部位の血流低下がみられる。言語の理解の悪いタイプでは下側頭回優位の左右非対称な側頭葉に、失語が目立つタイプでは左前頭葉後部〜島に萎縮や血流低下を示す（右図）。
- 認知機能低下の進行に対する有効な薬物療法はなく、症候に応じたケアや行動療法が治療の中心であるが、常同行動、脱抑制などの緩和には選択的セロトニン再取り込み阻害薬（SSRI）が有効との報告がある。

1 心肺停止 Cardiopulmonary Arrest

定義
- 心機能、もしくは呼吸機能（肺機能）、または両方が停止した状態。

診察（初期アプローチ）のポイント
- BLS&ALS（〈24頁〉参照）にもつながることであるが、心肺停止なのか、深昏睡で反応がないだけなのかを見極める必要がある。
- 心肺停止と判定したならば、DNAR（do not attempt resuscitation）でない限り、即座に胸骨圧迫を始めつつ、「ヒト」（応援）と「モノ」（救急カートと除細動器/AED）を集める。

診療プロセス
- 状況の確認：院外なら事件性があるかどうか、院外でも院内でも外傷性か否かを確認する（外傷性の場合、確認することが内因性と若干異なる場合があるため）。
- 意識の確認：肩を軽く叩いて確認する。頸髄損傷の可能性があれば頭部は揺らさないようにして、呼名や痛み刺激で確認する（眼窩上切痕を押すなど）。意識がなければ、応援と救急カートや除細動器/AEDを招集し、院外なら救急車を呼ぶ。
- 気道を確保して呼吸・循環の確認をする。頸髄損傷の疑いのときは、可能な限り頸椎保護を行う。
- 呼吸・循環のサインがなければ「心肺停止」である。直ちにCPRを開始する。

その他のポイント
- DNARであれば、仮に心電図モニターでVFを認めても除細動しない。

Appendix **I**

MEMO

マスコミにおける「心肺停止」と「死亡」の表現について

- 「心肺停止」とは前述した通り、心臓が止まり、呼吸もない状態のことであるが、これにはまだ蘇生の可能性がある、という意味合いもある。
- 「死亡」とは、心臓、肺、脳のすべてが不可逆的な機能停止となった状態のことである。また、死亡と呼べるのは、日本では医師による死亡確認が必要であり、明らかに死亡しているような状態でも、警察や救急隊などでは判断できない。
- しかし、救急隊などは死亡者と生存者の判断をしなければならない場合があり、「社会死」という用語が存在する。社会死とは、医師が判断を下すまでもなく、明らかに死亡しているのがわかる蘇生不可能な状態のことをいう。
- 社会死の判断材料としてはミイラ化、頭部が取れている、胴体が切断されている、死後硬直、死斑、腐敗、炭化などが挙げられる。

❷ 外傷 Injury

定義

- 外力に伴う臓器損傷。刃物や突起物などによる鋭的外傷と交通事故や転落などによる鈍的外傷がある。

診察（初期アプローチ）のポイント

▶ 外傷は時間との闘いである。重症外傷では受傷から決定的な治療を行うまでの時間が1時間を超えるかどうかで予後が変わるという報告があり、最初の1時間をgolden hourと呼び重視している。

▶ したがって、救急応需から搬入前の準備が重要であり、MIST（表1）による損傷部の推定と手術、IVRなどの必要人員および気道確保・止血器具や輸血などの必要物品の手配を行う（表2）。

表1 受け入れ準備：MIST

☐	Mechanism	受傷機転は？
☐	Injury	損傷部位は？
☐	Sign	バイタルサイン、症状は？
☐	Treatment	行った病院前処置は？

▶ 外傷診療は頭頸部損傷による気道トラブルと胸郭損傷による呼吸トラブルをクリアすると出血に対する対応が優先事項となる。

▶ 止血を得る戦略をdamage control resuscitation〈DCR〉戦略（図、表3）と呼び、必要な資源を最初の1時間に躊躇なく投入して止血・安定化を目指す。

診療プロセス

▶ 生理学的評価（プライマリサーベイ）と蘇生 → 解剖学的評価（セカンダリサーベイ）と決定的治療の流れで行う。

▶ プライマリサーベイの目的は、致死的な病態のいち早い検知と蘇生であり、次のABCDEアプローチを行う。

表2 重症外傷受入れ時のチェックリスト

到着前準備	プライマリサーベイ		セカンダリサーベイ	
□トラウマチーム招集	生理学的評価	蘇生	解剖学的評価	決定的治療
物品確認	A □気道開通確認	□外科的気道確保	□頭部	□評価後、救命優先
□酸素	□頸部保持確認	□挿管人工呼吸管理	□顔面	↓
□吸引	B □呼吸の確認	□胸腔ドレーン	□耳	□解剖学的な再建
□救急カート		□挿管人工呼吸管理	□目	↓
□鎮痛薬	C □循環の確認	□DCR	□鼻	□機能維持
□鎮静薬	□胸部骨盤xp, FAST	□挿管人工呼吸管理	□口腔	
□A-line	□外出血	□圧迫止血	□下顎	
□CVC	D 意識の確認	□CT、手術	□頸部	
DCR対応		□挿管人工呼吸管理	□胸部	
□輸血	E □脱衣		□腹部	
□各血漿分画製剤	□保温		□骨盤	
□カルチコール			□上肢	
□室内保温			□下肢	
□加温外液			□背面	
□加温器				
□開胸セット	A Allergy	□アレルギー	F fingers & tubes	□全ての穴の診察、胃管、尿道バルーン
□REBOAセット	M Medication	□内服歴		
役割分担	P Past medical history	□既往歴		
□気道	L Last meal	□最終飲食	I iv & im	□必要な点滴、破傷風、抗菌薬
□IV/IOアクセス	E Event	□M受傷機転		
□プライマリサーベイ		□損傷部位	X X線、CT	□外傷部位の画像評価
□リーダー		□Sバイタルサイン、症状		
ブリーフィング			E ECG	□12誘導心電図
□上記の準備をチームで共有		□T病院前処置	S splint	□骨折に対する固定

▶ 頸部保持の上で気道確保と呼吸のサポート、外出血のコントロールを含む循環の維持、神経学的評価、体温保持を行う。

▶ A（airway）：気道の評価は、頸椎をニュートラルポジションで保護しながら行う。外科的気道確保は頸部の皮下気腫や正中頸部損傷の時考慮する。

▶ B（breathing）：呼吸の評価では、緊張性気胸・血気胸のサインを見逃さず、気管変位・頸静脈怒張・低酸素・頻脈・低血圧は身体所見で診断し、直ちに解除を行う。16G針で第2肋間鎖骨中線を穿刺し、続いて胸腔ドレーン留置を行う。

▶ C（circulalion）：循環の評価では、外出血をまずは直接圧迫する。外傷によるショックの原因は、多くは出血による血管内ボリュームの減少だが、それ以外に心タンポナーデ、緊張性気胸、

図　DCR戦略（参考文献1より改変）

DCR：damage control resuscitation

輸液制限、低血圧容認	早期の一次止血	外傷死の三徴予防
血圧目標はSBP80mmHg 輸液1000ml程度	DCS：Damage control surgery MT：Massive transfusion protocol IVR トランサミン投与	加温 カルチコール補充 アシドーシス補正

表3　外傷出血性ショックへの対応（参考文献1，2より作成）

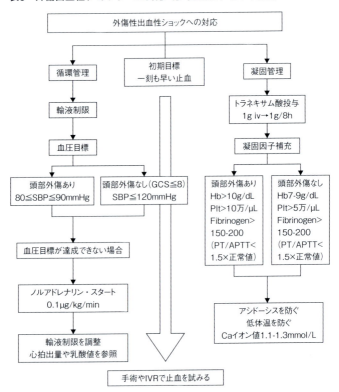

血胸、脊損を考える。出血する5つの部位は皮膚・頭部・鼻腔、胸腔、腹腔、骨盤後腹膜、長幹骨である。骨は整復と固定、骨盤はサムスリング®かシーツラッピングで出血量を最低限に抑える。
- D（dysfunction of CNS）：意識の評価は、GCS、最低限の神経学的評価として患者肢位、瞳孔、患者の反応、片麻痺、対麻痺をみる。
- E（exposure & environmental control）：環境因子では、脱衣させて損傷を隈無く評価した後に、低体温を防ぐためのエアーブランケットでの保温を図る。
- セカンダリサーベイの目的は、解剖学的評価と決定的治療にある。詳細な問診、身体診察や確定診断のためのCTやアンギオグラフィなどの画像検査が含まれる。問診の際にはMISTの整理、AMPLE（Allergy. Medication. Past history/pregnancy. Last meal. Event）聴取も行う。セカンダリサーベイの診察の実際に関しては成書に譲る。

その他のポイント

- 外傷性ショックに対して止血を得るには、外傷死の三徴（低体温、アシドーシス、出血傾向）を防ぐための蘇生戦略が重要であり、DCRと呼ぶ。
- DCRの骨子は以下である。
  ①低体温を避けるため、室温管理、加温輸液、エアーブランケット使用
  ②一次止血を目指すため、開胸大動脈遮断、REBOA（大動脈内バルーン遮断）、DCS（ダメージコントロール手術）
  ③出血量を減らし出血傾向を抑えるため、決定的な止血処置までの低血圧管理、細胞外液投与の制限、大量輸血プロトコル（MTP）〈輸血の目標はRBC：FFP：PC＝ 1：1：1〉、早期のトランサミン投与、カルシウムイオン補充

[参考文献]

1) Kudo D, et al. Permissive hypotension/hypotensive resuscitation and restricted/controlled resuscitation in patients with severe trauma. Journal of Intensive Care 2017 ; 5 : 11.
2) Bouglé A, et al. Resuscitative strategies in traumatic hemorrhagic shock. Ann Intensive Care 2013 ; 3 : 1.
3) JPTEC協議会 編著. JPTECガイドブック 改訂第2版. へるす出版, 東京, 2016.
4) 日本外傷学会外傷初期診療ガイドライン改訂第5版編集委員会 編. 外傷初期診療ガイドライン改訂第5版. へるす出版, 東京, 2017.

3 熱傷 Burn

定義

- 熱傷とは、熱、放射線、化学物質、または電気の接触によって生じる、皮膚またはその他の組織の損傷である。皮膚からの進達度によりⅠ〜Ⅲ度に分ける。

診察（初期アプローチ）のポイント

- 初期診療は外傷と同じく、プライマリサーベイと蘇生を行う。ABCDEアプローチ（「外傷」〈455頁〉参照）を行い特に気道の評価と管理が重要である。
- 受傷直後にショックを認めることは稀であり、ショックがある場合は原因検索を行う。
- 熱傷面積を計算し、広範囲熱傷（成人15% TBSA〈体表面積〉以上、小児10% TBSA以上）に対しては適切な輸液を行う。

診療プロセス

プライマリサーベイ
↓
気道の評価、高濃度酸素投与
↓
CO中毒、シアン中毒のスクリーニング、治療
↓
熱傷面積評価、輸液
↓
熱傷部処置
↓
PBI（熱傷予後指数）判定、熱傷センターへの転送の検討

MEMO 1

気道熱傷のポイント

- 閉鎖環境での火災・爆発により、鼻・口唇など顔面熱傷、鼻毛・眉毛の消失、口腔/鼻腔内の煤の付着や気管内からの煤の吸引、呼吸困難、血中酸素濃度の低下、嗄声などがあれば、まず気道熱傷を疑う。
- 喉頭鏡、気管支ファイバー、胸部X線検査などにより確定診断する。
- 気道熱傷の進達度により気道閉塞やARDSが生じるため、気道熱傷を疑えば原則、気管挿管を行う。

MEMO 2

熱傷の重症度判定と対応のポイント

- 熱傷の重症度は面積、深度、年齢で評価を行い、BI(熱傷指数)とPBI(熱傷予後指数)を計算する。
- PBI100を超える重症症例では、熱傷センターなどの治療経験の豊富な施設への転送を検討する(表1)。
- 熱傷面積の算定は、手掌法に加え、成人は9の法則、小児は5の法則などを利用し概算する(図)。
- 初期輸液はABLS (Advanced Burn Life Support)の推奨では成人は2〜4mL×体重(kg)×熱傷面積(% TBSA)を目安に行う。尿量をモニタリングしながら適宜増減する。ボーラス投与は浸出液増加を招くため避ける(表2)。
- 熱傷部位の保護はアズノール®軟膏を塗布して、モイスキンパッド®など非固着性の被覆材を使用する。
- 抗菌薬の初期投与は易感染者を除いて基本的には勧められない。

表1 重症度判定 (参考文献2より作成)

```
1. Burn index (BI)
   - II度(%)×1/2 + III度(%)
   - 10-15を重症と判断
2. Prognostic burn index (PBI)
   - Burn index + 年齢
   - 120以上  致死的熱傷で救命は稀
   - 100-120  救命率20%程度
   - 80-100   救命率50%程度
   - 80未満   救命可能
```

図　熱傷面積の算定 (参考文献2より抜粋・一部改変)

[9の法則]

[手掌法]

[5の法則]

体幹後面のとき
5％減算する

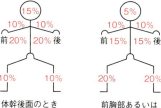

前胸部あるいは
両足のとき
5％加算する

表2　ABLS2011における初期輸液の方法
（ABLS2010 fluid resuscitaion formulas）(参考文献1)

	成人	成人（高電圧電撃傷）	小児（14歳未満，40kg未満）
輸液量	2(ml)×体重(kg)×熱傷面積（% TBSA）	4(ml)×体重(kg)×熱傷面積（% TBSA）	3 (ml)×体重(kg)×熱傷面積（% TBSA）
速度	熱傷面積計算前の開始速度：500ml/hr（14歳以上），250ml/hr（6〜13歳），125ml/hr（5歳以下） 熱傷面積計算後：上記輸液量の1/2を最初の8時間で，残りの1/2を16時間で投与。但し，時間尿量が2時間連続で指標より多い/少ない場合は，輸液速度を1/3ずつ減らす/増やす。		
尿量	0.5ml/kg/hr（30〜50ml/hr）		1ml/kg/hr

のにこだわることを特徴とする行動の障害であり、中枢神経系に何らかの要因による機能不全があると推定される。

2) 高機能自閉症（High-Functioning Autism）

- 高機能自閉症とは、上記自閉症のうち知的発達の遅れを伴わないものをいう。
- アスペルガー症候群とは、知的発達の遅れを伴わず、かつ自閉症の特徴のうち言葉の発達の遅れを伴わないものである。なお、高機能自閉症やアスペルガー症候群は、広汎性発達障害に分類される。
- DSM-5では上記を自閉症スペクトラム障害（ASD）と統合している。

3) 学習障害（LD）

- 学習障害とは、基本的には全般的な知的発達に遅れはないが、聞く、話す、読む、書く、計算する、または推論する能力のうち、特定のものの習得と使用に著しい困難を示すさまざまな状態を指すものである。
- 原因として、中枢神経系に何らかの機能障害があると推定されるが、視覚障害、聴覚障害、知的障害、情緒障害などの障害や、環境的な要因が直接の原因となるものではない。

4) 注意欠陥/多動性障害（ADHD）

- ADHDとは、年齢あるいは発達に不釣り合いな注意力、および/または衝動性、多動性を特徴とする行動の障害で、社会的な活動や学業の機能に支障を来すものである。
- 7歳以前に障害が現れ、その状態が継続するもので、中枢神経系に何らかの要因による機能不全があると推定される。
- 実際の臨床場面では、一人の患者に、広汎性発達障害、注意欠如多動性障害、学習障害、協調運動障害、コミュニケーション障害などが重複して存在することが珍しくない。

診察のポイント

- すべての小児が評価の対象となるべきであるが、発達の遅れに

関する親の心配は特に評価のきっかけとすべきである。
- 発達障害の家族歴、本人の妊娠の経過、出生時の問題（分娩法、週数、体重、APGARスコアなど）、乳幼児期の栄養・発育は確認しておく。
- 就学前の乳幼児については、まずDenver II スクリーニングテストを用いて、発達道標（developmental milestones）への到達を評価する。これは、小児の月齢・年齢が上がるにつれてできるようになるべき種々の行動を、「情緒-社会性（個人-社会）」「微細運動（-適応）」「言語」「粗大運動」の4分野に分類し、それぞれの行動について 25%～90%の小児ができるようになる標準月齢枠を提示したもので、個々の小児がどのカテゴリーに発達の遅れがあるかをチェックできる。

診療プロセス

- 粗大運動のみの遅れなら筋ジストロフィーなどを、言語のみの遅れなら聴力障害を疑って精査し、2つ以上の領域の遅れであれば全般性のものを疑って、発達検査に経験のある臨床心理士のいる施設の精神科か、小児精神科を主な診療範囲とする医師に紹介する。
- なお、発達検査には「新版K式発達検査」「遠城寺式乳幼児発達検査」などが用いられる。
- 参考として、発達指数DQ（developmental quotient）＝発達年齢/実年齢×100で、おおまかに ＜70（75）：遅滞、70（75）～85：遅滞が疑わしい、＞85：コモンなバリアンス であり得る。
- 一方、退行（できていたことができなくなる）が起これば、栄養障害、慢性中毒、てんかん、先天性代謝異常症（フェニルケトン尿症〈PKU〉、Tay-Sachs病、Hurler症候群など）、遺伝子病（Rett症候群、神経線維腫症、結節性硬化症など）、頭蓋内疾患、自閉症などを疑い精査を考慮する。

[参考文献]
1) Frankenburg WK；日本小児保健協会 編．DENVERⅡ デンバー発達判定法．日本小児医事出版社，東京，2016．
2) 厚生労働省平成24年度障害者総合福祉推進事業報告書「発達障害児者のアセスメントツールの効果的使用とその研修について」．2013．

6 終末期の症候 Symptom of Terminal State

「終末期」の定義

- 統一され、明文化された定義はない。
- 救急の現場などでは終末期の期間が数日以内ということもあるからである。
- そのため、一概に余命の長さとして示せない(「救急・集中治療における終末期医療に関するガイドライン」(日本救急医学会、日本集中治療医学会、日本循環器学会の3学会による提言)。
- 同ガイドラインでは、期間ではなく、以下の4つの場合として示されている。
  ①不可逆的な全脳機能不全(脳死診断後や脳血流停止の確認後などを含む)であると十分な時間をかけて診断された場合
  ②生命が人工的な装置に依存し、生命維持に必須な複数の臓器が不可逆的機能不全となり、移植などの代替手段もない場合
  ③その時点で行われている治療に加えて、さらに行うべき治療方法がなく、現状の治療を継続しても近いうちに死亡することが予測される場合
  ④回復不可能な疾病の末期、例えば悪性腫瘍の末期であることが積極的治療の開始後に判明した場合
- 救急の現場ではなく通常の臨床の場合、「終末期医療に関するガイドライン」(全日本病院協会)では、以下の3つの条件を満たす場合が示されている。
  ①複数の医師が客観的な情報をもとに、治療により病気の回復が期待できないと判断すること
  ②患者が意識や判断力を失った場合を除き、患者・家族・医師・看護師などの関係者が納得すること
  ③患者・家族・医師・看護師などの関係者が死を予測し対応を考えること
- しかし一般的には、老衰、病気、障害の進行により、死に至ることを回避するいかなる方法もなく、予想される余命が3〜6カ月以内程度、と解釈され得る。

身体診察のポイント

▶ 終末期の初期は、特に終末期を感じさせる所見はあまりない。終末期たらしめる疾患による症状を認めるのみであることが多い。しかし、疼痛・不安あるいは薬の副作用からせん妄・意識障害を来すことがある。

▶ 終末期が進むと元気がなくなり、食欲の低下、ADLの低下(離床時間の短縮など)を認めるようになる。尿量の低下を実感することも多い。

▶ 悪化徴候の出現から死亡までの時間を正確に判断するのはほぼ不可能であるが、おおまかな目安はあり、次のような徴候がみられると、数日〜数時間以内に死亡する。
①尿量の減少
②(輸液をしていたら)浮腫の急速な進行
③意識レベルの低下
④喘鳴・咽頭でのゴロゴロという音
④チェーン・ストークス呼吸
⑤徐呼吸
⑥下顎呼吸
⑦手指・足趾のチアノーゼ
⑧橈骨動脈の不触知

▶ 死前喘鳴が死亡の57時間前から(35%)、下顎呼吸が死亡の7.6時間前から(95%)、四肢のチアノーゼが死亡の5.1時間前から(80%)、橈骨動脈の脈拍触知不能が死亡の2.6時間前から(100%)出現するという報告もある。

▶ 筆者の在宅診療での経験から、死亡前日くらいに一時的に回復したように覚醒し経口摂取した例、いわゆる死臭(なんとも表現できない異臭だが、数回経験するとすぐわかるようになる)を放つようになった例、それまでなかった肛門括約筋のトーヌスの低下(摘便をして気づく)を来した例があった。

検査

▶ 通常、終末期に検査をすることはない。しかし、検査結果をもとに終末期に至ったと解されることはある。

▶ 終末期の血液検査所見の特徴は、血小板減少・DIC、BUN・Cr高値、低Na/高Na、低K/高K、低血糖、低アルブミンなどであるが、軽微な異常にとどまり「パニック値」でないこともある。

MEMO

よく誤解されたり、混同される用語

(1) リビング・ウイル（Living will）とACP（advanced care planning）

- リビング・ウイルとは「生前意思表明」のことで、終末期医療に関する患者の希望を表明する限定的な文書である（患者の生存中から効力を生じるため「リビング」ウィルと呼ばれる）。
- 心肺停止時の心肺蘇生、人工呼吸、昇圧剤から中心静脈栄養や胃瘻についてどうして欲しいかを述べたものである。
- 文書で示されたものに限らず口頭での意思表明も有効とされる。また、できるだけ代弁者を指定しておくことが理想的である。
- 一方、ACPとは人生の最終段階の医療・ケアについて、本人が家族・親族や医療ケアチームと事前に繰り返し話し合うプロセスのことを指す。本人の意思は変化し得るものであり、医療・ケアの方針や、どのような生き方を望むかなどを、日頃から繰り返し話し合うことが肝要とされる。

(2) 終末期医療（ターミナルケア）と緩和ケア

- 終末期医療は緩和ケアの一部といえる。緩和ケアはがん患者において、手術・抗がん薬治療・放射線治療などの主たる治療とともに、症状に応じて行われるものである。
- つまり、まだ主たる治療続行中における肉体的疼痛や精神的苦痛を扱うのが緩和ケアである。しかし現実には、緩和ケア≒終末期医療となっている状況もある。（例：緩和ケア病棟）

(3) 安楽死と尊厳死

- この2つも紛らわしい用語であるが、間違いなく使い分けられないといけない用語である。
- 安楽死とは「耐え難い苦痛に襲われている死期の迫った人に致死的な薬剤を投与して死を早めること」である。これに対し、尊厳死は「尊

厳を持って自然な死を迎えさせること達成するために、過剰と考えられる医療を避けること」である。

[参考文献]

1) Morita T, et al. A prospective study on the dying process in terminally ill cancer patients. Am J Hosp Palliat Care 1998;15:217-22.
2) 厚生労働省：人生の最終段階における医療・ケアの決定プロセスに関するガイドライン〈https://www.mhlw.go.jp/file/06-Seisakujouhou-10800000-Iseikyoku/0000197721.pdf〉
3) 日本救急医学会，日本集中治療医学会，日本循環器学会：救急・集中治療における終末期医療に関するガイドライン～3学会からの提言～〈http://www.jaam.jp/html/info/2014/pdf/info-20141104_02_01.pdf〉
4) 全日本病院協会:終末期医療に関するガイドライン〈https://www.ajha.or.jp/voice/pdf/161122_1.pdf〉

Appendix II

経験すべき疾病・病態
Index

- 脳血管障害（脳梗塞、脳出血、脳動脈瘤、くも膜下出血）
  63, 150, 154, 156, 159, 166, 170, 180, 201, 274, 279, 381, 384, 388, 400, 402

- 認知症
  70, 442, 446, 447, 448, 449

- 急性冠症候群（心筋梗塞）
  66, 67, 137, 152, 159, 163, 241, 249, 254, 257, 258, 265, 270, 274, 275, 279, 284, 286, 298, 302, 338

- 心不全
  45, 46, 59, 61, 66, 67, 73, 78, 81, 233, 236, 251, 267, 273, 335

- 大動脈瘤
  225, 229, 298, 300, 359, 360, 368

- 高血圧
  143, 251, 300

- 肺癌
  90, 145, 225, 229, 233, 237

- 肺炎
  233, 236, 237, 241, 248, 255, 263, 323, 330

- 気管支喘息
  59, 63, 241, 248

- 慢性閉塞性肺疾患（COPD）
  59, 63

- 急性胃腸炎
  283, 286

- 胃癌
  75, 91, 274, 276, 284, 287

- 消化性潰瘍
  72, 274, 276, 319, 331, 336

- 肝炎・肝硬変
  45, 50, 66, 68, 70, 73, 78, 112, 114, 115, 133, 313

- 胆石症
  70, 274, 279, 312

- 大腸癌
  91, 350, 354, 355, 358

- 腎盂腎炎
  274, 279, 325, 418, 420

- 尿路結石
  407, 415

Appendix II

- 腎不全
  45, 51, 73, 78, 81, 365

- 高エネルギー外傷・骨折
  35, 225, 228, 359, 364, 370, 374, 454

- 糖尿病
  70, 72, 75, 111, 300, 382, 426, 429

- 脂質異常症
  300

- うつ病（気分障害）
  45, 54, 59, 61, 66, 68, 72, 76, 432, 435

- 統合失調症
  59, 63

- 依存症（ニコチン，アルコール，薬物，病的賭博）
  55, 76, 148, 178, 179, 271, 434

- 妊娠
  66, 68, 87, 159, 166, 274, 281, 298, 310

- 喀血
  237, 332

Supplement 付録

- Dr.Tierney's Top10 Pearls
- 欧文略語

Dr. Tierney's Top 10 Pearls

1 Stroke is never a stroke until it's had 50 of D50.

50%ブトウ糖液を50ml静注するまで、決して脳卒中と診断してはならない。

2 If you diagnose multiple sclerosis in a patient over 50, diagnose something else.

50歳以上の患者を多発性硬化症と診断したくなったら、他の疾患を考えたほうがよい。

3 A lung abscess in an edentulous patient is lung cancer until shown otherwise.

歯のない患者に肺膿瘍と診断したくなっても、否定されない限り肺癌だと考えなさい。

4 Epitrochlear nodes are almost never present in Hodgkin's disease.

滑車上リンパ節はホジキン病ではまず腫れない。

5 In extra-pulmonary tuberculosis, the lungs have involvement in only 50%.

肺外結核の患者に肺病変がみつかるのは50%しかない。

6 The PPD is an epidemiologic test ... it should not be used to rule tuberculosis in or out.

ツ反はそもそも疫学的検査であるので、結核の除外や確定に用いてはならない。

7 Causes of red ears include otitis externa, relapsing polychondritis, and ... sunburn!

赤い耳の原因には外耳道炎も再発性多発性軟骨炎もあるが、単なる日焼けも忘れないこと！

8 Hepatitis A is the only cause of that disorder with spiking fevers.

A型肝炎は、肝炎のなかで唯一スパイク熱を来す。

9 The only cause of orange tonsils is Tangier disease, ... and also one of the few causes of a cholesterol of zero, a paraprotein being another.

オレンジ色の扁桃を来すのはTangier病しかない。この疾患は、異常蛋白血症とともに血清コレステロールをゼロにしてしまう数少ない疾患の1つでもある。

10 The presence of orthostatic fall in blood pressure includes pheochromocytoma.

起立性低血圧を来すものに褐色細胞腫がある。

欧文略語

A

AAA	abdominal aortic aneurysm	腹部大動脈瘤
A-aDO₂	alveolar-arterial oxygen tension difference	肺胞気・動脈血酸素分圧較差

ABC-OMI Airway, Breathing, Circulation - Oxygenation, Monitor(ECG), IV A：気道開存確認と気道確保，B：呼吸の確認と補助呼吸，C：循環の確認と安定化，O：O₂投与，M：ECGモニター装着，I：輸液路確保

ABCDE A＝airway(気道) B＝breathing(呼吸) C＝circulation(循環) D＝disability(意識) E＝exposure(体温循環)

ABE acute bacterial endocarditis　急性細菌性心内膜炎
ABG arterial blood gas　動脈血ガス
ABR auditory brainstem response　聴性脳幹反応
ACE angiotensin converting enzyme　アンジオテンシン変換酵素
ACEP American College of Emergency Physicians　米国救急医学会
AChR acetylcholine receptor　アセチルコリン受容体
ACNES abdominal cutaneous nerve entrapment syndrome　腹部皮神経絞扼症候群
ACPA anti-citrullinated peptide antibody　抗シトルリン化ペプチド抗体
ACR American College of Rheumatology　米国リウマチ学会
ACTH adrenocorticotropic hormone　副腎皮質刺激ホルモン
AD Alzheimer-type dementia　Alzheimer型認知症
ADA adenosine deaminase　アデノシンデアミナーゼ
ADEM acute disseminated encephalomyelitis　急性散在性脳脊髄炎
ADH antidiuretic hormone　抗利尿ホルモン
ADHD attention-deficit /hyperactivity disorder　注意欠陥/多動性障害
ADL activity of daily life　日常生活活動、日常動作能力
AED automated external defibrillator　自動体外式除細動器
Af atrial fibrillation　心房細動
AGA allergic granulomatous angiitis　アレルギー性肉芽腫性血管炎
AGEP acute generalized exanthematous pustulosis　急性汎発生発疹性膿皮症
AHA American Heart Association　米国心臓協会
AHI apnea-hypopnea index　無呼吸低呼吸指数
AIDP acute inflammatory demyelinating polyradiculoneuropathy　急性炎症性脱髄性多発ニューロパチー
AIDS acquired immunodeficiency syndrome　後天性免疫不全症候群、エイズ
AIH autoimmune hepatitis　自己免疫性肝炎
AIP acute intermittent porphyria　急性間欠性ポルフィリン症
AIP acute interstitial pneumonia　急性間質性肺炎
AJR abdominojugular reflux　腹部頸静脈逆流

AKA	alcoholic ketoacidosis	アルコール性ケトアシドーシス
AKI	acute kidney injury	急性腎障害
Alb	albumin	アルブミン
ALP	alkaline phosphatase	アルカリホスファターゼ
ALS	amyotrophic lateral sclerosis	筋萎縮性側索硬化症
ALS	advanced life support	二次救命処置
ALT	alanine aminotransferase	アラニンアミノトランスフェラーゼ
AMA	antimitochondrial antibody	抗ミトコンドリア抗体
ANA	antinuclear antibody	抗核抗体
ANCA	antineutrophil cytoplasmic antibody	抗好中球細胞質抗体
ANP	atrial natriuretic peptide	心房性ナトリウム利尿ペプチド
AP	anteroposterior	前後方向
APL	acute promyelocytic leukemia	急性前骨髄球性白血病
APS	anti-phospholipid antibody syndrome	抗リン脂質抗体症候群
APTT	activated partial thromboplastin time	活性化部分トロンボプラスチン時間
ARDS	acute respiratory distress syndrome	急性呼吸窮迫症候群
ASD	autism spectrum disorder	自閉症スペクトラム障害
ASK	antistreptokinase	抗ストレプトキナーゼ
ASO	antistreptolysin O	抗ストレプトリジンO
AST	aspartate aminotransferase	アスパラギン酸アミノトランスフェラーゼ
AT	antitrypsin	アンチトリプシン
ATⅢ	antithrombin Ⅲ	アンチトロンビンⅢ
AV(ブロック)	atrioventricular(block)	房室(ブロック)
AVM	arteriovenous malformation	動静脈奇形
AVP	arginine vasopressin	アルギニンバソプレシン

B

β2MG	β2-microglobulin	β2マイクログロブリン
BCG	bacille Calmette-Guérin(カルメット・ゲラン桿菌)	ビーシージー
Bil	bilirubin	ビリルビン
BJP	Bence Jones protein	ベンスジョーンズ蛋白
BLS	basic life support	一次救命処置
BMI	body mass index	体重(kg)/身長(m)^2
BNP	brain natriuretic peptide	脳性ナトリウム利尿ペプチド
BOA	behavioral observation audiometry	聴性行動反応聴力検査
BP	blood pressure	血圧
BPPV	benign paroxysmal positional vertigo	良性発作性頭位性めまい
BPSD	behavioral and psychological symptoms of dementia	認知症に伴う行動・心理症状
BRVO	branch retinal vein occlusion	網膜静脈分枝閉塞症

BT	body temperature	体温
BUN	blood urea nitrogen	血中尿素窒素

C

CACS	celiac axis compression syndrome	腹腔動脈起始部圧迫症候群
C-ANCA	cytoplasmic anti-neutrophil antibody	抗好中球細胞質抗体
CBC	complete blood cell count	血算一式
CCA	cortical cerebellar atrophy	皮質性小脳萎縮症
CD(トキシン)	*Clostridium difficile* (toxin)	クロストリジウム・ディフィシル(トキシン)
CEA	carcinoembryonic antigen	癌胎児性抗原
ChE	cholinesterase	コリンエステラーゼ
CI	confidence interval	信頼区間
CIDP	chronic inflammatory demyelinating polyneuropathy	慢性炎症性脱髄性多発ニューロパチー
CJD	Creutzfeldt-Jakob disease	クロイツフェルト・ヤコブ病
CK	creatine kinase	クレアチンキナーゼ
CLL	chronic lymphocytic leukemia	慢性リンパ性白血病
CMV	cytomegalovirus	サイトメガロウイルス
CNS	central nervous system	中枢神経系
CO	cardiac output	心拍出量
COPD	chronic obstructive pulmonary disease	慢性閉塞性肺疾患
Cp	ceruloplasmin	セルロプラスミン
CP	constrictive pericarditis	収縮性心外膜炎
CPK	creatine phosphokinase	クレアチンホスホキナーゼ
CPM	central pontine myelinolysis	中心性橋髄鞘融解症
CPPD	calcium pyrophosphate dihydrate	ピロリン酸カルシウム二水和物結晶
CPR	C-peptide immunoreactivity	Cペプチド免疫測定値
CPR	cardiopulmonary resuscitation	心肺蘇生法
Cr	creatinine	クレアチニン
CRAO	central retinal artery occlusion	網膜中心動脈閉塞症
CRP	C reactive protein	C反応蛋白
CRVO	central retinal vein occlusion	網膜中心静脈閉塞症
CSD	cat-scratch disease	ネコひっかき病
CTZ	chemoreceptor trigger zone	化学受容体誘発帯
CVA	costovertebral angle	肋骨脊柱角
CVID	common variable immunodeficiency	分類不能型免疫不全症

D

DCR	damage control resuscitation	ダメージコントロール蘇生術
DCS	damage control surgery	ダメージコントロール手術

DGI	disseminated gonococcal infection	播種性淋菌感染症
DIC	disseminated intravascular coagulation	播種性血管内凝固症候群
DIHS	drug-induced hypersensitivity syndrome	薬剤性過敏症症候群
DIP(関節)	distal interphalangeal(joint)	遠位指節間(関節)
DKA	diabetic ketoacidosis	糖尿病性ケトアシドーシス
DLB	dementia with Lewy bodies	Lewy小体型認知症
DLBD	diffuse Lewy body disease	びまん性レヴィ小体病
DL_{co}	carbon monoxide diffusing capacity	一酸化炭素拡散能
DLST	drug lymphocyte stimulation test	薬剤リンパ球刺激テスト
DMARDs	disease-modifying antirheumatic drugs	疾患修飾性抗リウマチ薬
DNAR	do not attempt resuscitation	(蘇生のための処置を試みない用語)
DQ	developmental quotient	発達指数
DT	delirium tremens	振戦せん妄
DVT	deep venous thrombosis	深部静脈血栓症
DWI	diffusion-weighted imaging	拡散強調画像(法)

E

EBV	Epstein-Barr virus	エプスタイン・バーウイルス
ECG	electrocardiogram	心電図
EDS	Ehlers-Danlos syndrome	エーラース・ダンロス症候群
EEG	electroencephalogram	脳波図
EEP	end-expiratory position	安静呼気位
EGPA	eosinophilic granulomatosis with polyangiitis	好酸球性多発血管炎性肉芽腫症
EHEC	enterohemorrhagic Escherichia coli	腸管出血性大腸菌
EIA	enzyme immunoassay	酵素免疫測定法
EIP	end-inspiratory position	安静吸気位
EKC	epidemic keratoconjunctivitis	流行性角結膜炎
EMR	endoscopic mucosal resection	内視鏡的粘膜切除術
EOM	extraocular movement	眼球外運動
ER	emergency room	救急室
ERBD	endoscopic retrograde biliary drainage	内視鏡的胆道ドレナージ
ERCP	endoscopic retrograde cholangiopancreatography	内視鏡的逆行性胆管膵管造影
ERV	expiratory reserve volume	予備呼気量
ESD	endoscopic submucosal dissection	内視鏡的粘膜下層剥離術
ESR	erythrocyte sedimentation rate	赤沈値
EST	endoscopic sphincterotomy	内視鏡的括約筋切開術
EULAR	European League against Rheumatic Diseases	欧州リウマチ学会
EUS	endoscopic ultrasoundscopy	超音波内視鏡

F

- **FDG-PET** fluorodeoxyglucose positron emission tomography　フルオロデオキシグルコースPET
- **FDP** fibrin degradation product　フィブリン分解産物
- **FENa** fractional excretion rate of sodium　ナトリウム分画排泄率
- **FEUN** fractional excretion of urea nitrogen　尿素窒素分画排泄率
- **FFP** fresh frozen plasma　新鮮凍結血漿
- **FHC(症候群)** Fitz-Hugh-Curtis(syndrome)　フィッツ・ヒュー・カーチス(症候群)
- **FMF** familial Mediterranean fever　家族性地中海熱
- **FNA(細胞診)** fine-needle aspiration(cytology)　穿刺吸引(細胞診)
- **FRC** functional residual capacity　機能的残気量
- **FTD** frontotemporal dementia　前頭側頭型認知症
- **FTT** failure to thrive　発育障害
- **FUO** fever of unknown origin　不明熱

G

- **GBM** glomerular basement membrane　糸球体基底膜
- **GCS** Glasgow Coma Scale　グラスゴーコーマスケール
- **GCSE** generalized convulsive status epilepticus　全身痙攣重積状態
- **GERD** gastroesophageal reflux disease　胃食道逆流症
- **GGT** γ-glutamyl transpeptidase　γ-グルタミルトランスペプチターゼ
- **GIST** gastrointestinal stromal tumor　消化管間質腫瘍
- **Glu** glucose　ブドウ糖
- **GPA** granulomatosis with polyangiitis　多発血管炎性肉芽腫症
- **GVHD** graft-versus-host disease　移植片対宿主病

H

- **HACEK** *Haemophilus species*(*H.parainfluenzae, H.aphrophilus, H.paraphrophilus*), *Actinobacillus actinomycetemcomitans, Cardiobacterium hominis, Eikenella corrodens*, and *Kingella kingae*(IEを来し得る遅育性グラム陰性桿菌群)
- **HAM** HTLV-1-associated myelopathy　HTLV-1関連脊髄症
- **HAV** hepatitis A virus　A型肝炎ウイルス
- **Hb** hemoglobin　ヘモグロビン
- **HBV** hepatitis B virus　B型肝炎ウイルス
- **hCG** human chorionic gonadotropin　ヒト絨毛性ゴナドトロピン
- **HCV** hepatitis C virus　C型肝炎ウイルス
- **HDS-R** Hasegawa's Dementia Scale-Revised　改訂長谷川式簡易知能評価スケール

HE(染色)	hematoxylin-eosin(staining)	ヘマトキシリン・エオシン(染色)
HELLP(症候群)	hemolysis, elevated liver enzymes, and low platelets (syndrome)	ヘルプ(症候群)
HEV	hepatitis E virus	E型肝炎ウイルス
H-FABP	human heart fatty acid binding protein	ヒト心臓由来脂肪酸結合蛋白
HHC	hyperosmolar hyperglycemic coma	高浸透圧性高血糖性昏睡
HHT	hereditary hemorrhagic telangiectasia	遺伝性出血性末梢血管拡張症
HHV	human herpes virus	ヒトヘルペスウイルス
HIV	human immunodeficiency virus	ヒト免疫不全ウイルス
HJR	hepatojugular reflux	肝頸静脈逆流
HLA	human leukocyte antigen	ヒト白血球抗原
Hp	haptoglobin	ハプトグロビン
HPF	high-power field	強拡大視野
HR	heart rate	心拍数
HRCT	high resolution CT	高分解能CT
HSV	herpes simplex virus	単純ヘルペスウイルス
Ht	hematocrit	ヘマトクリット
HTLV	human T-cell leukemia virus	成人T細胞白血病ウイルス
HUS	hemolytic uremic syndrome	溶血性尿毒症症候群

I

IABP	intra-aortic balloon pumping	大動脈内バルーンパンピング
I-ADL	instrumental activities of dairy living	手段的日常生活動作
IBD	inflammatory bowel disease	炎症性腸疾患
IC	inspiratory capacity	最大吸気量
ICD	implantable cardioverter defibrillator	植込み型除細動器
ICSD	International Classification of Sleep Disorders	睡眠障害国際分類
ICU	intensive care unit	集中治療室
IE	infective endocarditis	感染性心内膜炎
IGRA	interferon-gamma release test	インターフェロン-γ遊離検査
IHCA	in-hospital cardiac arrest	院内心停止
IP(関節)	interphalangeal(joint)	指節間(関節)
IPH	idiopathic portal hypertension	特発性門脈圧亢進症
IRI	immunoreactive insulin	血中インスリン値
IRV	inspiratory reserve volume	予備吸気量
iv	intravenous injection	静注
IVC	inferior vena cava	下大静脈
IVDA	intravenous drug abuse	静脈内薬物乱用
IVIg	intravenous immunoglobulin	静注用免疫グロブリン

IVL	intravascular lymphomatosis	血管内リンパ腫
IVP	intravenous pyelography	静脈性腎盂造影
IVR	interventional radiology	画像可治療

J

JCS	Japan Coma Scale	ジャパンコーマスケール
JVD	jugular venous distention	頸静脈怒張

K

KAST	Kurihama Alcoholism Screening Test	久里浜式アルコール依存症スクリーニングテスト
KUB	[plain film of] kidney, ureter and bladder	腎尿管膀胱部単純X線撮影

L

LAC	lupus anticoagulant	ループス抗凝固因子
LAP	leucine aminopeptidase	ロイシンアミノペプチダーゼ
LD	learning disabilities	学習障害
LDH	lactate dehydrogenase	乳酸脱水素酵素
LEMS	Lambert-Eaton myasthenic syndrome	ランバート・イートン筋無力症症候群
LES	lower esophageal sphincter	下部食道括約筋
LPS	lipopolysaccharide	リポ多糖
LR	likelihood ratio	尤度比

M

MAHA	microangiopathic hemolytic anemia	微小血管症性溶血性貧血
MAT	multifocal atrial tachycardia	多源性心房頻拍
MCA	middle cerebral artery	中大脳動脈
MCI	mild cognitive impairment	軽度認知障害
MCP(関節)	metacarpophalangeal (joint)	中手指節(関節)
MCTD	mixed connective tissue disease	混合性結合組織病
MCV	mean corpuscular volume	平均赤血球容積
MEN	multiple endocrine neoplasia	多発性内分泌腫瘍
MEP	maximal expiratory position	最大呼気位
MERS	Middle East respiratory syndrome	中東呼吸器症候群
MG	myasthenia gravis	重症筋無力症
MGUS	monoclonal gammopathy of undetermined significance	良性単クローン性γグロブリン異常症
MIP	maximal inspiratory position	最大吸気位
MMSE	Mini Mental State Examination	ミニメンタルステート検査

MoCA-J　Japanese version of Montreal Cognitive Assessment　日本語版MoCA
MODS　multiple organ dysfunction syndrome　多臓器障害
MPA　microscopic polyangiitis　顕微鏡的多発血管炎
MPGN　membranoproliferative glomerulonephritis　膜性増殖性糸球体腎炎
MRA　magnetic resonance angiography　磁気共鳴血管造影
MRCP　magnetic resonance cholangiopancreatography　磁気共鳴胆道膵管造影
MRSA　methicillin-resistant *Staphylococcus aureus*　メチシリン耐性黄色ブドウ球菌
MS　multiple sclerosis　多発性硬化症
MSA　multiple system atrophy　多系統萎縮症
MTP(関節)　metatarsophalangeal(joint)　中足指節(関節)
MuSK　muscle specific tyrosine kinase　筋特異的チロシンキナーゼ
MvK(欠損症)　mevalonate kinase(deficiency)　メバロン酸キナーゼ(欠損症)

N

NCNP　National Center of Neurology and Psychiatry　国立精神・神経医療研究センター
NCSE　non-convulsive status epilepticus　非痙攣性てんかん重積状態
NG(チューブ)　nasogastric(tube)　NG(チューブ)
NHL　non-Hodgkin's lymphoma　非ホジキンリンパ腫
NK/T(細胞)　natural killer/T(-cell)　ナチュラルキラー/T(細胞)
NMO　neuromyelitis optica　視神経脊髄炎
NMP　nuclear matrix protein　尿中核マトリックス蛋白
NMS　neuroleptic malignant syndrome　抗精神病薬などによる悪性症候群
NOMI　nonocclusive mesenteric ischemia　非閉塞性腸管虚血
NPH　normal pressure hydrocephalus　正常圧水頭症
NSAIDs　non-steroidal anti-inflammatory drugs　非ステロイド抗炎症薬
NYHA　New York Heart Association　ニューヨーク心臓協会

O

OCR　oculocephalic reflex　眼球頭反射(人形の目現象)
OGTT　oral glucose tolerance test　経口ブドウ糖負荷試験
OHCA　out-of-hospital cardiac arrest　院外心停止
OPCA　olivopontocerebellar atrophy　オリーブ橋小脳萎縮症
OPLL　ossification of posterior longitudinal ligament　後縦靱帯骨化症
OWR(病)　Osler-Weber-Rendu(disease)　オスラー・ウェーバー・ランデュ(病)

P

PABA	para-aminobenzoic acid	パラアミノ安息香酸
PaCO₂	arterial carbon dioxide tension	動脈血二酸化炭素分圧
P-ANCA	perinuclear anti-neutrophil cytoplasmic antibody	核周辺型抗好中球細胞質抗体
PaO₂	arterial oxygen tension	動脈血酸素分圧
PBC	primary biliary cirrhosis	原発性胆汁性肝硬変
PBI	prognostic burn index	熱傷予後指数
PC	platelet concentrates	濃厚血小板
PCI	percutaneous coronary intervention	経皮的冠動脈形成術
PCP	phencyclidine	フェンシクリジン
PCPS	percutaneous cardiopulmonary support	経皮的心肺補助
PCR	polymerase chain reaction	核酸増幅
PCWP	pulmonary capillary wedge pressure	肺動脈楔入圧
PE	pulmonary embolism	肺塞栓症
PFD(テスト)	pancreatic functional diagnostant(test)	膵外分泌機能(テスト)
PID	pelvic inflammatory disease	骨盤内炎症性疾患
PIP(関節)	proximal interphalangeal(joint)	近位指節間(関節)
PKU	phenylketonuria	フェニルケトン尿症
PMR	polymyalgia rheumatica	リウマチ性多発筋痛症
PN	polyarteritis nodosa	結節性多発動脈炎
PNFA	progressive nonfluent aphasia	進行性非流暢性失語
POEMS(症候群)	polyneuropathy, organomegaly, endocrinopathy, M-protein, and skin changes(syndrome)	
PPA	phenylpropanolamine	フェニルプロパノールアミン
PPD	purified protein derivative of tuberculin	精製ツベルクリン
PPI	proton pump inhibitor	プロトンポンプ阻害薬
PR3-ANCA	proteinase 3-antineutrophil cytoplasmic antibody	プロテアーゼ3抗好中球細胞質抗体
PRD's	potentially reversible dementias	治療により回復可能が望める認知機能低下
PSA	prostate specific antigen	前立腺特異抗原
PSC	primary sclerosing cholangitis	原発性硬化性胆管炎
PSP	progressive supranuclear palsy	進行性核上性麻痺
PT	prothrombin time	プロトロンビン時間
PTCD	percutaneous transhepatic cholangiole drainage	経皮経肝胆道ドレナージ
PTH	parathyroid hormone	副甲状腺ホルモン
PTHrP	parathyroid hormone-related peptide	副甲状腺ホルモン関連ペプチド

PT-INR prothrombin time-international normalized ratio プロトロンビン時間 - 国際標準化比
PTSD post-traumatic stress disorder 外傷後ストレス障害
PVC premature ventricular contraction 心室期外収縮

R

RA rheumatoid arthritis 関節リウマチ
RAPD relative afferent pupillary defect 相対性求心性瞳孔障害
RBC red blood cell 赤血球
RC red color sign 発赤所見
RCT randomized controlled trial ランダム化比較試験
RCVS reversible cerebral vasoconstriction syndrome 可逆性脳血管攣縮症候群
REBOA resuscitative endovascular balloon occlusion of the aorta 大動脈内バルーン遮断
RF rheumatoid factor リウマトイド因子
ROM range of motion 関節可動域
RPGN rapidly progressive glomerulonephritis 急速進行性糸球体腎炎
RPI reticulocyte production index 網状赤血球インデックス
RPLS reversible posterior leukoencephalopathy syndrome 可逆性後部白質脳症
RR respiratory rate 呼吸数
RSSSPE(症候群) remitting seronegative symmetrical synovitis with pitting edema(syndrome)
RV residual volume 残気量

S

SAH subarachnoid hemorrhage クモ膜下出血
SARS severe acute respiratory syndrome 重症急性呼吸器症候群
S-B(チューブ) Sengstaken-Blakemore(tube) ゼンクスターケン・ブレークモア(チューブ)
SBE subacute bacterial endocarditis 亜急性細菌性心内膜炎
SBP spontaneous bacterial peritonitis 特発性細菌性腹膜炎
SD semantic dementia 意味性認知症
SDS Self-rating Depression Scale 自己抑うつ評定法
SGA small for gestational age 胎内発育遅延
SIAD syndrome of inappropriate antidiuresis 過剰抗利尿症候群
SIADH syndrome of inappropriate secretion of antidiuretic hormone 抗利尿ホルモン分泌異常症
SIRS systemic inflammatory response syndrome 全身性炎症反応症候群
SJS Stevens-Johnson syndrome スティーヴンス・ジョンソン症候群

SLE	systemic lupus erythematosus	全身性エリテマトーデス
SMA	superior mesenteric artery	上腸間膜動脈
SMV	superior mesenteric vein	上腸間膜静脈
SND	striatonigral degeneration	線条体黒質変性症
SNRI	serotonin noradrenaline reuptake inhibitor	セロトニン・ノルアドレナリン再取り込み阻害薬
SOL	space occupying lesion	占拠性病変
SpO_2	oxygen saturation as measured by pulse oximetry	経皮的酸素飽和度
SSc	systemic sclerosis	全身性強皮症
SSRI	selective serotonin reuptake inhibitor	選択的セロトニン再取り込み阻害薬
SSSS	staphylococcal scalded skin syndrome	ブドウ球菌性熱傷様皮膚症候群
STD	sexually transmitted disease	性感染症
STS	serological test for syphilis	梅毒血清反応
SVC	superior vena cava	上大静脈
SvO_2	venous oxygen saturation	静脈血酸素飽和度
SVR	systemic vascular resistance	全身血管抵抗

T

T-Bil	total bilirubin	総ビリルビン
TBLB	transbronchial lung biopsy	経気管支肺生検
TBSA	total budy surface area	体表面積
T-Cho	total cholesterol	総コレステロール
TCR	T-cell receptor	T細胞レセプター
TEE	transesophageal echocardiography	経食道心エコー
TEN	toxic epidermal necrolysis	中毒性表皮壊死症
TIA	transient ischemic attack	一過性脳虚血発作
TIBC	total iron binding capacity	総鉄結合能
TLC	total lung capacity	全肺気量
TMA	thrombotic microangiopathy	血栓性微小血管症
TNF	tumor necrosis factor	腫瘍壊死因子
t-PA	tissue plasminogen activator	組織プラスミノーゲンアクチベーター
TRAPS	TNF receptor associated periodic syndrome	TNF受容体関連周期性発熱症候群
TSH	thyroid stimulating hormone	甲状腺刺激ホルモン
TSLS	toxic shock like-syndrome	毒素性ショック様症候群
TSS	toxic shock syndrome	毒素性ショック症候群
TTP	thrombotic thrombocytopenic purpura	血栓性血小板減少性紫斑病

U

UCG	ultrasound cardiography	心臓超音波検査

V

- **VaD** vascular dementia 血管性認知症
- **VATS** video-assisted thoracic surgery ビデオ胸腔鏡下手術
- **VC** vital capacity 肺活量
- **VF** ventricular fibrillation 心室細動
- **VGCC** voltage-gated calcium channel 電位依存性Caチャネル
- **VIP** vasoactive intestinal polypeptide 血管作動性腸管ポリペプチド
- **VIPoma** vasoactive intestinal polypeptide-secreting tumor VIP産生腫瘍
- **VT** ventricular tachycardia 心室頻拍
- **VZV** varicella-zoster virus 水痘・帯状疱疹ウイルス

W

- **WBC** white blood cell 白血球
- **WDHA(症候群)** watery diarrhea-hypokalemia-achlorhydria(syndrome) 水様下痢低カリウム血症無胃酸(症候群)
- **WPW(症候群)** Wolff-Parkinson-White(syndrome) ウォルフ・パーキンソン・ホワイト(症候群)

和文索引

ア

アーモンド臭　154
愛情遮断症候群　463
アカラシア　72
亜急性甲状腺炎　125
亜急性細菌性心内膜炎　50
亜急性心内膜炎　72, 74
悪性外耳道炎　122, 209, 213
悪性黒色腫　109
悪性腫瘍　45, 56, 66, 68, 72, 75, 284, 287, 407, 415, 432, 434
悪性症候群　121, 157, 407, 410
悪性リンパ腫　120, 123, 134, 206, 222
アクチノマイコーシス　93
アスペルガー症候群　467, 468
アスペルギルス症　72, 74
アセトン臭　76, 174, 282
アデノウイルス感染症　90
アトピー咳嗽　235, 238
アナフィラキシー　43, 81, 83, 100, 104, 225, 228, 345, 348
アナフィラキシー様反応　43
アナフィラクトイド紫斑病　107
アフリカトリパノソーマ症　92
アミロイドーシス　91
アルコール・抗不安薬の離脱状態　137, 170, 179
アルコール臭　154
アルコール性肝炎　115, 313
アルコール性小脳失調症　381, 389
アルコール離脱症候群　179
α_1アンチトリプシン欠損症　115
安定狭心症　255

イ

胃アニサキス症　321
胃炎　319
胃癌　75, 91, 274, 276, 284, 287
異型麻疹　109
異型輸血　112, 113
意識障害　150
意識障害へのアプローチ　152
胃軸捻転症　317
胃・十二指腸潰瘍　70, 284, 287
胃・十二指腸生検後出血　332, 339
胃食道逆流症　64, 231, 239, 264, 284, 287, 319
異所性（子宮外）妊娠　298, 310
胃洗浄　334
一次救命処置　24
胃腸炎　70, 317
一過性脳虚血発作　159, 166
遺伝性出血性末梢血管拡張症　183
異物誤嚥　225, 228, 241, 247
イレウス　298, 302, 355, 357
咽喉頭癌　225, 229
インスリノーマ　73, 79
インスリン自己免疫症候群　156
咽頭炎　70, 125
咽頭周囲炎　125
インフルエンザ　133

ウ

右室梗塞　257
うつ病　45, 54, 59, 61, 66, 68, 72, 76, 432, 435

エ

栄養障害　45, 55, 469
壊死性管外増殖性糸球体腎炎　412
壊死性筋膜炎　84, 96, 100, 102, 124
壊死性軟部組織感染症　122
壊死性リンパ節炎　131
壊疽性膿皮症　351
エルシニア感染症　322

和文索引（ア～カ）

嚥下障害　289
炎症性下痢　350
炎症性腸疾患　70, 72, 320, 322, 350, 351
延髄外側症候群　388

オ

嘔気　274
黄疸　111
黄熱（病）　124, 133, 138
オウム病　91, 124
横紋筋融解症　407, 410
オージオメトリー　213
悪心（嘔気）・嘔吐　274
オリーブ橋小脳萎縮症　386

カ

下位運動ニューロン徴候　292
壊血病　221
外耳道炎　125
外傷　209, 214, 370, 374, 454
海綿静脈洞血栓症　147
潰瘍性大腸炎　206, 320, 332, 342
化学損傷　225, 228
過換気症候群　152, 168, 193, 247, 252
可逆性後部白質脳症　170, 182, 201
学習障害　468
覚醒剤中毒　154
角膜炎　203, 205
下肢静脈不全　87
過剰抗利尿ホルモン症候群　54
過食症　70
下垂体機能不全　72
下垂体卒中　143
ガス産生菌感染症　124
ガストリノーマ　350, 354
かぜ症候群　235
家族性地中海熱　123, 330
脚気　81, 86

喀血　237, 332
褐色細胞腫　72, 267, 271, 438
カテーテル関連感染症　137
過粘度症候群　139, 146, 152, 198
かび臭　154
過敏性腸症候群　299, 320, 350, 358
カラアザール　92
カルシウムサイン　261
カルチノイド（症候群）　77, 350, 355, 438
加齢黄斑変性　201
カロテン血症　111
川崎病　100, 105, 134
肝炎　45, 50, 133
肝外胆道閉塞　112, 116
眼窩（周囲）蜂窩織炎　147, 203, 206
肝癌破裂　313
間欠熱　123
肝硬変（症）　70, 73, 78, 112, 115
肝静脈閉塞症　315
肝腎症候群　116
肝性脳症　170, 177, 334
癌性腹膜炎　304
癌性リンパ管症　251
関節炎―ウイルス性　379
関節痛　370
関節リウマチ　70, 91, 222, 225, 230, 329, 376
乾癬性関節炎　222
感染性心内膜炎　100, 108, 120, 132, 316, 370, 373, 401, 412
感染性腸炎　332, 341, 345, 348
癌転移　89, 94, 359, 362
肝内胆汁うっ滞　117
肝囊胞　315
肝膿瘍　314
肝脾腫　125
肝不全　45, 50

497

キ

- 機械工の手　293
- 期外収縮　273
- (気管支)喘息　59, 63, 241, 248
- 気胸　255
- 菊池-藤本病　90
- 気腫性腎盂腎炎　122
- 気腫性膵炎　122
- 気腫性胆囊炎　122
- 気腫性膀胱炎　122
- 寄生虫疾患　77
- 偽痛風　135, 374
- 気道熱傷　460
- 機能性ディスペプシア　316
- 機能性便秘　356
- 偽膜性大腸炎　137, 345, 349
- 逆流性食道炎　72
- 球後視神経炎　195, 200
- 吸収不良症候群　55, 72, 76, 350, 352
- 急性HIV感染症　100, 105
- 急性胃炎　284, 286
- 急性胃・十二指腸潰瘍　284, 286
- 急性移植片対宿主病　100, 104
- 急性胃腸炎　283
- 急性化膿性関節炎　370, 372
- 急性化膿性胆管炎　298, 305
- 急性肝炎　70, 112, 114, 313
- 急性間欠性ポルフィリン症　311
- 急性間質性肺炎　233, 237, 241, 248
- 急性冠症候群　152, 159, 163, 254, 258, 275, 338
- 急性胸郭外気道閉塞　241, 247
- 急性胸郭内気道閉塞　241, 248
- 急性下痢　345
- 急性呼吸窮迫症候群　133, 241, 248, 308
- 急性細菌性心内膜炎　133
- 急性細菌性副鼻腔炎　139, 147
- 急性散在性脳脊髄炎　388, 398
- 急性糸球体腎炎　407, 413
- 急性失血　159, 166
- 急性出血性直腸潰瘍　332, 342
- 急性腎盂腎炎　325, 418, 420
- (急性)心筋梗塞　66, 67, 241, 249, 257, 274, 279, 284, 286, 298, 302
- 急性腎障害　66, 68, 73, 78, 177, 426, 427
- 急性心膜炎　263
- 急性膵炎　70, 298, 307, 359, 363
- 急性前骨髄球性白血病　108
- 急性単関節炎　373
- 急性胆囊炎　298, 306
- 急性動脈閉塞症　400, 401
- 急性内耳障害　186, 190
- 急性汎発性発疹性膿皮症　100, 107
- 急性副腎不全　298, 312
- 急性閉塞隅角緑内障　203, 204
- 急性迷路炎　209, 214
- 急性緑内障発作　139, 147
- 急性レトロウイルス症候群　105, 120, 134
- 急速進行性糸球体腎炎　407, 411
- 胸郭出口症候群　405
- 凝固因子異常　100, 108, 218, 220
- 狭心症　284, 286, 288
- 強直性脊椎炎　206
- 胸痛　254
- 強皮症　296
- 強膜炎　125, 203, 206
- 胸膜炎　233, 236, 255, 263, 323
- 胸膜病変　241, 249
- 虚血性視神経症　195, 199
- 虚血性心疾患　251, 258, 300
- 虚血性大腸炎　321, 332, 341
- 虚血性腸炎　342
- 巨細胞性動脈炎　120, 131, 134, 195, 199

巨大結腸症候群　352
偽リウマチ　136
起立性低血圧　159, 166
筋萎縮性側索硬化症　72, 77, 289, 292, 382, 391, 438
緊急透析　429
筋骨格性胸痛　264
筋ジストロフィー　382, 397
菌状息肉症　103
緊張性気胸　233, 236, 241, 249, 254, 261

ク

腐った卵臭　154
くも膜下出血　142, 159, 166
クラミジア肺炎　124
クリオグロブリン血症　222
クリオグロブリン血症性血管炎　107
クリオグロブリン腎症　412
クロストリジウム敗血症　112, 113
群発頭痛　147

ケ

憩室炎　319, 341
憩室出血　332, 341
頸椎症　405
頸動脈解離　143
軽度認知障害　443
珪肺症　91
けいれん発作　170
劇症肝炎　66, 68
血液分布異常性ショック　34, 42
結核　49, 72, 74, 93, 123, 126, 131, 132, 206, 221, 222, 225, 230, 250, 322
結核性髄膜炎　144
血管炎　45, 56, 72, 89, 91, 97, 131, 170, 182
血管炎症候群　120, 126, 134

血管外溶血　117
血管形成異常　332, 342
血管性認知症　442, 447
血管内溶血　112, 113
血管浮腫　81, 83, 100, 104, 225, 228, 241, 247
血気胸　241, 249
血球貪食症候群　129, 131
月経困難症　327
月経随伴性気胸　327
月経前緊張症　87
血小板異常　218, 220
血小板減少症　100, 108
結晶誘発性関節炎　374
結節性硬化症　469
結節性多発動脈炎　329, 412
血栓性血小板減少性紫斑病　128, 412
血栓性静脈炎　137
血尿　407
結膜炎　125, 203, 205
結膜下出血　208
結膜充血　203
下痢　345
原発性硬化性胆管炎　116, 351
顕微鏡的多発血管炎　107, 134, 412

コ

高Ca血症　54, 66, 68, 274, 282, 311, 355, 396
高CO_2血症　139, 145
抗GBM抗体関連疾患　412
高IgD症候群　123
高Mg血症　154, 396
高Na血症　170, 175, 396
後咽頭膿瘍　225, 227, 289, 291
高エネルギー外傷　35
睾丸炎　126
後期ダンピング症候群　272
口腔内乾燥症　289, 295

高血圧　　251, 300
高血圧クリーゼ　　143
高血圧性網膜症　　195
高血糖　　170, 174
膠原病　　45, 56, 72, 89, 97, 100, 105, 170, 182
好酸球性食道炎　　317
好酸球性多発血管炎性肉芽腫症　　107, 134, 412
好酸球増多症　　87
高次機能障害　　384
後縦靱帯骨化症　　404
甲状腺炎　　75
甲状腺機能異常　　45, 57
甲状腺機能亢進症　　65, 70, 72, 75, 267, 269, 271, 350, 353, 432, 434
甲状腺機能低下症　　70, 73, 78, 87, 111, 382, 432, 434, 465
甲状腺クリーゼ　　117, 137, 154, 170, 179, 345, 348
甲状腺腫瘍　　225, 229
高体温症　　120, 150, 157
喉頭アミロイドーシス　　225, 230
喉頭異物　　225, 228
喉頭蓋炎　　96, 225, 227, 241, 247, 289, 291
喉頭外傷　　225, 228
喉頭潰瘍　　225, 230
喉頭筋性麻痺　　231
喉頭不規則性運動　　231
喉頭無力症　　231
口内炎　　70
紅皮症　　100, 103, 105
後鼻漏症候群　　238
後腹膜線維症　　85, 359, 364
後腹膜リンパ節腫脹　　85
後部ぶどう膜炎　　195
硬膜外膿瘍　　359, 361
絞扼性腸閉塞　　302
抗リン脂質抗体症候群　　170, 182, 262, 315, 340, 412

誤嚥　　241, 248
呼吸困難　　241
コクシジオイデス症　　91, 92
黒色腫　　90
骨髄炎　　132
骨折　　225, 228, 370, 374
骨盤内悪性腫瘍　　418, 421
骨盤内炎症性疾患　　126, 326, 418, 421
古典的結節性多発動脈炎　　120, 134
孤発性脳血管炎　　134
孤発性皮質性小脳萎縮症　　389
コレステロール塞栓症　　100, 108
混合性結合組織病　　91, 222
コンパートメント症候群　　102, 400, 403

サ

細菌性髄膜炎　　120, 132, 144
再発性多軟骨炎　　222
鎖骨下動脈盗血症候群　　160
嗄声　　225
詐熱　　136
サルコイドーシス　　72, 90, 126, 131, 132, 206, 221, 222, 225, 230
塹壕熱　　123

シ

志賀毒素　　349
ジカ熱　　109
子宮外妊娠　　159, 166
子宮癌　　418, 421
子宮頸管炎　　126
子宮内膜症　　327
子宮破裂　　328
自己免疫性肝炎　　115
脂質異常症　　300
四肢のしびれ　　400
痔出血　　332, 343
思春期早発症　　465

視神経脊髄炎　200
自然気胸　254, 261
失神　159
失調呼吸　153
耳毒性薬物　186, 192
歯肉炎　70
紫斑病性腎炎　412
ジフテリア　225, 230
自閉症スペクトラム障害　468
耳鳴　210
若年性鼻咽頭血管線維腫　218, 222
若年突然死　270
縦隔腫瘍　85, 225, 229
縦隔線維症　85
縦隔リンパ節腫脹　85
周期性好中球減少症　123
周期性四肢運動障害　64
周期性四肢麻痺　382, 396
収縮性心外膜炎　81, 85
重症筋無力症　72, 77, 241, 249, 289, 294, 382, 394, 438
重症膠原病　412
重症心臓弁膜症　412
重症妊娠高血圧　412
重症貧血　241, 249
重症弁膜症　241, 249
重度脊椎側彎後彎症　251
終末期の症候　471
手根管症候群　392, 405, 406
術後潰瘍　332, 338
腫瘍随伴症候群　72, 77, 118, 388
循環血液量減少性ショック　34, 41
上位運動ニューロン徴候　292, 421
常位胎盤早期剝離　298, 311
上咽頭腫瘍　209, 214, 221
消化管出血　66, 67, 159, 166, 345, 348
上顎癌　221

消化性潰瘍　72, 274, 276, 319, 331, 336
上強膜炎　125, 203, 206
猩紅熱　109
硝子体出血　195, 200
上大静脈症候群　82, 89
小腸アニサキス症　321
上腸間膜静脈閉塞症　332, 340
上腸間膜動脈症候群　72, 299, 323
上腸間膜動脈性十二指腸閉塞　323
上腸間膜動脈閉塞症　332, 340
小脳橋角部腫瘍　209, 215
小脳・脳幹卒中　186, 192
上腹部愁訴　316
上部消化管悪性腫瘍　331, 337
上部消化管出血　284, 286
小網梗塞　318
ショール徴候　293
職業性難聴　216
食道炎　332, 338
食道潰瘍　332, 338
食道癌　75, 225, 229, 284, 287
食道静脈瘤　284, 286, 331, 333, 335
食道破裂　254, 255, 263, 284, 286
食欲不振　66
ショック　34, 35, 150, 155, 426, 427
視力障害　195
心因性失声　231
腎盂腎炎　274, 279, 325, 418, 420
腎炎症候群　409
心外膜炎　255
心外膜ノック音　86
心筋炎　241, 249, 255
心筋梗塞　137, 241, 249, 257, 265, 270
心筋症　270
真菌症　225, 230
真菌性眼内炎　125

神経筋疾患　　241, 249
神経根障害　　328, 366
神経遮断薬性悪性症候群　　152
神経性食思不振症　　69, 70, 72, 77, 111, 274, 283
神経線維腫症　　469
深頸部感染症　　225, 227
深頸部膿瘍　　289, 291
神経変性疾患　　289, 292
心原性失神　　159, 163, 164
心原性ショック　　34, 41
進行性核上性麻痺　　289, 292, 381
腎梗塞　　325, 359, 360
心室性不整脈　　267, 269, 270
心室頻拍　　269
侵襲性真菌症　　221
真珠腫　　216
尋常性天疱瘡　　100, 106
真性多血症　　315
心臓突然死　　258
迅速ACTH負荷テスト　　52
心タンポナーデ　　241, 249
心的外傷後ストレス障害　　437
浸透圧性下痢　　350
心内膜炎　　109, 125, 132
腎嚢胞内感染・出血　　324
塵肺症　　251
心（肺）停止　　150, 155, 452
深部静脈血栓症　　81, 126, 261, 365
心不全　　45, 46, 59, 61, 66, 67, 73, 78, 81, 233, 236, 251, 267, 273, 335
腎不全　　45, 51, 73, 78, 81, 365
心房細動　　267, 268, 271, 401

ス

膵炎　　340
膵癌　　75, 91
膵管出血　　332, 339
水腎症　　365
水頭症　　274, 279
水痘・帯状疱疹ウイルス感染症　　100, 106
髄膜炎　　70, 126, 139, 143, 170, 182, 274, 280
髄膜炎菌感染症　　100, 108
髄膜炎菌血症　　109
睡眠時無呼吸症候群　　57, 59, 62
頭蓋内出血　　139, 142
頭蓋内病変　　195, 201, 274, 279
頭痛　　139
スポロトリコーシス　　90

セ

性感染症　　420
正常圧水頭症　　381, 385
成人Still病　　132, 136
精巣捻転　　325
声帯溝症　　227, 230
成長（発育）障害　　463
静脈ライン刺入部静脈炎　　126
生理的倦怠感　　57
咳・痰　　233
脊髄圧迫　　418, 421
脊髄小脳変性症　　381, 389
脊髄損傷　　43, 400, 403
脊髄癆　　382, 390
咳喘息　　235, 238
脊柱管狭窄症　　367, 405
脊椎圧迫骨折　　359, 364
脊椎関節炎　　368, 378
脊椎骨髄炎　　359, 361
舌炎　　69
摂食障害　　70
セロトニン症候群　　120, 135, 154
前失神　　193
線条体黒質変性症　　386
全身倦怠感　　45
全身性エリテマトーデス　　100, 105, 170, 182, 251, 377
全身性炎症反応症候群　　124
全身性強皮症　　412
全身性硬化症　　222

全身性毛細血管漏出症候群　82
前脊髄動脈症候群　382, 391
仙腸関節炎　351
前頭側頭型認知症　442, 449
前立腺炎　418, 420
前立腺癌　418, 421

ソ

早期ダンピング症候群　272
総胆管結石　274, 279
象皮症　86
躁病　59, 63
創部感染症　137
側頭動脈炎　72, 77, 120, 134, 139, 146, 195, 199
阻血性骨壊死　375
鼠咬熱　109
組織球性壊死性リンパ節炎　90

タ

第3脳室コロイド嚢胞　143
体質性黄疸　117
代謝性脳症　139, 145
体重減少（るい痩）　72, 74
体重増加　72, 78
体重増加不全　465
帯状疱疹　106, 255, 264, 265, 329, 405
大静脈閉塞　81, 85
大腿神経伸展試験　367
大腸癌　91, 350, 354, 355, 358
大動脈炎　125, 132
大動脈解離　159, 163, 225, 229, 254, 255, 259, 260, 265, 298, 301, 359, 360
大動脈周囲炎　125
大動脈-腸管瘻　332, 340
大動脈内バルーン遮断　457
大動脈弁狭窄症　159, 163, 342
大動脈瘤　225, 229, 298, 300, 359, 360, 368

第2期梅毒　109
大脳低酸素状態　170, 175
大網梗塞　318
大網捻転症　318
高安動脈炎　125, 134
多形紅斑　109
多系統萎縮症　289, 292, 418, 422
多形皮膚萎縮症　293
多源性心房頻拍　268
多中心性Castleman病　131, 132
脱水　45, 48, 72, 75
多発血管炎性肉芽腫症　91, 107, 134, 221, 222, 225, 230, 251, 412
多発性筋炎　289, 293, 382, 397
多発性硬化症　209, 215, 388, 398
多発性骨髄腫　146, 359, 362, 368
多発性単神経炎　126, 392
多発ニューロパチー　392
ダメージコントロール手術　457
胆管癌　75
単純ヘルペスウイルス感染症　100, 106
胆石（症）　70, 274, 279, 312
短腸症候群　77, 353
胆道出血　332, 339
単ニューロパチー　392
胆嚢炎　274, 279
胆嚢癌　75
胆嚢捻転症　315
蛋白漏出性胃腸症　55, 77, 81, 84
ダンピング症候群　268

チ

注意欠陥/多動性障害　468
中耳炎　125, 209, 213
中心性橋髄鞘融解症　176
虫垂炎　274, 276, 277, 298, 308, 330
中毒性甲状腺腫　75
中毒性表皮壊死症　100, 105
聴覚障害　209

腸管ベーチェット　329
腸間膜虚血　298, 301
腸間膜リンパ節炎　322
腸結核　322
腸重積　318
聴神経鞘腫　209, 215
聴性脳幹反応　213
腸チフス　92, 109, 124, 133, 138
腸閉塞　70, 274, 277, 298, 302, 355, 357
腸腰筋徴候　362
直腸癌　418, 421
沈下性浮腫　87

ツ

椎間板炎　359, 361
椎間板ヘルニア　366, 405
椎骨動脈解離　143
椎骨脳底動脈循環障害　186, 192
痛風　374
ツツガムシ病　109, 124

テ

手足口病　109
低Ca血症　170, 175, 352, 396
低K血症　54, 396
低Mg血症　170, 175
低Na血症　53, 170, 175, 396
低P血症　170, 175, 396
低アルブミン血症　84, 352
低栄養　81, 84
低γグロブリン血症　91
低血糖　139, 145, 150, 155, 170, 174, 267, 272
低コレステロール血症　352
低酸素血症　139, 145, 150, 156
低身長　465
低蛋白血症　352
ティンパノメトリー　213
鉄欠乏症　64
鉄欠乏性貧血　288

電解質異常　45, 53, 66, 68, 170, 175
てんかん　469
デング熱　109, 124, 133
伝染性単核球症　90, 134
天然痘　109

ト

動悸　267
銅欠乏症　390
統合失調症　59, 63
動静脈奇形　171, 183
洞性頻脈　268
糖尿病　70, 72, 75, 111, 300, 382, 426, 429
糖尿病性ケトアシドーシス　66, 67, 274, 282, 298, 311
糖尿病性網膜症　195
頭部外傷　170, 181
トキソプラズマ症　90
毒素性ショック症候群　42, 100, 102, 120, 132, 345, 348
毒素性ショック様症候群　100, 102
特発性細菌性腹膜炎　303
特発性脳脊髄圧低下症　143
特発性浮腫　88
吐血・下血　331
突発性難聴　209, 214

ナ

ナットクラッカー症候群　299, 324
ナルコレプシー　168
軟骨石灰化症　135

ニ

二次救命処置　26
日本紅斑熱　109
日本住血吸虫症　335
乳癌　90, 145

ニューロパチー 64
尿管結石 325
尿失禁 418, 423
尿臭 154
尿道炎 126
尿毒症 59, 61, 64, 170, 177, 311
尿閉 325, 426, 428
尿崩症 426, 430
尿量異常 426
尿路感染症 137, 407, 414
尿路結核 415
尿路結石 407, 415
人形の目現象 153
妊娠 66, 68, 87, 159, 166, 274, 281, 298, 310
認知症 70, 442, 446, 447, 448, 449
ニンニク臭 154

ネ

ネコひっかき病 90, 206
熱傷 225, 228, 459
熱帯熱マラリア 120, 133
ネフローゼ症候群 73, 78, 81, 82, 84, 111, 262, 304, 414
粘液水腫 225, 229

ノ

脳炎 139, 143, 170, 182, 274, 280
脳幹血管障害 209, 215
脳幹腫瘍 209, 215
脳幹症状の4D's 187
脳幹脳炎 381, 388
脳血管障害 63, 150, 156, 159, 166, 170, 180, 274, 279, 381, 384, 388, 400, 402
脳血管性パーキンソニズム 381, 386
脳腫瘍 63, 70, 139, 145, 170, 180, 274, 279, 381, 384, 388
脳静脈洞血栓症 143
脳卒中 154, 201

脳膿瘍 126, 139, 143, 147, 170, 182
脳浮腫 139, 145
膿疱性乾癬 109

ハ

パーキンソン症候群 187, 193, 292, 446
パーキンソン病 63, 70, 289, 292, 381, 386
パーキンソンプラス症候群 381, 387
肺炎 233, 236, 237, 241, 248, 255, 263, 323, 330
肺癌 90, 145, 225, 229, 233, 237
肺気腫 250
肺結核 233, 237
敗血症 66, 67, 108, 120, 124, 132
敗血症性頸静脈血栓性静脈炎 225, 227
肺血栓塞栓症 241, 249, 254, 255, 261
肺高血圧症 225, 229
肺梗塞 255
肺・腎症候群 134
肺塞栓症 137, 159, 163, 233, 236, 323
梅毒 132, 206, 221, 222, 225, 230
排尿困難 418
排尿障害 418
拍動性耳鳴 210
白内障 201
播種性血管内凝固症候群 100, 107, 124, 220, 308, 412
播種性淋菌感染症 100, 107
バセドウ病 75
白血球破砕性血管炎 100, 104, 107
白血病 89, 94, 100, 108, 124, 206, 218, 220
発達障害 467

発熱　119
パニック障害　59, 63, 264, 405, 432, 437
パニック症候群　268
馬尾症候群　355, 359, 363, 400, 404, 418, 421
バベシア症　124
原田病　206
パラチフス　124
汎下垂体機能低下症　66, 67
反応性関節炎　206

ヒ

非Hodgkinリンパ腫　91, 222
鼻炎　125
非痙攣性てんかん重積状態　150, 157
脾梗塞　316
鼻出血　218
微小血管症性溶血性貧血　112, 113, 412
非心原性肺水腫　241, 248
ヒステリー　231
ヒストプラズマ症　90, 92
肥大型心筋症　270
ビタミンB_{12}欠乏　382, 390
ビタミンC欠乏症　221
左腎静脈捕捉症候群　324
鼻中隔穿孔　218, 222
鼻脳型ムコール症　122
脾膿瘍　316
脾破裂　315
皮膚悪性腫瘍　109
皮膚筋炎　100, 105, 289, 293, 382, 397
皮膚描記症　101
飛蚊症　200
肥満細胞腫　438
肥満指数　73
びまん性Lewy小体病　381
びまん性汎細気管支炎　250

百日咳　238
（非溶連菌性）感染症後急性糸球体腎炎　414
非淋菌性化膿性関節炎　373
貧血　45, 47, 267, 273

フ

不安・抑うつ　432
不安障害　59, 63, 432, 437
不安定狭心症　258
風疹　90, 109
封入体筋炎　382, 397
フェニルケトン尿症　469
腹腔動脈起始部圧迫症候群　323
副睾丸炎　126
副甲状腺機能亢進症　70
副腎クリーゼ　137, 312
副腎不全　45, 52, 66, 67, 72, 311, 330, 345, 348, 438
腹痛　298
フグ毒・海魚毒中毒　382, 394
副鼻腔炎　125, 250
副鼻腔気管支症候群　235, 238
腹部アンギナ　72, 77
腹部大動脈瘤　333, 359, 360
腹部大動脈瘤破裂　298, 300
腹部皮神経絞扼症候群　329
腹壁痛　328
腹膜炎　298, 303
腹膜垂炎　322
浮腫　81
ブドウ球菌性熱傷様皮膚症候群　100, 103
ぶどう膜炎　125, 203, 206, 351
不眠　59
不明熱　121
プリオン病　154
フルーツ臭　154, 282
ブルセラ症　123, 124, 206
プロテインC欠損症　340
プロテインS欠損症　340

ヘ

分泌性下痢　350
分類不能型免疫不全症　91

閉眼足踏み試験　188
閉経後症候群　438
閉塞性細気管支炎　241, 248
閉塞性ショック　34, 42
閉塞性睡眠時無呼吸症候群　230
閉塞性動脈硬化症　367
閉塞性肥大型心筋症　159, 163
βリポ蛋白欠損症　352
ヘモグロビン尿　407
ヘリオトロープ疹　105, 293, 397
ベロ毒素　349
便通異常　345
扁桃周囲膿瘍　96, 225, 227, 289, 291
便秘　321, 345, 355

ホ

ポイキロデルマ　293
蜂窩織炎　91, 96, 126
膀胱炎　422
膀胱癌　418, 421
膀胱直腸障害　355, 358
放射線性腸炎　332, 343
傍腫瘍症候群　152, 393, 442
歩行障害・脱力　381
発作性上室頻拍　269
発作性夜間血色素尿症　315
発疹　99
ボツリヌス中毒　241, 249, 289, 294, 382, 395
ポリソムノグラフィ　62
ホルター心電図　165
ポルフィリン症　170, 179, 330
ボレリア症　123

マ

マクログロブリン血症　146

麻疹　109
末梢性顔面神経麻痺　213
末梢性ポリニューロパチー　405
末端肥大症　225, 229
マラリア　112, 113, 123, 124
慢性肝炎　112, 115
慢性肝不全　81, 84
慢性気管支炎　250
慢性下痢　350
慢性喉頭炎　225, 230
慢性硬膜下血腫　381, 385
慢性呼吸不全　66, 67
慢性糸球体腎炎　407, 413
慢性腎不全　73, 78, 177
慢性膵炎　70, 72, 77, 314, 333
慢性中毒　469
慢性閉塞性肺疾患　59, 63
慢性リンパ性白血病　90

ミ

ミオグロビン尿　407
ミトコンドリア脳筋症　465

ム

ムコール症　203, 207
無石性胆嚢炎　137
胸やけ　284

メ

メトヘモグロビン血症　146
メニエール病　209, 215
めまい　186
メラノーマ　110
綿花様白斑　125

モ

網膜静脈分枝閉塞症　195, 200
網膜中心静脈閉塞症　195, 200
網膜中心動脈閉塞症　195, 199
網膜剥離　195, 200
網脈絡膜炎　125

もの忘れ　441
もやもや病　160, 384
門脈圧亢進症　335, 340

ヤ

薬剤過敏性血管炎　107
薬剤性―筋疾患　382, 396
薬剤性―食欲不振　69
薬剤性―体重増加　73, 79
薬剤性―動悸　267, 271
薬剤性―排尿障害　422
薬剤性―鼻出血　218, 223
薬剤性―不安・抑うつ　432, 434
薬剤性―不眠　59, 63
薬剤性―めまい　187, 193
薬剤性―リンパ節腫脹　89, 97
薬剤性過敏症症候群　100, 104
薬剤性肝炎　313
薬剤性嗄声　225, 230
薬剤性浮腫　88
薬剤熱　132, 136
薬疹　100, 104
薬物―全身倦怠感　45, 55
薬物性小脳失調症　381, 389
薬物性（離脱性）頭痛　148
薬物性（離脱性）hyperthermia　120, 135
薬物中毒―けいれん発作　170, 178
薬物副作用―悪心（嘔気）・嘔吐　274, 282
薬物乱用・中毒―体重減少（るい痩）　72, 76
薬物離脱症候群　269
野兎病　90, 92

ユ

有棘細胞癌　109
遊走腎　324
遊走脾　316

ヨ

溶血性尿毒症症候群　128, 183, 345, 407, 411, 412
腰椎穿刺　142
腰・背部痛　359

ラ

らい腫型ハンセン病　90
ライター症候群　109
卵巣癌　91
卵巣出血　328
卵巣腫瘍茎捻転・破裂　327

リ

リーシュマニア症　90
リウマチ性多発筋痛症　70, 72, 77, 135, 398
リケッチア感染症　92, 109, 124
離脱症候群　172
流行性角結膜炎　205
良性単クローン性γグロブリン異常症　405
緑内障　195
リン脂質抗体症候群　222
リンパ腫　89, 94, 126, 131
リンパ節腫脹　89
リンパ節生検　94
リンパ浮腫　81, 86

ル

ループス腎炎　412

レ

レジオネラ症　124, 138
レプトスピラ症　114, 124, 203, 206, 207

ロ

肋軟骨炎　255
ロッキー山紅斑熱　109

欧文索引

A

- ABC-OMI 183
- abdominal pain 298
- ABE 133
- abnormal bowel movement 345
- ABR 213
- accuracy 32
- ACNES 329
- AD 442, 446
- ADEM 388, 398
- ADHD 468
- AEIOU-TIPS 152
- AGEP 100, 107
- AIDS 72, 74
- AIP 233, 237, 241, 248, 311
- AKI 66, 68, 73, 78, 177, 426, 427
- Alport症候群 202, 414
- ALS 26, 72, 77, 289, 292, 382, 391, 438
- Alzheimer型認知症 442, 446
- ANCA関連血管炎 120, 134
- angiodysplasia 332, 342
- anorexia 66
- anuria 426
- anxiety 432
- APL 108
- Apnea-hypopnea index 62
- APS 412
- ARDS 133, 241, 248, 308
- Argyll-Robertson瞳孔 391
- arthralgia 370
- ASD 468
- ATⅢ欠損症 340
- autoinflammatory syndromes 123
- AVM 171, 183
- A型肝炎 133, 313

B

- Babinski徴候 383, 391
- back pain 359
- Banti症候群 335
- Barré-Lieou症候群 193
- Barré徴候 141, 383
- behavioral observation audiometry 212
- Behçet病 85, 206
- Benedikt症候群 388
- beriberi 81, 86
- Bezold膿瘍 213
- Bickerstaff型脳幹脳炎 388
- Biot呼吸 153
- blind-loop症候群 353
- BLS 24
- BMI 73
- Boerhaave症候群 337
- Botallo管開存 225, 229
- Brugada症候群 164, 270
- BRVO 195, 200
- Budd-Chiari症候群 82, 85, 299, 315, 335, 336
- buffalo hump 78
- burn 459
- B型肝炎 313
- B症状 134

C

- *C. difficile*関連下痢症 345, 349
- CACS 323
- CAGE質問 56
- cannon A 46
- cardiopulmonary arrest 452
- Carnett徴候 329
- CCA 389
- celiac病 77, 91, 352
- Chagas病 92
- Charcotの3徴 306
- chest pain 254
- Cheyne-Stokes呼吸 153, 243
- Child-Pugh分類 116
- cholesteatoma 216

chondrocalcinosis 135
Churg-Strauss症候群 107
Claude症候群 388
CLL 90
CMV感染症 49, 90, 91, 132
Cogan症候群 209, 214, 215
colon cut-off徴候 308
constipation 345
convulsions 170
COPD 59, 63
cough 233
Courvoisier徴候 112
CO中毒 139, 145, 146
CP 81, 85
CPM 176
CPPD症 132, 135
CRAO 195, 199
crepitus 84
Creutzfeldt-Jakob病 154, 443
Crigler-Najjar症候群 117
Crohn病 77, 91, 132, 206, 320, 342, 351
Cross Straight leg raising試験 367
Crowned dens症候群 375
CRVO 195, 200
CSD 90
Cullen徴候 38, 308, 360
Cushing現象 145
Cushing症候群 73, 78, 82, 375, 382
Cushing徴候 153, 280
CVID 91
C型肝炎 313

D

Darier徴候 101
DCR戦略 454
DCS 457
deep sulcus徴候 244
delirium tremens 179

depression 432
developmental disorder 467
Devic病 200
DGI 100, 107
diarrhea 345
DIC 100, 107, 124, 128, 220, 308, 412
DIHS 100, 104
disturbance of consciousness 150
Dix-Hallpike試験 189
DKA 66, 67, 274, 282, 298, 311
DLB 442, 448
DLBD 381, 387
DNAR 452
doll's eye現象 50
Down症候群 465
Dubin-Johnson症候群 117
DVT 81, 87, 126, 365
dysequilibrium 186, 193
dysphagia 289
dyspnea 241
dysuria 418

E

EBV感染症 49, 91
edema 81
EGPA 107, 134, 412
EHEC 345, 348
Ehlers-Danlos症候群 221, 260, 342
Eisenmenger症候群 166
EKC 205
emaciation 72
epistaxis 218
Epley法 191
E型肝炎 133, 313

F

failure to thrive 463
fever 119

Fitz-Hugh-Curtis症候群　326
FMF　123
forgetfulness　441
Fournier's gangrene　102
Fox徴候　360
Friedreich運動失調　389
FTD　442, 449
FUO　121

G

gait disturbance　381
GCS　151
general malaise　45
GERD　64, 231, 239, 264, 284, 287, 296, 319
Gerstmann症候群　384
GH欠乏症　465
Gianotti-Crosti症候群　109
Gilbert症候群　117
Gilles de la Tourette症候群　63
glomus腫瘍　212
Goodpasture症候群　251
Gottron丘疹　293
Gottron徴候　105, 396, 397
Gowers徴候　396
GPA　107, 134, 221, 225, 230, 251, 412
Grey-Turner徴候　38, 301, 308
Guillain-Barré症候群　241, 249, 289, 294, 382, 388, 393, 404

H

hairy cell白血病　91
HAM　382, 391
Hamman徴候　261, 263
Hampton's hump　40, 244
head impulse test　190
headache　139
hearing loss　209
heartburn　284
HELLP症候群　412

hematemesis　331
hematochezia　331
hematuria　407
Henoch-Schönlein紫斑病　107
herpes zoster　106
Heyde's syndrome　342
HIV感染症　49, 89, 90, 91, 95, 132, 350, 353
hoarseness　225
Hodgkin病　91, 123, 132, 134
Hollenhorst斑　108
Homans徴候　83
Horner症候群　227, 388
Horner徴候　85, 192
Howship-Romberg徴候　278, 303
HSV　100, 106
HTLV-1関連脊髄症　382, 391
Huntington舞踏病　63
Hurler症候群　469
HUS　128, 407, 411, 412
hyperthermia　120

I

I-ADL　443
ICSD　59
IE　108, 120, 126, 132, 370, 373, 412
IgAV　107
IgA血管炎　107, 329
IGRA　74
impaired vision　195
incontinence　418
injury　454
insomnia　59

J

Jaccoud関節　377
Janeway病変　108, 124
jaundice　111
JCS　151

K

Kayser-Fleischer輪　50, 112, 387
knuckle徴候　244
Köbner現象　100, 101
Korsakoff症候群　398
Kussmaul呼吸　174, 242, 282
Kussmaul徴候　46, 85, 257

L

Lambert-Eaton筋無力症症候群　382, 395
LD　468
Lemierre症候群　96, 125, 225, 227, 291
LEMS　382, 395
leukocytoclastic vasculitis　100, 104, 107
Lewy小体型認知症　442, 448
loudness recruitment現象　188, 212
Ludwig angina　96, 102, 225, 227, 289, 291
Lyme病　92
lymphadenopathy　89

M

Machado-Joseph病　389
MAHA　112, 113, 412
Mallory-Weiss症候群　274, 284, 286, 331, 332, 337
Marcus-Gunn瞳孔　197
Marfan症候群　260
Markle徴候　276, 304
MAT　268
MCI　443
MCTD　91
Medusaの頭　334
melena　331
Menetrier病　84
MG　72, 77, 241, 249, 289, 294, 382, 394, 438
MGUS　405
Mingazzini徴候　383
Mirizzi症候群　116, 307
Mononucleosis様症候群　91
MPA　107, 134, 412
MRSA　103
MS　388, 398
MSA　289, 292, 418, 422
MSA-C　386, 422
MSA-P　386, 422
Müchhausen症候群　73
Murphy徴候　112, 279, 307
MvK欠損症　123
mycosis fungoides　103
Myerson徴候　292, 386, 445

N

nausea　274
NCSE　150, 157
Nikolsky現象　101, 106
NMO　200
Node of Cloquet　90
NOMI　298, 301
Noonan症候群　465, 466
numbness of the extremities　400
Nylen-Barany試験　189

O

obturator徴候　277, 309, 310
oculocephalic reflex　153
Oculoglandular症候群　92
oculovestibular reflex　153
Ogilvie症候群　357
oliguria　426
OPCA　386
oral hairy leukoplakia　353
Osler-Weber-Rendu病　183, 221, 342
Osler結節　108, 124

P

Paget病　109
palpable purpura　104
palpitation　267
peau d'orange　86
peek徴候　294
periodic fever　123
Phalen徴候　405
PID　126, 326, 418, 421
PKU　469
Plummer-Vinson症候群　290
PMR　135
PN　412
POEMS症候群　82, 393
polyuria　426
post-infectious glomerulonephritis　414
potentially reversible dementias　442
Prader-Willi症候群　465, 466
PRD's　442, 446
precision　32
presyncope　186, 193
PSC　116
pseudogout　135
pseudo-RA　136
psoas徴候　125, 277, 309, 310, 362
PSP　289, 292, 381, 387
purpura fulminans　108

Q

qSOFA　108, 124
QT延長症候群　270
Q熱　124

R

RA　376
rash　99
Raynaud現象　56, 293, 295, 296, 377
RCVS　143
REBOA　457
red eye　203
red flag　359
red man症候群　43
restless legs syndrome　64
Rett症候群　469
Reye症候群　115
Reynoldsの5徴　306
Rinne試験　211
Romberg徴候　55, 167
Rosenstein徴候　277
Roth斑　108, 125
Rotor症候群　117
Rovsing徴候　277
RPGN　407, 411
RPLS　143, 171, 182, 201
RSSSPE症候群　398
Rumpel-Leede試験　221

S

SAH　142, 159, 166
San Francisco Syncope Rule　163
Satiety　66
saturation gap　146
SBE　50
SBP　303
S-Bチューブ　336
SCOFF questionnaire　70
shock　34
SIAD　54
Silver-Russell症候群　465
SIRS　124
Sister Mary Joseph nodule　91
sitophobia　66
Sjögren症候群　105, 118, 170, 182, 295, 393, 430
SJS　100, 105
skin lesions　99
SLE　91, 100, 105, 126, 170, 182,

206, 251, 315, 329, 377, 412
SMA 323, 332, 340
SMV 332, 340
SND 386
sonographic Murphy徴候 307
spinal shock 43
sputum 233
SSc 412
SSSS 100, 103
Stauffer症候群 118
STD 420
Stevens-Johnson症候群 100, 105
Straight leg raising試験 367
symptom of terminal state 471
syncope 159
S状静脈洞血栓症 213

T

TAFRO症候群 82, 132
Tay-Sachs病 469
TEN 100, 105
thunderclap headache 143
Tietze症候群 264
Tilt試験 162
Tinel徴候 405
TMA 112, 113
TNF受容体関連周期性発熱症候群 123
Todd麻痺 171
tone decay現象 188, 211, 212
Tourette症候群 467
TRAPS 123
Trousseau徴候 173, 176
TSLS 100, 102
TSS 100, 102, 120, 132, 345, 348
TTP 128, 412
Turner症候群 260, 465, 466
Turner徴候 360
T細胞性リンパ腫 109

U

Ulceroglandular症候群 91
Ulysses症候群 29, 126

V

VaD 442, 447
vallecula徴候 244
vertigo 186
VIPoma 77, 350, 354
Virchowの3徴 81
Virchowリンパ節 334
voiding difficulty 418
vomiting 274
von Recklinghausen病 215
von Willebrand病 220, 342
VZV 100, 106

W

Waldeyer輪 93
Wallenberg症候群 388
waning現象 294, 394
waxing現象 394, 395
WDHA症候群 354
weakness 381
Weber試験 211
Weber症候群 388
Wegener症候群 107
weight gain 72
weight loss 72
Weil病 133, 207
Wernicke脳症 153, 398
Westermark徴候 40, 244
Whippleの3徴 79
Whipple病 91, 123
white nails 85
Williams症候群 465
Willis動脈輪閉塞症 160, 384
Wilson病 112, 114, 115, 177, 381, 387
winking owl徴候 363

Wolff-Parkinson-White症候群　164, 270

Y

Yellow nail症候群　82

Z

Zollinger-Ellison症候群　77, 319, 336, 352